# ВЯЧЕСЛАВ ФЕТИСОВ

## Овертайм

ВАГРИУС

# ВЯЧЕСЛАВ ФЕТИСОВ

# ОВЕРТАЙМ

МОСКВА•ВАГРИУС•
1998

УДК 882-94
ББК 84.Р7
Ф 45

Литературная запись
В. Мелик-Карамова

В книге использованы
фотографии из личных архивов
автора, А. Макарова,
С. Берменьева; а также агентств
РИА-Новости
и «Рейтер/Линдон».

ISBN 5-7027-0510-6

Почему я назвал свою книгу «Овертайм»? В хоккее этот термин обозначает дополнительное время. Так было угодно судьбе, что мой спортивный век оказался намного дольше того, на который я сам рассчитывал. Мне сорок, а я продолжаю играть в Национальной хоккейной лиге. Для СССР, даже в период самых больших хоккейных достижений, это суперрекорд. Впрочем, и в НХЛ я сейчас единственный игрок в таком возрасте.

Потому пусть я и действующий защитник, но, наверное, право на мемуары я уже заслужил. Конечно, я давно бы забыл, что такое хоккей, если бы в 1989-м не уехал из Советского Союза, правда, пережив на прощание травлю и унижения. Я уехал из страны, где меня считали национальным героем, а различные начальники — предателем и отщепенцем. Об этом страшном для меня времени противостояния с Системой я подробно рассказываю в книге.

Как говорит моя жена Лада, мы успели в последний вагон уходящего поезда. Я благодарен Ладе — моей любви и опоре — за помощь в написании этой книги, где она, по существу, мой соавтор. Я благодарен многим моим друзьям, которые поддержали меня в трудные дни, надеюсь, я никого не забыл упомянуть. Спасибо моему другу журналисту Виталию Мелик-Карамову, который помог мне собрать рукопись.

Играя в «Детройт Ред Уингз», одной из сильнейших команд Лиги, я, конечно, постоянно ощущаю поклонение американских болельщиков, но я знаю, что и на Родине меня помнят и уважают. И эта поддержка в двух странах дает мне все новые силы. Как и то, что я занимаюсь делом, которое считаю своим и которое невероятно люблю.

К счастью, хоккей мне ответил тем же.

*Вячеслав Фетисов*
*Детройт, 1997 г.*

12 декабря 1996 года у меня дома, в Детройте, раздался телефонный звонок. Поднимая трубку, я еще не знал, что ожидающее меня известие — итог восьми нелегких, но счастливых для меня лет. Итог восьми сезонов в НХЛ.

Я уже несколько дней болел (в команде был сильный грипп), на лед не выходил, но в этот день после тренировки, около четырех часов, вместе с командой я должен был улетать на игру в Даллас. Утром приехал на стадион, но тренер мне сказал: «Не переодевайся, отправляйся обратно домой и приезжай прямо к самолету». Я вернулся домой, мне становилось все хуже и хуже, прилег на пару минут и уснул. Моя жена Лада встречала нашу пятилетнюю дочь после подготовительной школы, потом они должны были ехать то ли на музыку, то ли в бассейн, в общем, дома никого не было. В начале четвертого быстро оделся и спустился вниз. Смотрю, индикатор «месседж» («вызов») горит на телефоне, а времени до самолета впритык, но нажал на кнопку автоответчика. Слышу голос генерального менеджера. Как правило, если он звонит тебе домой после обеда, значит, что-то не в порядке: или тебя меняют, или с тобой какие-то проблемы. Менеджер «Детройта» обычно не торопится говорить о главном: «Привет, Слава, как дела? Это Джимми звонит... У меня есть для тебя хорошая новость. Только что позвонил мне Гарри Бетмен (комиссионер Лиги, то есть ее руководитель), он сказал, что ты выбран в Оллстарз». Оллстарзгейм — это своеобразный НХЛовский турнир, когда встречаются сборные двух конференций — Запада и Востока. Комиссионер располагает двумя голосами, чтобы выдвинуть кандидатуры игроков для каждой конференции от себя. Обычно он называет свои кандидатуры, исходя из принципов: сколько эти люди сделали для хоккея, какой у них авторитет в Лиге, их репутация. В общем, происходит выбор заслуженного и морально безупречного ветерана, выбор, наверное, непростой, потому что в Лиге почти семьсот хоккеистов в обеих конференциях, которые играют в двадцати шести командах. Каждое названное имя должно получить от комиссионеров комментарии в газетах, и, не скрою, мне потом было приятно прочесть о моих «выдающихся заслугах в хоккее» и дальше в том же духе.

Оглушенный новостью, я выскочил из дома, еду в аэропорт, и какое-то странное состояние: с одной стороны, нужно радоваться, с другой — появилось ощущение, мешающее первым восторгам. Может, действительно, в сознании это сообщение как-то перекликалось с другим «звоночком»: пора, значит, заканчивать. Не знаю, но сразу одной только радости не было. Подъехал на стоянку к нашему самолету («Детройт» летает на собственном лайнере), кто-то уже знал про мою кандидатуру на Оллстарзгейм, кто-то нет, но новость разошлась быстро, ребята поздравили меня. Прилетели мы в Даллас, пошли ужинать, я позвонил домой, но Лада с Настенькой еще не вернулись. После ужина звоню, Лада в курсе, ей уже рассказали о решении Бетмена, но виду не подает: «А что ты не звонишь? Как дела, какие новости?» Я говорю, что особых новостей нет. Первой не выдержала она: «Что же ты молчишь? Да я уже давно знаю, поздравляю». Лада, по-моему, была рада больше, чем я. Столько женских эмоций в трубке! «Отмени билеты в Нью-Йорк, — я ей говорю (мы хотели во время Оллстарзбрейка, так как в Лиге наступают короткие каникулы, слетать в Нью-Йорк), — позвони завтра и отмени билеты».

Оллстарзбрейк — фантастическое событие для американского хоккея. Когда проходит это представление, то наступают пять дней перерыва в регулярном чемпионате. Обычно не занятые в Оллстарз игроки отправляются либо во Флориду загорать и купаться, либо в Колорадо кататься на лыжах. Поэтому каждый строит для себя планы: отдых у американцев — серьезное дело. В середине декабря, перед Рождеством, уже у всех разработаны подробные схемы: билеты, отели — как перед нелегким сражением. А мы с Ладой, русские люди, бесхитростно должны были прибыть в Нью-Йорк и жить в своем доме в Нью-Джерси. В один из вечеров нас пригласили на юбилей жены моего друга. Теперь все меняется: едем в Калифорнию, в Сан-Хосе, где будет проходить Оллстарзбрейк.

Вернулся я из ресторана к себе в номер, а там десятки «месседжей» на телефоне: звонили из газет, с телевидения, из спортивных изданий, хотели знать мою реакцию на избрание. До Оллстарзгейма оставался еще почти месяц, надо было играть в чемпионате, а «Детройт» в этом месяце валился. Провал возник из-за того, что половина команды болела, мне приходилось играть очень много, так что месяц пролетел как день. Анастасию мы решили с собой не брать, потому что от нас до Калифорнии пять с половиной часов полета, а ехать надо всего на три дня. Она осталась в семье наших американских друзей, Криса и Лори Брошер, а мы отправились вчетвером: прекрасные нападающие Бренден Шенехен и Стив Айзерман, Лада и я. К Стиви жена потом прилетела прямо в Сан-Хосе, она уже где-то отдыхала с подругой.

Сели в самолет, клуб купил нам билеты в первый класс, в Америке это раза в три дороже, чем просто в коммерческом. Все выглядело очень солидно. К тому же кто-то из болельщиков, работающих в авиакомпании, прислал каждому по корзине с фруктами и вином. Стюардесса, которая их передавала, сказала, что видит такое в первый раз.

9

Она, похоже, не знала, кто мы и откуда. Если бы экипаж был детройтский, вряд ли бы ей пришлось удивляться. Потом выяснилось, что женщина, вице-президент авиакомпании, — фанатичная болельщица.

Прилетели в Сан-Франциско — это в получасе езды на машине до Сан-Хосе. Нас встретили лимузины, кто хотел — мог ехать в Сан-Хосе, кто хотел — мог остаться погулять в Сан-Франциско. Айзерман решил остаться во Фриско, сказав, что в отеле Сан-Хосе, куда всех поселят, будет настоящий «зоопарк»: тучи хоккейных болельщиков, тысячи автографов — не отдохнешь. Для Стиви это был не первый Оллстарзгейм, поэтому он мог выбирать. А мы решили поехать именно туда, чтобы почувствовать всю атмосферу этого невероятного хоккейного шоу, тем более что уже договорились с Сережей Макаровым (а он жил в Сан-Хосе) о встрече. Позвонили ему из машины, сказали, что через 40 минут будем в Сан-Хосе, а он радостно сообщил, что уже заказал ужин... в Сан-Франциско. Приехали в гостиницу и только успели бросить вещи в номер, а Серега с молодой женой, Олегом Твердовским (его выдвинули в Оллстарз от «Феникса») и его девушкой уже ждали внизу — и снова поехали в Сан-Франциско, теперь уже вшестером.

Поужинали в хорошем ресторане. Сережу я давно не видел, мы поболтали, потом пошли на нашу тусовку — в этот вечер в Сан-Франциско в ресторане «Планета Голливуд» был прием для участников Оллстарзгейма. Уговорил Макарова, он отнекивался: «Мне неудобно». Это ему неудобно! Великому хоккеисту! Но мы наседаем: «Во-первых, друзей с собой можно брать, во-вторых, ты имеешь к этому делу прямое отношение, а там будет много общих знакомых». Наконец уговорили, и, действительно, не зря: все подходили к нему, расспрашивали о жизни. На приеме оказались ребята, с которыми я играл в Нью-Джерси, а главное, их жены. Тут Лада душу отвела: у кого-то дети появились, у кого-то новые дома, собаки. Часа два Лада болтала, не останавливаясь. За нее я совершенно уверен, но, думаю, и Серега тоже неплохо провел вечер. Напитки, кстати, были любые, но по углам никто не валялся.

Около часа ночи отправились обратно в Сан-Хосе, хотя вечер в «Планете Голливуд» был в полном разгаре, но у Сергея бэбиситер (нянька) с ребенком сидела, нужно было отпустить ее домой. К тому же на следующее утро, часов на девять, назначили фотографирование. В девять наша конференция — Запад — снималась, а в десять — Восток. В конце концов получалось, что в отпуске ребята делали общественную работу. С одной стороны, конечно, каждому приятно быть в числе Оллстарз, но с другой — это шоу работает на Лигу и у каждого в этом спектакле есть роль.

Оллстарзгейм — популяризация НХЛ, популяризация хоккея. Отмечу попутно, что игра, в которой я принимал участие, транслировалась на 160 стран. Это о чем-то говорит? Все герои этого представления ведут себя абсолютно раскованно и естественно. А оно собирает на своей сцене и генеральных менеджеров, и хозяев клубов, и самых великих «звезд» прошлого, не говоря уже о «звездах» современных. Посторонних там не бывает, может, поэтому царит семейная обстановка.

Я не знаю, кто финансирует это мероприятие, но почти уверен, что ответственным за его проведение становится хозяин той команды, где проводится очередной ежегодный Оллстарзгейм. Думаю так потому, что постоянно видел хозяина «Сан-Хосе Шаркс» на всех мероприятиях и везде он участвовал как организатор. Может быть, и Лига входит с какими-то процентами, но мне показалось, что хозяин команды отвечает за все. Но и, естественно, то, что он зарабатывает с этого шоу, идет ему в карман...

Макаров довез нас с Олегом до гостиницы, где мы встретили хозяина «Шаркс» («Акул») прямо у входа. Сергей подошел к нему, поздоровался (он играл у него в клубе почти три года). Спрашиваем босса: «Время — половина второго, что ты здесь делаешь?» Отвечает: «Смотрю, чтобы все было нормально». Секьюрити сумасшедшие — стоят на каждом углу. Зашли в гостиницу — огромный холл, а там кого только нет: и вице-президенты Лиги, и генеральные менеджеры, и игроки, и болельщики. Не знаю, кто же тогда остался в «Планете»?

Так закончился вечер пятницы. А утром, в субботу, был организован транспорт — все по минутам расписано: в восемь уже отходили автобусы и лимузины, кто куда садился, нас отправляли на стадион. Полагалось поставить автографы на всяких предметах, которые принесли в раздевалку: плакаты, клюшки, фотографии. Все это потом продавалось на благотворительном аукционе. Аукцион — часть шоу: люди, которые проводят аукцион, и сами привозят какие-то вещи, но главные предметы — это личные клюшки и майки звезд. После автографов нужно было надеть форму, приготовленную специально для Оллстарзгейма, и пойти на тимпикчер, то есть сфотографироваться всей командой. Бред Халл опоздал на 20 минут, так и не попал на пикчер. Оказалось, что он с Грецки, а они большие друзья, рванули в Лас-Вегас на ночь, поиграть, а самолет из Вегаса вылетел с опозданием. Грецки успел, потому что у него другая конференция и он фотографировался после нас, а Бред, хотя и участвовал в матче, на фотографию не попал.

Сфотографировались, покатались по кругу, потом снялись по клубному принципу: если два-три человека из одного клуба, то делается фотография и для болельщиков этого клуба. Потом — кто с кем хочет. Нас, бывших советских, оказалось пять человек, двое русских и Олег Твердовский. Мы говорим ему: «Ты же хохол, как ты будешь с нами фотографироваться?» Он отвечает: «Играл за сборную России, имею полное право сниматься с вами». Я, Буре и Олег снялись втроем, а потом все «советские» — вместе, с Санди Озолиньшем и Димой Христичем. Поснимались, подурачились, шайбу побросали. Фотографирование обязательно для всех. Несколько компаний, которые выпускают рекламные карточки, выстроили нас всех еще и в индивидуальную очередь. Каждый должен был сфотографироваться в форме Оллстарз своей конференции. Потом — встреча с прессой.

Наша команда первой вошла в огромный зал, журналистов просто тьма. Я думал, что ко мне вопросов будет немного, но оказалось наоборот. Больше всего внимания уделяли мне, возможно, потому, что почти все ребята уже участвовали в Оллстарзгейме, а я новичок. Огромное число вопросов: как, что, почему? Вспомнили все мои приключения с отъездом из СССР: я поразился, люди помнили, что происходило восемь лет назад. Как раз вышла и большая статья Моуры Мандт в журнале «ESPN-Sport» «Последний герой»*. Долго я стоял в окружении журналистов, вспоминая те уже далекие подробности страшного противостояния. Журналисты были из Европы, Японии, отовсюду, только не из России. Такое международное внимание было довольно приятно, но, может быть, именно в этот момент я подумал: пока помню, все, что было накануне отъезда в США, надо записать. Хотя, наверное, до смерти ничего уже не забуду...

Когда фотографирование и пресс-конференция закончились, мы переоделись и вернулись в гостиницу. У нас оставалось всего два или три часа, перед тем как начнется соревнование на мастерство, здесь оно называется «скилкомпетишен». Это когда игроки из каждой команды начинают индивидуально соревноваться за победу в специальном номере. Допустим, кто самый быстрый, кто самый меткий, кто лучше бьет буллиты? Каждой команде дается по три попытки, и за успех засчитывают очки. Мы выбираем тройку

---

*«Известия» потом ее перепечатали, изменив почему-то название на «Я люблю Вас, Слава Фетисов». Моура долго потом кипятилась, хотела подавать на русскую газету в суд, но я ее отговорил. «Как они не понимают, — удивлялась Моура, — я тебя уважаю, очень уважаю, но я люблю своего бойфренда».

сами, предположим, самых быстрых. Они бегут, и тот, кто выиграл забег, приносит команде одно очко. Вдобавок тот, кто показал лучшее время, приносит еще два очка. Потом полагалось обводить стойки, потом — кто сильнее бросит, потом — кто меньшим числом шайб собьет четыре мишени в разных углах ворот. В конце — буллиты. По очереди выставляются все три вратаря, и каждая команда — восемнадцать человек — бьет буллиты. Каждый гол — это очко. Я бросал Гашеку, но не забил. В конце, когда проходило рукопожатие и я к нему подъехал, он сказал: «Я думал, ты будешь бить, как в Праге, помнишь, как ты мне забил в 84-м?» Тогда я забил гол Гашеку, выходя с правого края и показывая, что буду идти вдоль ворот, а когда он стал смещаться, я, переложив клюшку в одну руку, потихоньку загнал шайбу в ближний угол. Посмеялись. Гашек до сих пор неплохо говорит по-русски.

Народу пришло очень много, тысяч двадцать — столько, сколько вмещает полный стадион «Шаркс». Серьезности конкурса нужно было придать какой-то оттенок, чтобы люди почувствовали праздник. Поэтому комментарий на стадионе был наполнен всевозможными шутками. Комментаторы ездили на коньках, их на льду каталось трое или четверо. Они никого и ничего не пропускали.

Вечером состоялся грандиозный прием на военно-воздушной базе, неподалеку от Сан-Хосе. По специальным пропускам (на военную базу так просто не попадешь), в огромном ангаре, ремонтном или стояночном, точно я не знаю. Самолеты из ангара убрали, но один стоял в углу. Каких только аттракционов в ангаре не было, сделали даже «чертово колесо». Креветки, устрицы, лобстеры горами лежали. Музыка грохотала, викторины разыгрывались, а все оставшееся место в огромном ангаре было занято людьми. Там, конечно, собрались все: и игроки, и руководство Лиги, и руководство профсоюза игроков, и хозяева, и генеральные менеджеры, и доктора команд. Для докторов

Оллстарзгейм как бы поощрение, каждая команда посылает своих медиков, чтобы они могли встретиться и пообщаться, у них там в это время свои семинары проводятся.

Присутствие членов «партии и правительства», другими словами, сенаторов, конгрессменов, по-моему, не предусматривается праздником. Может, кто-то и приехал, но политики никак не были обозначены. Зато везде стояли на постах ребята-военные в парадной форме. Ходишь по ангару — одни знакомые, устаешь общаться. Встали мы, русские, к одному столу и далеко от него не отрывались. Люди подходили к нам, многих я не видел давно. Наш стол — это Паша Буре, я, Олег Твердовский и Володя Буре — отец Паши. Когда все уже собирались переезжать в ночной бар, мы отправились в гостиницу, потому что приехала телекоманда из Москвы. Люди прибыли по-русски, без звонка, пришлось им уделять внимание, не бросать же, тем более — приехали они без аккредитации, без заявки на нее, значит, надо помогать им добывать пропуска, чтобы они могли везде пройти, а вот снимать было запрещено.

У каждой конференции есть свой тренер, он же тренер ведущей команды чемпионата. Неважно, может быть, к началу Оллстарзгейма эти команды уже не будут на первом месте, но именно к определенной дате, допустим, 20 декабря, тренеры команд, имеющих лучший результат в каждой конференции, назначаются тренерами, а менеджеры этих клубов начинают создавать команды Оллстарз. Принцип такой: тринадцать команд в каждой конференции, и обязательно должен быть представитель от каждой команды. Дальше уже добирают. Во-первых, шесть человек, которых выбрали болельщики голосованием: пятерка и вратарь. По две кандидатуры, как я уже писал, может предлагать комиссионер Лиги. Так собираются команды Оллстарз.

Наш тренер заранее объявил, что утренней раскатки перед игрой не будет, расслабленность полная. Каждый игрок имел право пригласить в этот день на матч родителей, родственников или двух друзей. За счет организаторов им предоставляются даже номера в гостинице, где для всех гостей был организован обед. Для каждой конференции в разных ресторанах тоже накрыли столы. Открыли в гостинице большой зал, куда все могли прийти. Весь день перед игрой друзья и родственники там прогуливались.

Вообще, деление на Восток и Запад довольно условное. Ведь Детройт, играющий в Западной конференции, ближе к Восточному побережью, чем к Калифорнии, которая на Западном. Но на Западе, наверное, не хватает команд, поэтому в свое время и были именно так составлены конференции, но, допустим, «Чикаго» — «Детройт» всегда будут в одной группе, потому что их встречи приводят зрителей на трибуну. Старые традиционные битвы. Как «Спартак» — «Динамо».

Наша команда «Запад» проиграла 7:11 — это все видели по телевизору. Игра получилась без обороны. Никто заранее не сговаривается, что не будет силовых приемов, что по бортам никого не будут размазывать. Это само собой разумеется. Последнее удаление на Оллстарзгейме было в 1985 году. Я, тогда игрок сборной СССР и ЦСКА, во время очередного канадского турне сборной оказался зрителем как раз на той самой игре: Пол Коффи кого-то зацепил за ногу, игрок упал, Пола удалили.

Оллстарзгейм — игра, которая проходит на чистом мастерстве, без удалений, без драк: драчунов туда не выбирают. Отчасти — холодное исполнение без души. Горячих чувств в эту игру не вкладывают. Правда, последние два года стали вводить какие-то премии для победителей, а до этого просто люди играли в хоккей в свои выходные. Но если говорить о матче, в котором я участвовал, то игра получилась достаточно зрелищной: много голов, а в третьем периоде мы сделали, кажется, 21 бросок. Гашек стоял насмерть, забить ему в этот день было невозможно, он творил чудеса. Так что зрители не были разочарованы. К тому же играли два представителя «Сан-Хосе Шаркс» — любимцы местной публики Уэн Нолан и Тони Гранато. Случай с Гранато — уникальный в хоккее. Ему сделали в прошлом году трепанацию черепа — вырезали опухоль, а в этом парень уже играет. Когда представляли его на льду, стадион встал и все игроки ему хлопали. Как надо любить хоккей, каким надо быть не то что мужественным — отчаянным, чтобы после такой операции выйти опять на лед. Тем более что стиль игры Тони более чем активный: он не «технарь», поэтому лезет во все «горячие точки», хотя сам невысокого роста, точнее, просто маленький парень. У болельщиков появление Тони на льду всегда вызывает восторг и овации. Нолан в этой игре забил три гола, то есть сделал хет-трик. Когда стали объявлять лучшего игрока матча, весь стадион кричал: «Нолан, Нолан!» Однако приз отдали Марку Рики из «Монреаля», и стадион начал гудеть: мол, неправильно. Марк тоже забил три гола, но за команду-победительницу. Ему и вручили джип «блейзер».

Закончились эти два дня. На скилкомпетишен я в раздевалке много времени проводил с ребятами, поговорить с которыми во время сезона не удается, если не играешь в одной команде. Наконец пообщался с Крисом Челиосом, мы столько играем друг против друга и никогда — в одной команде. А нам есть что вспомнить: и Олимпийские игры в Сараево, и всевозможные суперсерии. Много было ребят, с которыми я сталкивался только на льду, только как с хоккеистами под такими-то номерами. А здесь после игры мы сидели в раздевалке, говорили обо всем на свете. Там у них в Сан-Хосе сауна, посидели и в ней с пивом, вспомнили прошлые сражения. Дружелюбная обстановка; наверное, она всегда такой получается, когда все свои собираются, все из одного бизнеса, всем все понятно, ничего объяснять не надо. Обидно, что с нами не было Игоря Ларионова, но я уверен, что он будет в составе следующего Оллстарзгейма.

Вечером мы своей русской компанией пошли на ужин, заняли большой банкетный стол. Сидели, болтали, а к нам приходили ребята из разных клубов. Московские телевизионщики брали интервью, хотя это категорически запрещено, но там в секьюрити ребята были знакомые, разрешили. Сидели до самого закрытия. Сережа Макаров был с нами. Потом пошли в гостиницу и по дороге встретили Гарри Бетмена и всех его заместителей: Стива Саломона, Брайана Бурга и председателя профсоюза игроков Боба Гуденоу. Я поблагодарил их за то, что они меня пригласили. Брайан ответил, что если бы я приехал лет на десять пораньше, то играл бы все эти десять лет. Гулянье продолжалось, но мы поднялись ко мне в номер: Паша Буре, Олег Твердовский. Мы сидели и обсуждали свои дела еще часа два. Потом Володя Буре зашел, телевизионщики забежали, рассказывали последние московские новости. Разошлись часа в три, а утром уже улетать — нам надо было успеть на очередную игру: «Детройт» на следующий день по расписанию играл с «Монреаль Канадиенс». Мы с Бренденом полетели сразу в Монреаль, а Стиви Айзерман с женой и Лада — в Детройт. Стиви уже из Детройта вместе с командой прилетел на самолете в Монреаль. И хотя мы с Бренденом прилетели быстрее, дорога все же заняла девять часов. Но не только поэтому к матчу я восстанавливался непросто. Слишком эмоциональный, хотя и хоккейный, получился перерыв. Но я думаю, что иногда такие два дня в жизни дают больше, чем месячный отдых.

Я впервые провел пару дней в высшем хоккейном обществе. Более того, я ощущал себя равным великим игрокам НХЛ — сильнейшей хоккейной лиги на сегодняшний день в мире. Я заслужил то, что дается не только долгим стажем, не только десятками наград и званий, а еще чем-то, что объяснить невозможно. Может, уважением лучших и сильнейших. Мог ли я об этом мечтать несколько лет назад!

# Глава 2
# «ПЛОДИТЬ МИЛЛИОНЕРОВ МЫ НЕ ИМЕЕМ ПРАВА»

Первый раз я узнал, что у меня появился шанс играть в НХЛ, 23 февраля 1988 года, в самолете, когда мы летели над Атлантикой, возвращаясь из Калгари в Москву после Зимней Олимпиады. Меня пригласили в первый салон к руководству Спорткомитета СССР (там олимпийские герои сидели вместе с начальством) и сообщили, что на протяжении всех Олимпийских игр с менеджером из «Нью-Джерси» постоянно велись переговоры о том, как этот клуб может меня купить. Так на высоте в десять тысяч метров мне стало известно о планах продажи меня в Лигу. Руководители пили шампанское — сборная СССР победила в командном зачете, всех ожидали ордена. Министр и его заместитель мне говорят: «Сейчас прилетишь в Москву, посоветуйся с семьей, подумай хорошенько. Мы тебя ждем с ответом через пару дней в Спорткомитете». Я отвечаю: «Что мне думать? Я согласен». — «Ты не торопись, поезжай домой, все обмозгуй хорошенько».

Через пару дней меня действительно вызвали в Спорткомитет, и я подтвердил свое согласие, сказав, что семья не против переезда в Америку. Главная проблема была — это уволиться из армии. Как и все игроки армейского клуба, я имел офицерские погоны, и на льду дослужился до майора, однако по советским законам из армии увольняли только через двадцать пять лет выслуги. Но, как мне сказал министр по делам спорта Марат Грамов еще в самолете, этот вопрос он решит с министром обороны Язовым сам, так как они в очень хороших, чуть ли не приятельских отношениях. Грамов сурово и веско заметил, что я заслужил длительную командировку в Америку. Правда, перед Олимпийскими играми Вячеслав Иванович Колосков, который в те годы был начальником сразу двух крупнейших управлений в Спорткомитете — футбола и хоккея, — произнес загадочную фразу: «Мнение в руководстве такое: если выиграете Олимпийские игры, то ты первый поедешь». Куда поедешь — надо было догадываться самому. Ничего насчет переговоров НХЛ со Спорткомитетом СССР я не знал. Я даже не знал, какой командой я задрафтован, куда могу попасть. Все, что касалось НХЛ, для меня, как и для любого игрока сборной Союза, темный лес.

Калгари я расценивал для себя как мои последние Олимпийские игры, и весь сезон очень серьезно к ним готовился. Впрочем, не только я, все мои партнеры по знаменитой советской «пятерке» понимали, что для нас это, скорее всего, последняя Олимпиада. Не знаю, что думали ребята, что они чувствовали, но у меня на весь год был более чем серьезный настрой. Я смотрел на все, что происходит, через призму Олимпийских игр. Дело даже не в том, чтобы сыграть в Калгари хорошо, — мне обязательно надо было там выиграть. Конечно, я не думал, поеду или не поеду в Америку. Как я уже сказал, мне буквально перед самым отъездом намекнул на такую возможность Колосков: то ли по секрету, то ли по дружбе. Придало ли мне это сообщение силы, чтобы лучше сыграть, или создало больше нервозности — не помню. Скорее всего, я это в голове не держал. Просто хотел закончить спортивную карьеру олимпийским чемпионом. Не помню другого такого сезона, где бы я был так сконцентрирован в течение всего чемпионата страны.

Накануне Игр приятная новость — на общем собрании олимпийской команды меня выбрали капитаном всей зимней сборной. Когда смотришь открытие Олимпийских игр, торжественную церемонию, парад, мне кажется, прежде всего запоминается спортсмен, который несет флаг своей страны. Во всех архивах, для всех спортивных историков, летописцев олимпиад имя знаменосца остается навеки. Но мне не удалось пронести советский флаг в Калгари, хотя «по должности», как капитану команды, мне полагалось это сделать.

В день открытия Игр хоккейная сборная должна была встречаться уже не помню с кем, но с одной из слабейших команд в олимпийском турнире. Из-за парада могло получиться так, что я бы опоздал на игру, и наш тренер Тихонов не разрешил мне отправиться на церемонию открытия Игр. По его мнению, игра предстояла важная, самое главное, как он говорил, — задать тон. Признаюсь, я был раздавлен. Не то чтобы во мне бушевали какие-то амбиции, просто, когда человеку вдруг дается такая возможность, причем понятно, что она может быть только раз в жизни, ты об этом невольно начинаешь думать. Если бы меня никуда не выбрали, я бы и не задумывался об этом никогда. Но случилось, я уже размечтался, а накануне вечером перед открытием мне сообщают, что я не стану знаменосцем олимпийской сборной, потому что у нас очень важная игра то ли с норвежцами, то ли с голландцами... Неприятный осадок на душе — вот первое впечатление от Калгари. Я не думаю, что, если бы даже весь вечер носил по стадиону советский флаг, мне бы это помешало сыграть хорошо. Мне кажется другое: Тихонов никого из сборной не хотел видеть хоть в чем-то впереди себя... Например, Владика Третьяка он начал «душить» сразу, как только почувствовал, что команда во многом играет благодаря авторитету Третьяка. Олимпийские игры 1980 года мы проиграли только из-за того, что после первого периода он убрал Владика из ворот. Сколько я потом ни разговаривал с американцами, которые участвовали в этой игре, все в один голос говорили: «Нам дало дополнительные силы то, что мы вышли после перерыва на лед и увидели, что в воротах нет Третьяка. Мы глазам своим не могли поверить».

В общем, не дали мне пройтись с флагом на открытии. Правда, я нес его на закрытии Игр, но это уже было не так торжественно, хотя все равно ощущение незабываемое.

Я познакомился с лучшими североамериканскими хоккеистами в 1977 году. В восемнадцать лет меня пригласили в первую сборную Советского Союза, и я играл в ее составе весной в Вене — это был мой первый чемпионат мира и первый чемпионат, в котором разрешили играть профессионалам. В общем, я не сыграл ни на одном чемпионате мира, где были бы только любители. Тогда в Вену приехали Тони и Фил Эспозито, Кешма и многие известные игроки из Лиги. Тем не менее мы их обыграли, хотя сам чемпионат мира проиграли. И все же я считаю, что в Вене был один из сильнейших составов сборной Союза за всю ее историю. Возможно, еще такой же набор выдающихся игроков и по мастерству, и по опыту был на Олимпийских играх 1980 года в Лейк-Плэсиде (и этот турнир мы тоже проиграли). По сумме всех качеств, которые могут служить характеристикой команды, эти сборные, на мой взгляд, были выдающимися.

И все равно чемпионат мира в Вене у меня самый памятный, потому что первый. В матче с финнами Борис Павлович Кулагин впервые выпустил меня — шел второй период, — и я сразу же забил гол. Саша Мальцев отдал пас под синюю линию, я бросил и забил! Все впечатления были настолько яркими (мне же тогда прямо перед чемпионатом исполнилось девятнадцать), что они навсегда остались в памяти. Горечь поражения тоже незабываемая, потому что до этого на уровне сборных я никогда не проигрывал, хотя они и были юниорские и юношеские. Такое двойственное впечатление: с одной стороны, чисто мальчишеская гордость (я в сборной!), а с другой — совершенно взрослая горечь поражения. Как же так — уступили «золото», играя с такими великими мастерами? В Вену я поехал седьмым защитником, и меня ставили все время с разными партнерами.

В том же году я участвовал в юниорском чемпионате в Канаде, где мы выиграли золотые медали, обыграв в полуфинале канадскую сборную с Грецки. Потом я постоянно играл против американцев, мы тогда регулярно встречались с командами ВХА — Всемирной хоккейной ассоциации, но в нее входили те же профессионалы. В декабре 1977 года сборная СССР играла против команд ВХА, и я присоединился к ней там же, в Канаде, сразу после юниорского чемпионата мира. Мысли оказаться в канадском или американском клубе никогда не возникало, потому что официально никто бы меня, понятно, не отпустил, а взять и убежать — это казалось невозможным. Я думаю, у меня, как и у большинства советских людей, существовал врожденный страх: трудно было себе представить, что ты делаешь карьеру на Западе, но тем самым губишь всю свою семью, всех родственников. Но я всегда знал, что могу прилично сыграть в Америке, тем более в том возрасте, когда сил — вагон, и дерзости не меньше, и присущее молодому хоккеисту, молодому человеку честолюбие — все было.

А в сильнейшем советском хоккейном клубе ЦСКА я начал играть в 1976-м, в паре с уже опытным и знаменитым Геннадием Цыганковым. В том году во время предсезонных турниров специально созданная экспериментальная сборная уехала на первый Кубок Канады. Похоже, что руководство Спорткомитета подстраховалось на случай поражения, и команду разбавили, оставив дома «тройку» Петрова, Цыганкова, еще кого-то. В общем, получилось так, что поехала половина состава первой сборной и половина — второй. Так как Геннадий Цыганков остался, а Александр Гусев, его партнер, уехал на Кубок Канады, то Константин Борисович Локтев поставил меня в пару к Цыганкову. А Гена и Саша были защитниками в ЦСКА у первого звена. И когда Саша вернулся с Кубка, Локтев меня оставил в первой «пятерке». Нужно ли описывать чувства семнадцатилетнего парня, оказавшегося в лучшем советском хоккейном клубе, да еще в сильнейшем его звене?! Хотя я хорошо помню, что первая «тройка» и Цыганков были иногда мною недовольны, потому что ошибки, которые обычно делает новичок, в их микрокоманде уже давно забыли. Однако Константин Борисович настоял на своем. Так что «звезды» порой ворчали, но в конце концов довольно терпеливо ко мне относились, и я им всем за это очень благодарен. Думаю, что, поставив меня к этим величайшим игрокам, Локтев во многом решил мою судьбу. Вероятно, это дало мне преимущество в год, а то и в два перед моими сверстниками. И потом, когда ты рядом с такими игроками, меняется не только отношение к тебе противников и болельщиков — меняешься и ты сам. Уверенности в себе становится намного больше, хотя от суперзвезд советского хоккея я долго слышал два окрика: «Не суетись!» и «Не спеши!»

Мальчишество я быстро из себя вытравил. Пас у ворот, который легко проходит в юниорском хоккее, во взрослом чреват большими неприятностями. Но от этого сразу не избавишься, такие ошибки есть у любого, кто начинает играть в высшей лиге. То покрикивая, то подбадривая, Гена Цыганков мне постоянно подсказывал, как лучше всего в определенный момент сыграть в защите. Надо сказать, что и Локтев в то время много со мной работал, оставлял после тренировок, проводил долгие разъяснительные беседы. Он мне дал шанс: пригласил в команду в то время, когда конкуренция в ней была огромная — в ЦСКА играли 6 защитников, да каких! — любой мог выступать за национальную сборную. Локтев — замечательный человек, у меня о нем остались только хорошие воспоминания, он был большим хоккеистом и, я думаю, большим тренером, что встречается крайне редко. Я испытал шок, когда его сняли с поста старшего тренера ЦСКА. Чисто по-мальчишески я недоумевал и все спрашивал: «Как же так? Мы же выиграли чемпионат страны, обыграли «Спартак» (сильную в те годы команду, в предыдущем сезоне мы уступили ей первенство). Как же так?» Я в это время находился в госпитале, меня определили туда в обязательном порядке — вырезать гланды. Там меня навестили ребята и сообщили эту новость. Ребята рассказали, что на банкете по случаю окончания сезона Локтев встал и произнес: «У вас будет новый тренер, но я вам обещаю, я цеэсковец, я здесь вырос, это мой дом, и, естественно, никогда· в другой команде работать не буду. Я вернусь». После этого «тоста» Константин Борисович ушел с банкета с женой.

Действительно, Локтев остался верен ЦСКА. Насколько я знаю, у него было много предложений из разных команд, но он ни одно не принял и так и не вернулся к тренерской работе. Абсолютно уверен, что советский хоккей потерял сильного тренера. Но тогда никого это не волновало — страна большая, людей много, замену, считали, можно найти каждому. Это реалии той жизни: человека, который выиграл чемпионат страны, в момент убрали из команды. Возможно, эта история психологически сильно сказалась на дальнейшей судьбе Константина Борисовича. Поэтому я не исключаю, что с ней связан и ранний уход Локтева из жизни...

Но вернемся в 1988 год, на Олимпиаду в Калгари. Внешне она складывалась для сборной очень легко. Я уже не помню турнир со всеми подробностями, но матч с американцами у нас был непростой, очень непростой. И здорово шведы подготовились к Олимпиаде. Для нас игра с ними оказалась игрой за первое место, потому что если мы выигрывали у шведов, то за тур до окончания становились чемпионами Олимпийских игр. Естественно, встреча получилась и напряженной и нервной, но сборная страны сыграла неплохо. А для меня турнир в Калгари был одним из самых удачных. Кстати, почти все те, кто выступал в Калгари за американскую команду, естественно, любители, сейчас играют в Национальной хоккейной лиге, причем на ведущих ролях. Тогда они были молодыми, но очень талантливыми ребятами: Брайн Литч, Крис Тэрери, вратари Рихтер и Ван Бисбрук. Но я и подумать не мог, что они мои будущие соперники по Лиге.

Я был на трех олимпиадах, но ощущение олимпийского праздника, который всегда присущ этим соревнованиям, в Калгари чувствовался сильнее, чем в Сараево и, уж конечно, Лейк-Плэсиде. Потом, когда я разговаривал с ребятами, которые участвовали и в последующих Олимпийских играх, все они как один говорили: Калгари — лучшие зимние Игры! Постоянное ощущение всемирного праздника. Началось «потепление» — Горбачев, перестройка. Советский Союз немного раскрылся, наступила новая эра — без угроз ядерной катастрофы. В Олимпийской деревне мы жили совсем не так, как жили восемь лет назад в Лейк-Плэсиде. От тех Олимпийских игр — ужасное впечатление. Поселили в лесу, в здании будущей тюрьмы. Собаки, колючая проволока, снег, даже вышки с автоматчиками — не Америка, а сибирский концлагерь. А в Калгари все прекрасно организовано, все дружелюбны. И впервые все вместе жили, в одной «деревне», не по корпусам: здесь «соцлагерь», здесь «каплагерь», здесь советские гуляют, а здесь американские. В Калгари я в первый раз почувствовал, что Олимпийские игры действительно мировой праздник, действительно то, о чем надо мечтать. Благодаря такой атмосфере мне легко игралось. Получилась прекрасная Олимпиада и по настроению, и по результатам.

Когда-нибудь я спрошу у Колоскова: как пришла к советскому начальству мысль отпустить игрока хоккейной сборной на Запад? Почему надо было отдавать ведущего игрока в НХЛ? С чего это вдруг? Неужели гласность и перестройка так на них повлияли? Правда, в то время наши футболисты уже года два или три играли на Западе. Но футбол не приносил таких побед и не был в СССР так политизирован, как хоккей.

Уже потом, играя в НХЛ, я узнал, что хозяин «Нью-Джерси Девилс» доктор Макмален в то время делал большой бизнес с Советским Союзом и мечтал заполучить кого-нибудь из известных советских хоккеистов к себе в команду. Поэтому он поставил меня и Касатонова еще в 1983-м на драфт «Нью-Джерси» и с тех пор постоянно «бомбил» и американское посольство в Москве, и советское в Вашингтоне, рассылал повсюду письма с предложениями о контракте, короче, использовал все возможности для давления на советских начальников. Я думаю, определенная заслуга в том, что в Лиге играют русские, принадлежит ему. У меня с доктором Макмаленом, когда я играл в «Нью-Джерси», сложились очень хорошие отношения, и он нередко мне рассказывал, как все происходило, как он мотался на все приемы в советское посольство, регулярно встречаясь с послом Добрыниным и напоминая, что он ждет советских хоккеистов. Может, активность мистера Макмалена и сыграла свою роль. Насколько я знаю, Луи Ламарелло, менеджер и президент клуба «Нью-Джерси Девилс», тоже постоянно встречался с советским спортивным руководством, вел переговоры. Во время Олимпийских игр Лу три или четыре раза прилетал в Калгари на встречи с Грамовым и Колосковым.

Когда Колосков сказал мне перед отъездом о возможной работе в НХЛ, в принципе, ничего неожиданного в его словах не было. Потому что, как я уже говорил, футболисты потихоньку начали уезжать, а хоккеисты (правда, не уровня сборной, но из высшей лиги) уже достаточно давно играли в европейских хоккейных клубах. Но НХЛ — это совсем другое, это Америка, это то, что хотелось попробовать. Хотя нас и называли «любителями», мы, конечно, были профессионалами. Своеобразными, по советскому фасону, но профессионалами. Ничего другого, кроме хоккея, мы не знали, занимались им одиннадцать месяцев в году, даже больше, чем американские профессионалы. И хотя было такое ощущение, что уже близко время, когда ребят начнут отпускать в НХЛ, но я понятия не имел, что «Нью-Джерси» меня уже задрафтовал. Никакой информации из Лиги до игроков в Москве не доходило. Когда мы приезжали играть в Америку, нас от всего изолировали, никому с нами общаться не давали, английского языка мы не знали, а за беседу с эмигрантами могли не взять в следующую поездку. И конечно, в советской прессе ничего, кроме критики в адрес НХЛ, не могло появляться. Отношение к американскому хоккею, как и ко всему американскому, было у начальников крайне отрицательным. Но в том чартерном самолете, на обратном пути из Калгари в Москву, царило совсем другое настроение: мы выиграли Олимпийские игры! И это, конечно, повлияло на откровенность Грамова. Как только мне представилась возможность попробовать себя в НХЛ, вопроса для меня — смогу или не смогу — не существовало. Я считал, что мне вполне по силам играть в Америке, хотя даже записей, как у них проходит регулярный чемпионат, я никогда не видел.

То есть я совершенно не имел понятия, кто там играет и как. Наши суперсерии, эти рандеву в Канаде давали единственное представление об игре североамериканцев. Я считал, что никогда не выглядел против них плохо, а по статистике на чемпионатах мира больше всего очков и голов я набрал именно в играх против канадцев.

ЛАДА: Я думаю, в то время не было ни одного советского хоккеиста, который бы не хотел поехать и попробовать себя в НХЛ. Когда началась вся заваруха с отъездом Славы, мы про деньги вообще ничего не знали: какие могут быть там контракты? Какие суммы?

Одни называли тысячи, другие — сотни тысяч. Некоторые говорили про миллионы. В Москве мы не представляли, что означают такие деньги. Когда Слава подписал свой первый контракт с «Нью-Джерси», он оказался в то время одним из самых высокооплачиваемых защитников в Лиге. А уже через два-три года суммы контрактов быстро взлетели. В Лигу начали входить новые команды, телевидение стало подписывать контракты с клубами. Слава Богу, что сейчас молодые ребята могут зарабатывать приличные деньги, все же у хоккеистов слишком короткий отрезок времени, когда они в состоянии обеспечить будущее для себя и своей семьи. Но тогда, в конце восьмидесятых, в Москве о деньгах говорилось в последнюю очередь, речь прежде всего шла о престиже. Надо знать систему, в которой Слава вырос, надо знать судьбы спортсменов, которые в его возрасте уже были вычеркнуты из спорта, а Славе исполнилось в тот год тридцать.

Люди, которые прошли школу ЦСКА, не умеют проигрывать. Они всегда номер один, самые лучшие. А Слава даже среди них — уникальный случай. Мы с ним дома играем в нарды, и если я выигрываю, у нас нарды летят со стола во все углы. В карты если проиграл, лучше к нему не подходить. В Ялте была такая история. Мы с ребятами сели за карты. Слава, я, Мышкин и Саша Скворцов с женами. Играли вшестером в «дурака», жены против мужей. Кто продует — лезет под стол, кукарекает три раза. А какой в гостинице стол? У Скворцова жена была немелкой комплекции. У меня рост тоже хороший, и лазить туда было нелегко. А они нас буквально обдирали. Мы только успевали ползать под столом и «кукареку» кричать. Наши мужья предлагают: «Кукареку» — это уже неинтересно. Давайте, кто проиграет, будет выходить на балкон и кричать три раза: «Я дурак» или «Я дура». Начали играть, и мы выигрываем! Мало того, что игра прекратилась моментально, — кто-нибудь вышел на балкон или даже открыл окошко, чтобы покричать? Нет. Мы сидим, я говорю: «Так, ребята, в чем дело? Вы выигрывали, мы честно лазили под стол и кукарекали. А теперь вы должны выйти на балкон. Можете даже не выходить, я вам открою форточку. Даже не кричите, скажите тихим шепотом, даже не три раза, а по разочку, но пусть каждый скажет, что он дурак». Они это сделали? Нет. Они с нами разругались, хлопнули дверью и ушли из номера. Утром вышли на пляж и никто с женами не разговаривает! Я у девчонок спрашиваю: «Ну и как?» — «Спали хорошо, — говорят, — но на разных концах кроватей». А были бы разные комнаты, спали бы в разных комнатах. Точно не скажу, но, думаю, до вечера ребята дулись. Тяжело приняли проигрыш в карты, а представьте поражение на льду?

Для Славы поехать в НХЛ — это возможность доказать себе в первую очередь, что в его силах сыграть и там на высоком уровне. Тогда же американские газеты писали: кого обыгрывают русские? Когда сборная Канады или Америки приезжает на чемпионаты мира, это дети из колледжа, то есть игроки-студенты, не профессионалы, не игроки Лиги. А вот если бы собрались все игроки Лиги, то русским нечего было бы делать. Конечно, и эти высказывания, которые до нас доходили, невероятно задевали самолюбие мужа. Ему хотелось попробовать себя в НХЛ, ему хотелось почувствовать, узнать американский хоккей. Славе, повторю, было уже тридцать, не мальчик, который едет и ничего не знает. Он прекрасно понимал, что у него осталось совсем немного активных лет на льду и пора уже было решать, что делать дальше.

Сейчас я думаю, что, когда руководство Спорткомитета почувствовало, что на нас есть большой спрос, а в связи с новой политикой рано или поздно придется хоккеистов отпускать, они решили заработать большие деньги на наших договорах. В это время уже появился «Совинтерспорт» — фирма при Спорткомитете, занимающаяся западными контрактами советских спортсменов. У спортсмена тогда никто не спрашивал, сколько ему платить. Сколько хотели, столько нам и отдавали, остальное оставляли себе. Не знаю, главная ли это была причина нашей свободы или нет, но, думаю, такой расклад имел место. «Совинтерспорт» считал хоккеистов хорошим товаром. Я не в курсе, как оно на самом деле оказалось для советских спортивных чиновников, но хоккей действительно мог стать отличным бизнесом. Но не стал по многим причинам до сих пор, и прежде всего потому, что грамотных людей не нашлось, а попытка работать по-советски результата, естественно, дать не могла.

Мое первое знакомство с «Совинтерспортом» — это отдельный рассказ. Забегу немного вперед. После чемпионата мира 1989 года меня с Игорем Ларионовым пригласили товарищ Никитин и товарищ Галаев, который в то время возглавлял, да и сейчас вроде возглавляет эту фирму. Сначала Никитин (он был, по-моему, заместителем начальника) вел с нами долгую беседу, рассказывал, сколько мы можем заработать, пересчитал нам доллары на рубли — огромные получились деньги. Мы сказали, что потрясены, но сколько это будет в реальных цифрах, сколько будет записано в контракте, который «Совинтерспорт» собирался подписать вместо нас с клубами НХЛ? Никитин замялся. «Вы же знаете, — говорит он, — что у нас спортсмены не могут получать больше, чем посол Советского Союза. (А посол получал тогда около тысячи долларов в месяц. Следовательно, все, что выше этой цифры, перечислялось в «Совинтерспорт», а оттуда уже в Спорткомитет.) Но ввиду того, что у вас большие заслуги перед Родиной, вам разрешено получать десять процентов от контракта». Мы с Игорем посмотрели друг на друга: «Что-то мы не поняли? Что значит десять процентов?» — «Как что? Видите, у нас инструкция ЦК партии о том, что новые сейчас веяния в стране. О том, что спортсменов нужно отпускать. Но нам негласно дали указание, что плодить миллионеров мы не имеем права». Я говорю: «Ну а почему не пять, почему не пятнадцать, не двадцать процентов? Почему десять?» — «Мы считаем, что это оптимальная цифра». Мы с Игорем снова переглянулись и заявили, что не согласны. Никитин позвонил Галаеву.

Пришел Галаев, и опять началось то же самое: только теперь уже начальник стал рисовать нам светлое будущее — сколько у нас будет денег, если их перевести в рубли, сколько можно будет на них купить «Жигулей», «Волг»... Но мы все это уже слышали. Тогда я его остановил и сказал: «Я отыграл тринадцать лет за национальную сборную, отдал все силы, что у меня есть, своей стране. И думаю, что мне не стыдно за то, как я выступал. Я считаю, что тот контракт, который мне предложат в «Нью-Джерси», я в состоянии сам подписать, сам распоряжаться своими деньгами». Никитин и Галаев начали смеяться, махать руками: «Ну вы и шутники». — «Тем не менее, — говорю я, — таково мое мнение. Игорь меня поддерживает». Товарищи Никитин и Галаев поражены: «А как же государство, которое вас вырастило?» Начали пересчитывать, сколько человеко-часов было затрачено для того, чтобы нас вырастить до заслуженных мастеров спорта. У них, кстати, заранее все раскладки были, посчитали, говорят: вот посмотрите, сколько государство на вас затратило. Я в ответ: мы отработали все эти человеко-часы, а компенсация клубу за нас должна быть помимо контракта. Я в то время понятия не имел, как делается подобная бухгалтерия. Просто я логически рассуждал, что контракт игрока должен быть для игрока, а любая компенсация, то есть трансфертные деньги, — это уже контракт с клубом НХЛ. По какому-то наитию так и сказал: «Это ваши проблемы, и решайте их с руководством НХЛ». Они опять стали смеяться: «Ребята, вы с Луны свалились, откуда вы такие взялись?» В итоге они расщедрились до двадцати процентов и на прощание заметили, что если мы будем продолжать ерепениться, то вернемся опять к десяти. Вот такая она была — моя первая встреча с «Совинтерспортом». Была еще одна, но короткая, больше я с представителями этой организации в Москве не встречался.

Интересен в связи с моим приглашением еще и такой факт: по-моему, Грамов и понятия не имел, что такое «Нью-Джерси», поэтому мне в самолете он сказал: «Приезжал хозяин или — как его там? — менеджер «Нью-Джерси». Я ему пообещал, что вопрос этот решим». Я даже не спросил: почему «Нью-Джерси»? Это все для меня далеко было. Я ответил: «Хорошо, согласен». Я понимал, что команда носит имя города, хотя тоже не знал, где тот находится. Нью-Джерси должно быть городом, убеждал я себя, у нас же не было областных команд. Тем более, что с «Дьяволами» ЦСКА до этого никогда не играл. Английского языка я не знал, потому что в школе, когда нам начали преподавать иностранный язык, учеников «разбили» по алфавиту на тех, кто будет учить английский, и тех, кто во второй части списка, — немецкий. Понятно, что я попал в немецкую группу. Я неплохо говорил по-немецки, по крайней мере, мне так казалось, но английский был для меня тогда — темный лес.

Но страха перед поездкой в неведомое я не испытывал. Что такое страх, я узнал, когда в погонах майора стоял перед министром обороны, а вокруг генералы, и нельзя показать, что боишься. Но зато когда вырвался из этого «адского круга», то уже понимал: страшнее не будет.

Но я опять перелистал вперед страницы своей книги.

И раз уж начал про то время, закончу воспоминания о страхе. Страшно было мне в Москве, когда сидишь дома один и никто не звонит, никто не заходит, а раньше, не успел приехать, телефон уже «разрывается». Я стал причиной скандала, который в Советском Союзе никогда не должен был случиться. Я осмелился заявить, что не хочу играть в команде Тихонова! Люди не понимали, что происходит, куда меня понесло? Симпатизировали, но, в основном, молча. Громко выступал только Гарри Каспаров, который находился в авангарде «спортивно-освободительного движения». К моей защите подключились и многие известные артисты: Кобзон, Намин, Фатюшин, Дуров... Саша Розенбаум, рискуя своими сольными концертами в зале «Россия», каждый вечер со сцены говорил слова в мою поддержку. Защищали меня в то время и в прессе, но далеко не все. Я думаю, их вера в меня и помогла пережить страх. Не страх за свою жизнь, а страх перед неизвестностью. Ужасное состояние, когда не знаешь, что с тобой будет завтра. Я это ощутил достаточно сильно, и не только я, но и семья, родители, которые меня полностью поддерживали. Но они, конечно, боялись еще больше, чем я. Они же жизнь прожили в нашей стране. Иногда мама просила: «Сынок, может, извинишься перед ними? Они тебя, наверное, простят, и все будет как прежде».

Меня многие в то время спрашивали: ты чего так уперся по поводу НХЛ? В Америку хочешь уехать? Деньги заработать? Двумя словами здесь не отделаться.

Когда Колосков мне намекнул об НХЛ перед Играми, это были просто слова, хотя, может, и приятные слуху. Ты можешь как угодно по этому поводу мечтать, но потом тебя вызывают официально министр и его заместитель, то есть Грамов и Гаврилин, и говорят, что они дали слово генеральному менеджеру американского клуба, что они сами утрясут вопрос о моем увольнении из армии с министром обороны Язовым. А через пару дней ты приходишь в Спорткомитет, и они начинают тебе рассказывать, что вопрос об увольнении из армии — невероятно трудный, потому что советский офицер не имеет права не то что работать за границей, а даже с иностранцами в одном отеле проживать. И хоккеисты не были исключением (выезд за границу считался краткосрочной командировкой, в которую мы отправлялись по всем правилам, вместе с сопровождающими из КГБ, внимательно отслеживающими наши контакты).

Сейчас это выглядит как полный бред, но еще десять лет назад, когда мы приезжали летом в отпуск в Ялту, то не имели права остановиться в хорошей гостинице, потому что там жили четыре-пять туристов с Запада. Хорошо, у нас в Ялте комендант гарнизона был приятелем, мы ходили к нему, чтобы получить специальное разрешение на проживание в гостинице «Интурист». А иностранцы в Ялте — в основном чехи, поляки, венгры, тогда друзья по Варшавскому пакту. Это было время, когда «звезды», которых любила вся страна, имели право только на стометровый отрезок пляжа, тогда как два километра были отданы иностранцам, тем же чехам... Я ничего не имею против чехов, поляков, но все это действительно раздражало: ты находился у себя дома, но все лучшее в нем — для иностранцев. И тем более обидно (обычно у нас отпуск сразу после чемпионата мира), когда ты бьешься с теми же чехами за первое место, они в тебя плюют, обзывают тебя как угодно, чаще всего «оккупантом», игры с ними всегда сопровождались стычками, а когда ты приезжаешь вроде героем домой, тебя сажают в «клетку». А рядом отдыхают они, но со всеми благами: там и кафе, и рестораны, и блины с икрой... А ты сидишь под наблюдением соответствующих органов, чтобы к иностранцам не приставал и не мешал их отдыху.

И как продолжение подобных издевательств — обещание, что ты уедешь; даешь свое согласие, а тебе говорят: нет, на этот «пляж» попасть невозможно. А у тебя слава на всю страну, ты чемпион Олимпийских игр, ты капитан команды, у тебя известность всемирная... Но звонят твоей жене «доброжелатели» из политуправления армии: «Вы представляете, вас сейчас отправят куда-нибудь на Север, где ни горячей воды нет, ни туалета в доме. Вы же привыкли к хорошим условиям. Вы такая красивая девушка, зачем вам это надо — ходить в уборную на улице? Повлияйте на мужа как-то». До этого мы с Ладой жили не расписываясь, в гражданском браке, — кстати, тоже вызов для советского общества. Но когда началось такое давление — расписались. Лада героически держалась, отвечая на все звонки одинаково: «Слава знает, что делает, и я полностью его поддерживаю». Когда друзья теряются буквально на глазах, а вся подвешенная ситуация затягивается на долгое время, все попытки вырваться из заколдованного круга бесплодны, невольно перестаешь верить в счастливый исход.

Точка отсчета моего конфликта с советской спортивной системой — июнь 1988-го. Тогда наступил перелом в наших отношениях с Виктором Васильевичем Тихоновым.

Февраль 1988 года. Через три дня после того, как я дал свое согласие в Спорткомитете Союза на отъезд в Америку, меня вызывают в политотдел ЦСКА и говорят: «Пиши заявление об увольнении из армии». Я пишу, естественно, на имя своего начальника полковника Тихонова нечто вроде: «Прошу уволить меня из Вооруженных Сил в связи с предстоящим подписанием зарубежного контракта...» — мне в том же политотделе дали такую формулировку — рапорт для выезда за границу. Тихонов мой рапорт подписывает и говорит: «Я передам его дальше по инстанции».

В отпуск мы уезжали в начале июня. До этого дня я регулярно ходил к кадровикам, узнавал: уволили меня или нет. Мне отвечали: вопрос решается. В это время Лу Ламарелло (ему обещали, что я уже летом буду в «Нью-Джерси») постоянно связывается с «Совинтерспортом», а те ему говорят: «Вот-вот Фетисова должны уволить из армии. Будь уверен, что к началу сезона ты его получишь. Все идет как надо». И меня в ЦСКА кормят обещаниями. Только спустя пять лет, во время суда, о котором речь дальше, когда были подняты документы, я многое узнал. А тогда говорили, мол, какой Фетисов неблагодарный, Тихонов — первый, кто подписал ему рапорт об увольнении из армии, не говоря уже о том, что он его игроком сделал, а Фетисов его поносит и поносит. Ну если министр не увольняет, то при чем тут Тихонов? Почему он на него обозлился? Пускай злится на генералов. Но вот что было на самом деле.

В июле начинался предсезонный сбор. Перед ним, отпуская нас на отдых, в клубе провели собрание. Мне на нем сказали: «Езжай в отпуск, ни о чем не думай. Тебе нужно отдохнуть, сезон был тяжелый, олимпийский, ты перенес большие нагрузки». Я, как послушный спортсмен и настоящий советский гражданин, еду в отпуск с Ладой в надежде, что, когда вернусь в Москву, все мои проблемы будут решены. Тем более я знаю, что в это время идут интенсивные переговоры «Нью-Джерси» с «Совинтерспортом». Прямо с курорта нас вызывают в Москву. В середине июня, в разгар отпуска, в Ялту, в гостиницу приходит правительственная телеграмма. Мы отдыхали целой компанией: Касатонов, Макаров, еще пять или шесть олимпийцев, все с женами. Читаем текст: «Срочно прибыть в Кремль на награждение». Мы с помощью этой телеграммы берем билеты на самолет (так просто купить билеты в пик летнего сезона было невозможно, но по телеграмме, тем более по такой, нам их продали). Жены остались в Ялте, а мы полетели в столицу на один день. Прилетели, переночевали дома, наутро — в Кремль на награждение, а после обеда собирались снова в самолет и обратно в Симферополь. Настроение хорошее: орден Ленина мне вручают, все — класс, жизнь замечательная. Дома оделся в олимпийскую форму, костюм, который нам выдали перед Калгари. Получил орден, а после награждения — фуршет, все прогуливаются по кремлевскому залу, ко мне многие подходят, поздравляют. Подходит ко мне и Грамов, приведя с собой Горбачева, и говорит: «Михаил Сергеевич! Это наш известный хоккеист Фирсов». Впрочем, Грамову простительно, он и не такое говорил. Потом он еще раз подходит, на этот раз с первым замминистра обороны, который курировал спорт, тот меня поздравляет: «С орденом тебя, и еще поздравляю — твой вопрос решили. Ты едешь в НХЛ, министр обороны согласен. После награждения едем в ЦСКА, а после ЦСКА...» Я говорю: «Мне нужно в Ялту лететь». Но он не слушает: «После ЦСКА тебе дадут машину, заедешь быстро в «Совинтерспорт», тебя там ждет приятный сюрприз». Я очумел. Все свершилось вдруг в один момент! Орден, Кремль, Горбачев, решение Язова — такое только в сказке бывает.

Сажают нас по автобусам, армейцев отдельно, объявляя: «У нас в ЦСКА чествование армейских спортсменов! Замминистра и вся армейская элита хотят поприветствовать своих героев». Едем из Кремля на Ленинградский проспект, где мне собирались поставить бюст бронзовый, но не успели, хотя уже начали лепить. Бюсты ставили всем армейцам, кого наградили орденом Ленина, таких было человек тридцать, но я оказался, как позже выяснили, врагом. Об этом дальше, а пока после армейских поздравлений накрыли столы в Офицерском клубе. Там есть отдельные кабинеты для высших генералов, и меня в этот кабинетик и отвели. Сидим: я, Тихонов и замминистра обороны. Он налил по бокалу шампанского и говорит: «Ну, еще раз поздравляем, считаем, что ты должен высоко нести знамя армейского спорта...» и тому подобное.

Я до сих пор не пойму, в курсе ли был Виктор Васильевич, что дальше должно было произойти, или я присутствовал на спектакле. Замминистра протягивает мне бокал: «Ну, давай выпьем». Выпили. Наливает снова: «Ну ладно, Виктор Васильевич, парень поиграл здесь, отдал армейскому спорту достаточно. Теперь, наверное, надо его отпускать?» Виктор Васильевич Тихонов: «Я бы не торопился его отпускать, у нас молодых защитников много, пусть у Фетисова подучатся. Я думаю, он еще годик мог бы поиграть в ЦСКА, а после этого мы с удовольствием его отпустим».

Конечно, Виктор Васильевич совсем не дурак, и тут я понимаю: первый, кто не даст мне уехать, — Тихонов. Он, конечно, рапорт подписал, но со всеми уже обговорил, чтобы меня остановили. Одной фразой Виктор Васильевич перечеркнул мои надежды. Я только и смог вымолвить: «Как?» — «Ну ладно, ладно, — говорит он, — потом разберемся».

Значит, все уже решено. И эта фраза, которая все перевернула с ног на голову, не случайна. Что же творится? Он визирует вроде бы рапорт, а человеку, за которым последняя подпись, говорит, что меня не надо отпускать! Я вроде бы нужен ему для работы, я еще мало поработал на армейский клуб!

Все это потом подтвердилось, через суд я установил все даты. Ламарелло вызвали подписывать контракт именно в тот день. В «Совинтерспорте» точно не знали, когда будет награждение, поэтому Ламарелло сидел пять дней в Москве, все переговоры провел, вопрос для него был решен. Он был уверен, что с армией уже нет проблем. На суде и цифры назывались, которые были оговорены между «Нью-Джерси» и «Совинтерспортом» — больших денег лишил Виктор Васильевич Родину. Очень больших.

В тот же день я увидел и своего будущего генерального менеджера. Меня привезли из этого ресторанного кабинета прямо на Арбат, в «Совинтерспорт», я захожу к Галаеву весь в орденах. Лу не может понять, что это такое стоит перед ним, вроде как советский генерал из бондовского фильма, а мне говорят: «Вот твой менеджер из «Нью-Джерси». Кстати, когда меня повезли в «Совинтерспорт», ко мне в машину посадили человека из ЦСКА и он меня учил: «Ты скажи Ламарелло, что еще не готов». Я говорю: «Как же я не готов, когда я уже дал согласие?» — «Ну ты скажи, что дела затягиваются, что ты еще хочешь поиграть здесь, еще успеешь в «Нью-Джерси». И мне это все говорят?! Сразу после маленьких посиделок втроем!

Замечу, что, когда я вошел к Галаеву, я не мог по виду определить, кто в кабинете американец, потому что в это время совинтерспортовцы одевались будь здоров, не хуже любых миллионеров. И опять же, перед тем как меня с Лу познакомить, вижу, замешательство какое-то началось в «Совинтерспорте». Меня заводят то в один кабинет, то в другой. А Лу уже сидел в конференц-зале с переводчиками, объяснял, как он бизнес делает. Как я потом узнал, все это время его «душили», чтобы больше денег за меня подписать. Завели меня то ли к Галаеву, то ли к Никитину. Они тоже не поймут, что происходит, но команду, похоже, уже получили и начали меня просить, не желая выглядеть дураками, чтобы я сам отказался от поездки, что я, мол, не хочу сейчас играть в НХЛ. Я этого, конечно, Лу не говорил, но не знаю, что они ему переводили, потому что по-английски не понимал ни слова. Лу стал рассказывать что-то про мою будущую команду. Но для меня уже все там, на Ленинградском проспекте, оборвалось. По лицу Ламарелло я понял, что у него тоже происходящее вызывает какое-то недоумение. Он уже готов все подписать... а меня через пять минут после знакомства уводят, сажают в машину (я действительно опаздывал на самолет) и Лу объясняют: «Славе надо возвращаться к жене». На прощание, правда, мне сказали, что, когда я вернусь из отпуска, мы во всем разберемся.

Я приехал во Внуково с соответствующим настроением: орден Ленина на груди и нож в спине...

Сентябрь 1988 года. В то время сложно было что-то понять в закрутившейся интриге, потому что от человека в СССР мало что зависело. Как все было? Дали — взяли, взяли — дали. Я когда вернулся из отпуска, заявил: «Тренироваться не буду». Меня вызывают в спорткомитет Министерства обороны. Вызывают в политуправление, таскают везде, где только можно. А для меня самое главное — уволиться. Мне обещают, что какое-то постановление правительства должно выйти буквально на днях.

Перед началом сезона ко мне подходит не сам Тихонов, а второй или третий тренер команды и говорит: «Тебе же все равно тренироваться надо. Тебе же в Америке надо будет играть». Это для меня был самый убедительный довод, и я потихоньку начал тренироваться. Но на сборы не ездил. А на занятия команды приходил, чтобы в форме быть. Потом ЦСКА собирается на матчи в ФРГ, а в это время Ламарелло мне каждый день названивал домой и через переводчика Диму Лопухина, который работал в «Нью-Джерси» (Дима родился в Америке, но родители у него русские и по-нашему он говорил неплохо), спрашивал, как дела? когда приеду? Я обещаю: «Завтра-послезавтра собираются уволить». Для американцев абсолютно непонятная ситуация — сколько можно увольняться? Для Ламарелло вся история со мной — полная загадка, ему уже все было обещано, и не кем-нибудь — министром спорта! Какая-то там армия... Причем здесь армия? Американцам наше советское крепостное право объяснить сложно. Дима продолжал мне звонить каждый день, как на работу, с утра. Я вставал на тренировку — звонок из Нью-Джерси.

Я продолжал с командой тренироваться и наивно всем объяснял, что в Германию не поеду, меня же вот-вот должны уволить, зачем я поеду за рубеж и буду занимать чье-то место в команде? Пусть поедет молодой парень, денег заработает (там раньше давали 100 марок за две недели). Тут меня опять вызывают в армейский спорткомитет. «Езжай, — говорят, — играй за ЦСКА. Молодые — потом. Ты заслужил». Я уперся: «Нет, не поеду». Приносят паспорт: «На тебя уже виза выписана, мы не можем ее ни на кого переоформить...» В то время у нас в ЦСКА зять какого-то высокопоставленного генерала работал, не помню его фамилию, но он постоянно говорил: «Все уже в проекте». Какие-то пустые бланки мне давал: вот такой, говорит, бланк мы отправили на рассмотрение в министерство. В общем, пудрили мозги, как могли. А пока езжай в Германию. Тогда я еще не понимал, что меня старались запихнуть обратно в родной хоккей. За день до отъезда звонит Лу и говорит: «Я приеду в Германию, хочу тебя видеть». Тогда я согласился ехать. Взял хоккейную форму и отправился в Шереметьево. Приезжает в город, где мы играли, Ламарелло, какого-то эмигранта с собой привозит, который может по-русски объясняться, приезжает с ним и заместитель генерального менеджера «Нью-Джерси», который отвечает за связь с прессой. И сразу же они предлагают мне уехать из ФРГ прямо в Америку: «Вот билет, визу мы тебе оформим... Я понял, что в вашей стране ничего никогда не получится». Я просидел с ними всю ночь. «Вот тебе личный контракт. Здесь подписывай, и мы едем в Дюссельдорф или в Мюнхен. На машине в аэропорт. Вопросы твоего въезда в Штаты уже решены с Госдепартаментом». Я говорю: «Нет. Я не могу. Они от меня только этого и ждут. Я не затем столько времени честно работал, чтобы меня сейчас начали позорить. У меня в Москве семья». «Всех перевезем, — обещает он, — не волнуйся. Я тебе гарантирую. Всех. И Ладу и родителей. Как скажешь, так и сделаем. Соглашайся, подписывай, бери билеты, и мы сейчас же уезжаем. И конец. Никаких проблем». Я отказался. Но мне Лу деньги дал, неплохие по тем временам, пять тысяч долларов на жизнь, и потом поддерживал морально и материально.

Поиграл я в Германии, приехал в Москву, опять иду к начальству. «Все бумаги, — мне отвечают, — на подписи». Я к Бобровой, жене великого Всеволода Боброва, она у нас в клубе работала. «У меня, — говорит Елена Николаевна, — знакомый служит в приемной Министерства обороны, он узнает». Узнал. Никаких моих бумаг там нет. И никогда не было. Я понял, что из меня делают дурака. Я начинаю метаться, пишу еще рапорт, ищу всяческие причины для увольнения. А в то время началось сокращение армии. Пишу: «Я такой-то, благодарен армии за все, но в связи с сокращением не хочу занимать место настоящего военного, который прослужил от рядового до майора. Не хочу занимать должность человека, который, возможно, попадет под сокращение».

Сейчас я понимаю, как это все выглядело наивно, но тогда хватался за соломинку. Прихожу к Тихонову, он опять мне все бумаги подписывает. Я сам взял свой рапорт, сам отнес в отдел спортигр, там был наш политотдел. «Хорошо, оставь, — говорят, — подпишем, отдадим начальнику, потом начальник отдаст председателю армейского спорткомитета, а он уже должен отнести твой рапорт министру». В это время меня вызывают в Главное политуправление Советской Армии. Не помню сейчас фамилии того генерала, хотя надо было все записывать. «Ну и для чего, — говорит генерал, — тебе ехать в Америку? Расскажи. Вот ты майор. Посмотри — орденов сколько, у тебя квартира, шикарная, однокомнатная, на Речном вокзале. На собственной машине ездишь, майор, а хочешь — подполковничью должность тебе дадим сейчас. Ну и куда ты едешь, зачем? Объясни мне». Начинаю объяснять: «Я уже достаточно отыграл дома, представилась редкая возможность поиграть теперь в Америке. Неизвестно, что будет со мной завтра, я могу получить травму и вообще никому не буду нужен. А тут такой шанс узнать их хоккей». — «Да мы их всегда обыгрывали, да зачем тебе его знать, да у нас такие игроки, ты тренером будешь, полковником, хочешь — начальником отдела спортигр мы сейчас тебя поставим. Такое будущее у тебя!» — «Понимаете, — говорю, — мне профессионально интересно, как там играют, как тренируются. Совсем ведь другая жизнь! Язык выучу, опять же, на деньги, которые вы за меня получите, команде хоть форму приличную купите, а то играем не знаю в чем. Хорошо, что в ЦСКА много ребят выступают в сборной, они получают дополнительные комплекты формы, делятся с другими. А так команда будет нормально одета. Детям, может, какая-то форма в школу перепадет. Мне все равно осталось год-два играть, а тут такая возможность. Да и просто хочу съездить, думаю, что я заслужил». Час, наверное, я ему толковал. Генерал этот в Главном политуправлении спортсменов курировал, с хитрецой такой, на Владимира Ильича похож. Посмотрел на меня, прищурился: «У тебя одна задача — денег заработать и обогатиться». И как начал на меня орать: «Все, что у тебя в голове, — обогатиться, за доллары решил продаться!» Я думаю: куда я попал? — «Пойди подумай хорошо. Надеюсь, опомнишься, заберешь рапорт».

Снова начинают меня вызывать туда, сюда. Тебе, говорят, надо в чемпионате выступать, потому что ты же не можешь без игровой практики. Звонит Ламарелло, я спрашиваю: «Что делать?» Он говорит: «Играй, тебе же надо играть. Они мне опять обещали, что твой вопрос скоро решится». Я начинаю сезон, но чувствую, за мной постоянно смотрят и какие-то вещи странные происходят. Я как будто в команде и как будто нет. И даже те же ребята, мои друзья, я думаю, в то время немного мне завидовали: вроде вместе, но вроде бы уезжает. А я, как дурак, хожу по этим политотделам. С утра приезжаю на тренировку, есть полчаса — бегу в политотдел, спрашиваю, подписали мне рапорт или не подписали? Пулей лечу во Дворец — надо успеть на тренировку, чтобы не кувыркаться. (Кувыркаться заставляли тех, кто опаздывает. Прямо на льду в форме — это еще со времен Тарасова так наказывали.) Напряг — сумасшедший. Объявляю Тихонову: «На сборах жить не буду». А он вроде просит: «Нет, Слава, надо на сборах жить». Чувствуешь себя почти свободным, вроде вот-вот должен уехать. Но сажусь в машину, еду домой — за мной опять «хвост». Не знаю, действительно ли за мной следили, но мне так казалось в то время.

И вдруг объявляют: «Все, не дури, играй. Скоро отправимся на новогоднее турне в Канаду и США. Там все и решится, мы как раз играем с «Нью-Джерси». После этого матча ты остаешься там заканчивать сезон». Лу звонит: «Да, такая договоренность есть. Приезжай на Новый год, здесь будешь заканчивать сезон с нашей командой». Даже какую-то форму для ЦСКА попросил выслать из Америки за такой жест доброй воли.

Первый раз я играл в Нью-Джерси 3 января 1989 года, еще как защитник ЦСКА.

Но перед этим случилась дикая история.

Октябрь 1988 года. Накануне игры с местным «Соколом» мы с Касатоновым были в гостях у футболистов киевского «Динамо», с которыми тогда дружили. Поскольку назавтра предстоял матч, мы с Лешей рано вернулись в гостиницу. В то время в Киеве жил (сейчас он в Америке) Саша Ляпич, он позвонил мне в номер: «Наконец тебя поймал. Завтра на хоккей не могу прийти, а у меня большая просьба: я приготовил посылку для Харламовых, хотел бы, чтобы ты ее передал от меня». Ляпич дружил с Харламовым и после трагической смерти Валеры постоянно отправлял посылки его детям. Я обещал, что спущусь вниз (в то время в гостиницу после одиннадцати пройти посторонним было невозможно). Ляпич сказал, что он выезжает. Я надел тренировочный костюм, вышел на улицу. 7 октября — День Советской Конституции. На улице — оживление, день выходной, народ гуляет. Я стою чуть в стороне от гостиницы «Москва», где мы жили, потому что на мне яркий костюм, а тренеры не должны меня заметить: у нас режим, после одиннадцати часов нельзя выходить из номера, команде полагалось спать. Стою — Ляпича нет. Нет его десять, пятнадцать, двадцать минут. Рядом со мной шлагбаум. Я оказался неподалеку от автостоянки, там где будка охраны. Я решил, что, скорее всего, и телефон в будке есть. Подхожу к будке, думаю: «Позвоню, узнаю, выехал Саша или нет?» Будка высокая, как милицейский «скворечник», а в окне молоденькая девушка. Я кричу: «Нельзя ли от вас позвонить? Мне нужно узнать: человек выехал, ждать его или нет?» Она не отвечает. Я громче: «Нельзя ли позвонить от вас?» Вдруг лысоватый мужик лет под пятьдесят рядом высовывается: «Отвали отсюда». Я говорю: «Что вы грубите? Единственное, что мне нужно, — позвонить». Он опять: «Я сказал, отваливай отсюда». Я продолжаю стоять. Он сбегает по ступенькам из «скворечника» (а у него «жигуленок», оказывается, рядом с входом в будку стоял), открывает багажник и достает оттуда приличный тесак. Как потом выяснилось, лысый мужичок работал прежде в МВД, был начальником «зоны», и тесак у него, похоже, был тоже с «зоны», типичная зековская продукция. И опять: «Я тебе сказал — отваливай». Наверное, он перед девушкой хотел покрасоваться. Я ему: «Ну что ты взбунтовался?» Он мне: «Я тебе сейчас язык отрежу». Я подхожу к шлагбауму, говорю: «Я не понял». Похоже, что мой яркий костюм его просто заводил. 1988 год, вещей в стране мало. Подходит к нам милиционер: «В чем дело?» Я говорю: «Вот видите человека с ножом, выбежал на меня». Милиционер говорит: «С каким ножом?» Я снова: «Вы что, ослепли? Мне угрожают ножом». Милиционер: «Я ничего не вижу». Лысый мужичок распаляется: «Ты щенок, ты у меня...»

46

Я растерялся, повторяю: «Вы разве не видите, что человек с ножом?» Он: «Нет никакого ножа». Я: «Так у вас здесь мафия». Тут милиционер встрепенулся: «Ах, ты такой разговорчивый...» И сразу — в свисток, тут же еще один подбегает, и буквально через минуту (праздник же, особый режим патрулирования) подъезжает «воронок». Я опомниться не успел — вылетает бригада, начинает мне крутить руки. Стало так обидно за эту дурацкую ситуацию, что, вместо того чтобы сесть спокойно в машину, поехать и разобраться в отделении, я начал кричать: за что? почему? Они мне — руки выкручивать, я сопротивляюсь, человека четыре пинками в машину меня загоняют. Я вою: «Давайте разберемся здесь, в гостинице». Они: «В милиции разберемся!» И бьют под печень все время, пинают ногами, тянут за волосы, костюм разорвали. Хохлы оказались дюжими. В отделении милиции завели в какую-то комнату и еще там меня попинали. У меня началась истерика. Разума нет, одни эмоции. Уже после того, как меня отмолотили, заходит дежурный майор. Такой в теле, лицо добродушное. Я говорю: вы майор, я тоже майор, за что меня били? Меня в жизни никто не пинал ногами, отец никогда не трогал. Наступил срыв, я рыдаю, не знаю, что я еще им там кричал. Меня закрыли в камере, потом приезжает начальник милиции — крутой парень. Где-то его в час ночи вызвали. «Ты нам здесь права не качай, — говорит, — я с тобой могу сделать все что хочу». Наконец появляется Тихонов, а у меня волосы выдраны, золотую цепочку сорвали, деньги, что были в бумажнике, доллары какие-то — исчезли. Я начал требовать, чтобы мне все вернули, но Тихонов меня увел.

В Москве я прошел медицинское освидетельствование. Но дело не в этом. Я понял, что попался, — аморальная личность! По всем статьям я на крючке, и про меня можно писать теперь все что угодно. Я пошел в передачу «Человек и закон», рассказал о случившейся истории. Сотрудники поехали в Киев, провели журналистское расследование. Передача была показана по Центральному телевидению. Насколько мне известно, никто в Киеве даже выговора не схлопотал. А я получил серьезную моральную травму, я никогда не чувствовал себя таким униженным и растоптанным. Не могу сказать, чтобы этот случай стал решающим, но моему стремлению уехать он тоже способствовал. Почти до Нового года меня только и грела надежда, что зимой ЦСКА поедет играть в Америку и, как мне обещали, я останусь в «Нью-Джерси». Сезон 1988—89 годов я собирался закончить уже в новом клубе.

31 декабря 1988 года мы отыграли матч в Бостоне и отправились к «Дьяволам». Три часа ехали на автобусе и оказались в Нью-Джерси перед самым Новым годом. Нас поселили в ту же гостиницу, где жил в то время генеральный менеджер клуба. Я спускаюсь из номера вниз, чтобы поздороваться с хозяином команды, с ним Дима Лопухин приехал, а со мной представитель «Совинтерспорта» Роман Дацишин, который специально прилетел из Москвы договариваться о том, на каких условиях я остаюсь. Нас с совинтерспортовцем сопровождают Тихонов и начальник политотдела ЦСКА — он был и начальником делегации. Кстати, это был первый случай, когда начальнику делегации разрешили получить деньги, как и игроку, и неплохие для того времени — порядка 4000 долларов он «заработал». Раньше мы сами собирали деньги начальникам делегации, ходили по кругу, чтобы они получили наравне со всеми, и они в какой-то степени были зависимы от нас. Но это было неофициально, а здесь в первый раз — распишись и получи! Компьютеры и шубы он закупал вместе с нами, в общем, хорошо съездил начальник политотдела. Но дело не в этом. Володя Крутов одну игру пропустил, у него мышцы бедра так «забило», что он даже ходить не мог. Доктор приходит к нему в номер: «Тихонов сказал, чтобы

ты завтра играл». Вова отвечает: «Доктор, я же не двигаюсь». — «Не знаю, он сказал, чтобы ты играл». Крутов на лед не вышел, и с него сняли деньги за пропущенный матч, хотя все прекрасно понимали: если б Крутов хотя бы на тридцать процентов мог играть, он бы играл, он боец. А начальник политотдела получил все деньги (он ничего не пропустил) и оказал полную поддержку Тихонову.

В этот новогодний вечер в очередной раз решалась моя судьба. Сидим разговариваем, Дима переводит. Он мне тихонько говорит: «Сейчас перед ужином у хозяина будет разговор с Тихоновым и с начальником вашей делегации, мы тебе позвоним в номер, присоединишься к нам в ресторане». Они ушли на переговоры, часа через два звонит мне Дмитрий: «Спускайся». Встречает меня в холле и говорит: «Они тебя здесь не оставляют. Тихонов сказал, что ты должен вернуться в Союз». С этой минуты я понял, что началась война.

# Глава 3
# ВОЙНА ЗА НЕЗАВИСИМОСТЬ

Мое желание играть в НХЛ вызвало в СССР большой скандал. Многие знакомые мне говорили: «Поспешил ты, Слава, со своими обвинениями, уехал бы чуть позже, зато без шума». Не раз я задним числом анализировал ту ситуацию и с полным убеждением могу сказать: ничего бы у меня не вышло, не смог бы я уехать так, как хотел, как было правильно — с почетом и добрыми напутствиями, если бы попытался договориться обо всем втихую.

Наглядный пример — история с Владимиром Крутовым.

Его отпустили в Канаду сразу после моего отъезда, все бумаги быстро подписали; отдали в «Калгари», даже не уволив из армии. Уже поэтому все разговоры о том, что приказ о нашем увольнении из армии чуть ли не вот-вот должен быть подписан Язовым, были просто разговорами.

Крутова продали за большие деньги, отправили за океан. Поначалу ему пришлось очень нелегко. Помимо тех же проблем, с которыми столкнулся я (о них дальше подробно расскажу), у Крутова еще и семья оставалась в Союзе, вроде бы как в заложниках. Ему сказали: ты уезжаешь, не уволившись из армии, мы не можем по закону оформить документы на семью. Володя нервничал, семья волновалась. Не сомневаюсь, что эта история наложила сильный психологически негативный отпечаток на его игру. Не надо забывать, что первые бытовые трудности (переезд в Америку — начало совсем другой жизни) Крутов переживал в одиночестве, без опоры. Целые вечера без друзей, без языка, а значит, и без телевизора немалого стоят. В конце концов в середине сезона

Крутов взял за свой счет отпуск, что в НХЛ делается в самых крайних случаях, поехал увольняться, чтобы вернуться с семьей в Канаду.

Для меня уже стало очевидным, что я буду сталкиваться с постоянным враньем, поэтому я и решил: надо действовать публично, тем более такая возможность в то время появилась. Шел расцвет эры горбачевской гласности, можно было открыто, через прессу и телевидение, говорить обо всем, поэтому моя борьба развивалась на глазах у всей страны. Вырезок из газет и журналов, видеокассет с фрагментами программ я привез в Нью-Джерси гору. Война получилась открытой, но стоила мне половины жизни.

Начало моего противостояния с Системой положили долгие разговоры с чемпионом мира по шахматам Гарри Каспаровым. Тогда и началась наша дружба, которая продолжается по сей день. Гарри сказал: «Ты тот человек, который может открыть советским спортсменам дорогу на Запад». Ведь ни законы, ни Конституция Советского Союза никому не запрещали уезжать за границу, работать и получать те деньги, которые записаны в контракте. Но помимо законов существовали десятки инструкций, пройти через которые, казалось, не хватит никакой силы духа и запасов терпения. Гарри предложил: «Давай соберем хорошую бригаду из молодых перспективных адвокатов по советскому и международному праву, для того чтобы сделать твой отъезд абсолютно законным». Первый разговор с Каспаровым состоялся у нас осенью 1988 года. Через неделю я ему позвонил: «Гарик, меня вроде бы отпускают, так что сейчас ничего предпринимать не будем. Обещают, что я поеду в Америку и там уже в НХЛ доиграю сезон». Каспаров мне пожелал удачи. Как же я был наивен! И когда я наконец понял, что никто меня никуда не собирается отпускать, я выступил в прессе. Теперь дороги назад у меня не было, и я вновь позвонил Гарику.

Так началась работа «по открыванию дверей на Запад». И это была уже борьба за права человека.

К сожалению, слишком много глупостей было сделано за время бессмысленного ожидания. К ним относятся и переговоры с американским импресарио югославского происхождения Малковичем — еще одно несчастье в моей жизни. Мой друг Лев Орлов пытался посодействовать мне с отъездом и как-то раз сказал, что есть импресарио, который долгое время работает с известными советскими музыкантами и может помочь сделать юридически правильный контракт. Я заинтересовался, мы встретились с Малковичем. Лева немного говорил по-английски, я знал двадцать слов, а Малкович что-то понимал по-русски. В общем, все выглядело так, будто он согласился мне помочь выехать в США. Контракт с ним был нужен только формальный, но в него Малкович почему-то вписал себе 25 процентов от суммы моей сделки с «Нью-Джерси». Вариант этот был нечестный, потому что столько никто из агентов не брал, но откуда я мог про это знать? Малкович еще обещал найти работу жене и заняться устройством нашей жизни в Штатах. Он очень хотел, чтобы я подписал этот контракт, но там существовал и такой пункт, что если Малкович обратится к «Совинтерспорту» или в Спорткомитет за помощью, то наш контракт автоматически расторгается и он должен будет помочь мне выехать как частному лицу. В итоге через несколько лет Малкович в Нью-Джерси судился со мной, и суд стоил мне больших нервов и денег, но я об этом не жалею. Думаю, что не много найдется русских в Америке, которые выигрывали там суды против американцев. Одно это убеждает меня, что я был абсолютно прав.

Но вернемся к началу одного из самых трудных годов в моей жизни.

Январь 1989 года. Мы прилетели после суперсерии из США в субботу. В понедельник перед тренировкой я сказал Тихонову и второму тренеру Михайлову, что играть за ЦСКА больше не буду, и написал рапорт об увольнении.

Уже третий. Меня отправили к руководству армейского клуба на разъяснительную беседу. На следующий день в «Московском комсомольце» напечатали мое интервью «Я не хочу играть в команде Тихонова». Даже для эпохи гласности это оказалось слишком круто. В стране к такой откровенности еще не привыкли. Меня вызвали в политотдел ЦСКА, потребовали, чтобы я написал в газету опровержение, где бы извинился перед Тихоновым. Я отказался, и мне приказали с завтрашнего дня в военной форме являться каждый день в отдел спортигр ЦСКА на работу. К этому отделу я был приписан, там получал зарплату. Я и появлялся там каждое утро на протяжении полугодового противостояния. А куда денешься? Я же офицер Советской Армии. К Юрию Александровичу Чабарину, моему первому тренеру, приходил, катался у него с детишками. Потом вижу — начальство на него стало косо смотреть. Зачем, думаю, человеку создавать сложности? Начал кататься с любительской командой карандашной фабрики, они раз в неделю арендовали лед на «Кристалле», в Лужниках. Кстати, фабрику построил в Москве любимец всех советских руководителей от Ленина до Брежнева — Арманд Хаммер. Потом ее отняло у Хаммера родное советское государство, подарив ему за это, возможно, очередного Рембрандта из Эрмитажа, и назвало фабрику «Сакко и Ванцетти» — именами двух американских рабочих-социалистов, казненных в Штатах в начале века. Так что очень отдаленно, но это уже приближало меня к Америке.

ЛАДА: Страшным был первый день, когда вышло его интервью. Точнее, не то чтобы страшным, а каким-то необычным...
Даже когда Славы нет дома, телефон у нас звонит постоянно, без конца передают ему приветы знакомые, приятели, друзья. А когда Слава дома, телефон просто «раскаляется» от звонков. Пробиться к нам всегда

была большая проблема. Самое интересное — и в этом весь Слава, — я даже не знала, что он дал такое интервью, мне он не сказал ни слова. Мы проснулись утром, впервые, наверное, не из-за телефонного звонка. Слава поехал в ЦСКА. А звонков нет — тишина! Он скоро вернулся, может, через час. Тишина. Нет звонков. Вот так мы весь день в тишине и просидели. Я несколько раз подходила к телефону, проверяла, работает ли он. Пару раз позвонили наши общие друзья — люди, которые к хоккею никакого отношения не имеют. Потом он мне все же рассказал, что вышла газета с его интервью. Наконец кто-то принес нам эту газету. Все стало понятно. Помню такое ощущение, хотя прошло уже много лет: казалось, выйдешь на улицу — на тебя все пальцем начнут показывать. Славе было очень тяжело, но я знала, что ему нельзя уходить в себя, и старалась выступать в роли затейника. Я пригласила в гости друзей, устроила ужин, пыталась вытащить его в кино. Но Слава смотрел фильм, а я прекрасно понимала, что он занят своими мыслями. Его заставили носить форму. В ней Слава был такой смешной: у него голова большая, и офицерская фуражка на ней, как беретик на затылке. Он ее и так пристраивал, и сяк. Самое забавное, у него своего обмундирования не оказалось. Он «дослужился» до майора, а последний раз ему выдали, кажется, лейтенантскую, к этому времени узенькую для него форму. Все это смотрелось на нем невероятно смешно. Однажды он сказал, что назначен дежурным по ЦСКА. Я всем знакомым дала номер телефона, звоните, если хотите услышать: «Дежурный по ЦСКА майор Фетисов слушает!» Первое время меня не трогали, но потом, когда они поняли, что Слава не изменит своего решения, начали пугать отправкой в далекий гарнизон. Слава — человек, который словам своим не изменяет, и если он принял решение, то не скачет с ветки на ветку. Какие бы я ни устраивала слезные представления, если мне что-то не нравилось или хотелось, — все бесполезно. Если мой муж принял решение, то он его принял. Его поддержали родители. Хотя мама плакала все время, но отец ему доверял, по крайней мере не посылал извиняться или валяться в ногах у руководства ЦСКА и армии. А я ему говорила: «Не волнуйся, Слава, люди же везде живут. Ничего страшного. Ну что теперь делать? Поедем, если пошлют». Конечно, давление было ужасным. Если его вызывали и ругали, то мне звонили и очень ласково со мной говорили. Такое впечатление, что у них служили офицеры — специалисты по общению с женщинами. «Вот вы поймите, — пели провокаторы из Советской Армии, — вы же такая девушка интересная, привыкли к хорошим условиям жизни. А ведь Слава — майор, мы отправим его на самую дальнюю точку, на самую северную, будет там командовать батальоном. Про хоккей он забудет, конечки на гвоздик повесит. А вы привыкли к ванне и душу, вы даже не представляете, как там, на дальней точке. Там ведь горячей воды нет и туалет на улице». Я как пионер: «Ничего страшного, я на Урале родилась, у меня там родственники остались, валенки пришлют, будем в них ходить». Пару раз позвонили, но, видно, поняли, что от меня ответа «нормального» не дождутся, что влиять я на Славу не собираюсь, и перестали агитировать. Могли, конечно, если бы у Славы такого имени не было, что-нибудь устроить. Вот форму на него надели. А какой он военный? Он и оружия в руках не держал никогда.

Слава переживал, что его тренироваться на лед в ЦСКА не пускали. Он сидел, стучал по креслу кулаком так, что отвалилась ручка, все не мог никак успокоиться: «Я же с восьми лет там, я в этой школе вырос». Не то что с командой, а просто покататься не пускали. Он был как персона нон грата, его вычеркнули из всех списков, кроме армейских кадровых.

До того момента, пока я не оказался вместе с Ладой в самолете, летящем через океан, честно скажу, не думал, что меня выпустят. Игорь Ларионов и Сергей Макаров где-то на полпути «спрыгнули с поезда», согласились на условия «Совинтерспорта». Мне они сказали: «Слава, борьба — это хорошо, но мы уже больше не можем». Федоров и Могильный, глядя, как меня, капитана, мурыжат, просто убежали в Америку. Трудно пережить то, что ты после всех почестей оказался изгоем. Поэтому я никого из ребят не осуждал — ни молодых, ни ветеранов. Не знаю, устоял бы до конца и я, если бы не поддержка Лады. Я приходил домой после целого дня издевательств и унижений, после ежедневных проработок армейских комиссаров. Каждый день начинался для меня с заявлений, что я сволочь, предатель, меня Родина и Армия сделали человеком, воспитали, а я обидел Тихонова, команду, клуб и Родину, которые мне столько дали. А вечером я вижу человека, который меня полностью поддерживает и понимает, который со мной готов идти на все. В один из самых трудных дней я пришел домой, рассказал, что со мной делали, посмотрел Ладе в глаза и в тот же вечер сделал ей предложение. Я ее спросил: «Ты не обидишься, если мы поженимся как можно скорее?» По закону же полагалось месяц ждать, но мы нашли знакомых, они договорились в ЗАГСе.

Это было 15 марта 1989 года. К этому дню война за выезд продолжалась уже почти год.

Март 1989 года. Каждый день меня вызывали в политотдел, сажали посредине комнаты, в три угла вставали три полковника, политические начальники армейского спорта. И начинали мне долбить, что я предатель, как я посмел, и дальше, как по нотам. Они вызывали меня на конфликт, ждали, что я сорвусь. Признаюсь, были минуты, когда тяжело было сдержаться. На партсобраниях полоскали регулярно, наконец в Главпур повезли, там уже по углам сидели генералы. «Извинись перед Тихоновым, возвращайся в команду, мы все простим, забудем, дадим тебе должность полковничью». В начале марта меня вызвали в один из «больших кабинетов» Министерства обороны и тоже попросили забрать рапорт. Похоже, я стал единственной проблемой Советской Армии. Я тут же написал свежий. Четвертый. Говорю: «Я хочу уйти из армии». Они отвечают: «Ты здесь у нас пропадешь, в Америку не уедешь, это мы тебе обещаем на сто процентов». Я объясняю, что уже не хочу никуда уезжать, только увольте меня из армии, тем более в ней сейчас идет сокращение, а я не хочу занимать чужого места, пускай те люди, которые отдали жизнь армии и дорожат ею, получают мою ставку. Два часа меня то пугали, то соблазняли. Тихонов сидел все это время в соседней комнате. Результата он не дождался, куда-то ушел, а со мной продолжали маяться. Три генерала (двое из них были заместителями Язова) убеждали и пугали хоккеиста!

К тому времени мне разрешили тренироваться с командой, правда, в пятом звене, с молодежью. Наверное, думали, что рано или поздно я все же сломаюсь. Но на всякий случай поставили в известность, что мне не разрешат играть, пока я не извинюсь перед Тихоновым и клубом. Неделю покатался, и меня снова отстранили от команды. Больше я с ЦСКА на лед не выходил. А в прессе царила неразбериха, одни писали, что я негодяй, другие (их было куда меньше), что я герой. Я же за несколько месяцев постарел, наверное, лет на десять — непроходящее состояние стресса. Все люди из числа спортивных и других начальников, кого я знал, мне сочувствовали, но никто в мою проблему не вмешивался. В основном все с интересом наблюдали, чем моя война закончится...

Но вернемся в Министерство обороны. Итак, после двух часов «беседы» с генералами я не забрал рапорт и отказался виниться. Один из них вышел, потом возвращается и говорит: «Нас министр ждет. Хотя он очень занят, но эта проблема его волнует». Мы пошли: три генерала, вновь появившийся Тихонов и я. Везде охрана. На мне парадная офицерская форма с орденами. Ввели. Кабинет огромный, как футбольное поле. Министр обороны идет мне навстречу и сразу с матом: «Почему стоишь не по форме?» А я никогда «по форме» не стоял, я не знаю, как это делается, и в кабинет министра вошел как человек штатский: одна рука была в кармане, да еще волосы длинные. Министр, наверное, чуть с ума не сошел.

Язов кричит, что я за доллары в Америку продался, и все остальное в том же духе, про Родину, про мать... Я отвечаю, что служил верой и правдой, что долгов перед клубом у меня нет и прошу только одного — уволить меня из армии. — И вы, товарищ министр, по закону обязаны выполнить мое желание.

— Я не то что тебя уволю, я тебя сошлю... — грозит мне министр и Маршал Советского Союза. Потом обещает полковничью должность и двухкомнатную квартиру, только бы я забрал рапорт.

Я говорю: «Нет».

Опять стал пугать.

— Зачем едешь? — кричит министр.

Отвечаю, что у нас в ЦСКА критическое положение, еду заработать деньги, чтобы помочь команде.

— Как? — удивляется министр. — Мне говорили, что это самая благополучная команда в армии, что у нее все есть, аж в избытке.

— Да, — поддержал меня Тихонов, — у нас кое-чего не хватает.

— Сколько надо?

— Двадцать тысяч долларов, — не раздумывая говорит Тихонов.

— Нет, — говорю я, — пятьдесят.

— Ну ты наглец, — делает вывод министр и звонит финансистам: — Найдите для нашей футбольной команды пятьдесят тысяч долларов.

— Товарищ министр, не футбольной, а хоккейной, — вмешиваюсь я.

— Тьфу, б... хоккейной. — Потом спрашивает: — Батька у тебя живой? Сейчас бы мы с ним штаны с тебя сняли и жопу надрали.

— Товарищ министр, я же взрослый человек.

— А ты что, батьку не слушаешь?

В общем, Язов сказал, что через месяц, если я не приползу и не заберу свой рапорт, он меня уволит, но никакой Америки мне не видать, слово маршала. И выгнал меня из кабинета, а Тихонов с генералами остались.

По закону он имел право не давать ответа еще месяц.

В Министерстве обороны мне действительно было очень страшно. Но в кабинете Язова я решил, что, если сейчас не сломаюсь, дальше мне будет легче, а если отступлю, то меня сразу смешают с дерьмом и растопчут. И почувствовал какое-то внутреннее облегчение, на душе сразу стало легче, хотя ничего хорошего мне сказано там не было.

Заканчивался чемпионат Союза, сборная начинала подготовку к чемпионату мира, который в том году проводился в Швеции в конце апреля — начале мая. Я пришел на последнюю игру первенства страны. После нее мне надо было ехать в Останкино, друзья организовали мое выступление во «Взгляде», безумно популярной тогда телепрограмме. В этот же день игроки сборной подписали письмо, чтобы меня вернули в главную команду страны. Подписали Сергей Макаров, Игорь Ларионов, Володя Крутов, Слава Быков, Андрей Хомутов и Валера Каменский. Мой многолетний друг и напарник Касатонов не подписал.

Ребята перед игрой спрашивают меня, что я буду вечером делать. Я им: «Смотрите сегодня меня во «Взгляде».

59

Не помню, Макаров или Крутов сказали, что тоже хотят поехать в Останкино. Но Тихонов от кого-то об этом узнал и сразу поменял расписание. Вместо того чтобы всем разъехаться по домам, а назавтра встретиться в Новогорске на сборах, ребятам объявили, что все отправляются ночевать в Новогорск. Народ стал возмущаться: «С какой стати? Вещей с собой нет, ничего же не собрано». — «Завтра утром, — говорит Тихонов, — поедете домой, баулы соберете. А сегодня все как один — отдыхать после игры в Новогорск». Но ребята твердо решили остаться со мной. Андрея Хомутова и Валеру Каменского мы отправили в Новогорск, а лучшая в мире тройка нападения в тот вечер выступила в прямом эфире, поддерживая своего защитника. Отвечая на вопросы Влада Листьева, ребята подтвердили, что без меня в Швецию не поедут. «Взгляд» смотрела чуть ли не вся страна, и наше появление, наверное, произвело фурор. Ночью из Останкина ребята отправились в Новогорск. На следующий день Тихонов кричал на них, но дело было сделано.

Меня на сборы никто не приглашал. Ребята потому и поехали на телевидение, что до этого надеялись: Федерация включит меня, капитана советской команды, в ее состав. Но этого не произошло. В день последнего тура первенства СССР прошло заседание тренерского совета, где утверждались кандидаты в сборную на чемпионат мира 1989 года, но про меня никто не вспоминал, хотя ребята, сильнейшие игроки команды, заранее написали письмо в Федерацию, в тренерский совет, в котором заявили, что без меня на чемпионат не поедут. Члены тренерского совета решили, что им прислали ультиматум, и церемониться не стали: все поедут туда, куда им скажут. В итоге они добились того, что мы выступили во «Взгляде» и скандал стал известен всей стране.

На следующий день позвонил Вячеслав Колосков: «Приезжай в Новогорск. Будет общее собрание команды, будем решать твою судьбу». Я сказал, что приеду. С Колосковым я последний раз до этого разговаривал после интервью в «МК», когда он спросил: «Зачем ты это сделал? Тебя бы и так отпустили». Я ответил, что он не до конца в курсе ситуации и что я надеюсь на его поддержку. Но Вячеслав Иванович мне сообщил, что я уже себя «закопал» этим письмом. Мне оставалось только сказать: «Приятно слышать такое мнение от руководителя советского хоккея». Больше я с Колосковым не разговаривал. И вот звонок...

Утром в Новогорске на базе сборной устроили собрание команды. Корреспондентов наехала туча. Команда сначала собралась без меня, я сидел в холле, потом меня пригласили в зал, и началось голосование. Большинство проголосовало за мое включение в команду, но человека три-четыре были против, и Тихонов в том числе. Колосков объявил: «Команда проголосовала за то, чтобы вернуть тебя в сборную Союза. Но, как считает старший тренер, у тебя есть три недели на то, чтобы восстановить форму. Если ты не будешь готов, естественно, никуда не поедешь». Я встал: «Спасибо, ребята, за доверие. Постараюсь подготовиться».

Начались сумасшедшие три недели. Я пахал, как никогда, чтобы ребят не подвести, чтобы разговоры прекратились и чтобы самому не опозориться. Я не сомневался, что через три недели более или менее наберу форму и они возьмут меня. А вдруг я провалюсь на чемпионате мира? Какую же я тогда дам пищу для разговоров! Момент был самый ответственный, я прекрасно это понимал и вкалывал как умалишенный. Слава Богу, команда сыграла неплохо, выиграла чемпионат, а меня назвали лучшим защитником первенства мира-89.

Правда, накануне открытия чемпионата произошла еще одна история. Сережа Макаров после моего отлучения был выбран капитаном ЦСКА и, естественно, сборной. Но по традиции перед началом матчей выборы капитана проходят заново. Конечно, я мог в них не участвовать, но подумал:

пусть ребята решают все до конца. Я ничего против кандидатуры Сергея никогда не имел, он отличный парень. Мы с шестнадцати лет вместе, настоящие друзья, и роль его в моем возвращении в сборную — огромная. Но тут же, как только я объявил об участии в голосовании, между нами начали вбивать клин: вот, мол, ты, Сережа, сделал для него доброе дело, а он, вместо того чтобы отказаться от капитанства, устраивает цирк. Я же считал, что, если меня вдруг выберут капитаном, это будет не только почетно и приятно, но и докажет мою правоту. Но я совсем не подумал о том, что Сергея могут обидеть эти выборы. Теперь каюсь, что невольно задел его самолюбие.

Приехали в Швецию, капитан сборной еще Макаров. Перед товарищескими играми мы не стали выбирать капитана, не стали этого делать и в Москве, накануне отъезда, а решили устроить выборы сразу в Стокгольме. Начали голосовать. Обычно голосовали открыто, но на этот раз — тайно. В президиуме — Юрзинов, Тихонов и Дмитриев. Собрать записки должны были от 22 игроков и 3 тренеров. Итого двадцать пять голосов. В президиуме прочли записки, а потом «опомнились»: «Подождите, здесь наших голосов еще нет». Добрасывают еще две бумажки, по-моему, от Тихонова и Юрзинова. Результат: 12 за меня, 12 за Сергея и 1 воздержавшийся. Давайте, говорят, проводить второй тур. Страна тогда только дорвалась до свободных выборов, выбирали всех, включая директоров заводов, так что мы шли в ногу со временем.

В конце концов я набрал больше голосов. И накануне открытия чемпионата мне пришили на майку знаменитую букву «К». Во всем мире слово «капитан» начинается с «С», а у нас — с «К». И это среди наших соперников на первенстве мира всегда было предметом бесконечных шуток. Мне и сейчас говорят: «А что ты на Кубке мира «К» на себя не повесил?» Я отвечаю: «Времена меняются». А они: «Жаль. Так было экзотично»...

Апрель 1989 года. В Стокгольме все сложилось, казалось бы, хорошо, играла команда прекрасно, выиграла, и я, как уже говорил, был отмечен. В Швецию приезжал Лу Ламарелло и предложил мне прямо из Стокгольма улететь в США, но я стоял на своем: «Нет, я должен вернуться домой и уехать в Нью-Джерси из Москвы». Зато Могильный мучиться, как я, не стал и после прощального банкета утром исчез. Шумиха получилась большая. В Шереметьево из-за этого нас встречали самые разные люди, в том числе приехал и замминистра обороны, фамилию его уже не помню. Я подхожу к нему и говорю: «Товарищ генерал, министр через месяц должен меня уволить из армии, если я не одумаюсь. Так вот: я не одумался, встреча с Язовым была 13 марта, а сейчас уже май. Может, у вас есть какая-то информация?» Замминистра отвечает: «Мы тебя и не собираемся увольнять. Смотри-ка, опять здорово играешь, капитан сборной, чемпионат мира выиграл, лучший защитник. Нечего тебе из армии увольняться». Я: «Товарищ генерал, это плохая шутка. Министр дал слово, и, как я понимаю, должен его держать». Генерал смотрит на меня так, будто глазами расстреливает. «Ну ладно, — говорит, — если ты так настаиваешь, мы тебя уволим». В это время Макаров подходит: «Вы меня тоже обещали после чемпионата мира уволить». — «Сережа, тебя-то мы никак отпустить не можем, ты будешь у нас еще долго играть». Сережу такая новость, естественно, «окрылила». Крепостное право! Сейчас эта история даже мне, ее главному герою, кажется дикостью. Как же легко все забывается, а ведь еще и десяти лет не прошло. В какой еще стране мира офицерские погоны означали рабство?

Сразу после приезда прошло у нас в ЦСКА собрание, обсуждали поступок младшего лейтенанта Могильного. У большинства ребят бегство Саши за океан вызвало не то что поддержку, но молчаливое одобрение. Когда нас попросили дать оценку поступку Могильного, я сказал: «Он правильно сделал. Он решил больше не терпеть унижений. Даже после победы на Олимпийских играх старший тренер его по печени молотил». Тихонов тоже присутствовал на собрании. «Что ты выдумываешь!» Но этот факт действительно имел место. Мы играли в Калгари последнюю игру с финнами, до них победили шведов и досрочно, за тур, стали чемпионами Игр. И теперь если выигрываем у финнов, то шведы — вторые. Если проигрываем, то финны — вторые. Нам, что так, что этак — все едино. Но провели собрание команды и постановили, что мы должны Олимпиаду закончить без поражений. Однако ребята уже расслабились. Эмоциональный фон у всех разный, и какие-то ошибки в последней игре, конечно, они допускали. Ничего необычного в этом нет. А Тихонов суетился перед нами, как умалишенный, нет чтоб сесть на трибуну, отдохнуть. Ему хотелось все игры выиграть, все до одной, чтоб не смазать, как он сказал, выступление олимпийской команды. Ну что там смазывать, когда золотые медали мы уже завоевали и об этом будут знать все. А кто помнит счет последней, ничего не решающей игры? Но мы же максималисты, мы должны все у всех выиграть. Одну шайбу по ходу матча мы проигрывали, так одну, по-моему, и проиграли. Могильный то ли ошибся, то ли не сменился вовремя. Тихонов так орал, что Саша сказал ему: «Что вы кричите, мы и так золото выиграли». «Ах ты, щенок!» — завопил Тихонов и сзади ему по печени врезал. Могильный убежал из Дворца сразу после награждения, нам уже не до веселья, мы всей командой его ищем, а он залез на самый верх дополнительных трибун, которые выкатили на улицу. Мы бегали, автобус никак уехать не мог, а парень плакал, забившись на трибуне, от обиды и беспомощности. Вот этот случай я и вспомнил.

Выступил Леша Касатонов, наш главный коммунист, сказал, что мы осуждаем поступок Могильного, он подлец и предатель. Америка — это чуждое и ненужное для нас общество. (Шел май 1989-го, а в конце того же года Касатонов сам уехал в Америку.) Собрание продолжалось, мы еще немного Могильного поосуждали, но громкого скандала не получилось. Высказывания Леши поддержки у прессы уже не вызывали. И от игроков добиться осуждения Могильного тоже не получилось. Так все и заглохло, слишком быстро менялось время. Потом уже и Могильный, а позже и Федоров объясняли свое бегство тем, что видели, как расправляются со мной. «И если такое творили с Фетисовым, то что говорить о нас», — заявляли они.

Конечно, мне понятно, что Тихонов действовал по отношению ко мне нормальными советскими методами, то есть обманом. С одной стороны, он подписывает рапорт на мое увольнение, а сам втихую перекрывает мне кислород, но внешне — отец родной, а я его любимчик, и все знают об этом. И если я начинаю выступать против него, значит, я подлец.

Начинает расшатываться прежняя система. Решением парткома стало трудно на кого-нибудь подействовать. И Виктор Васильевич прекрасно понимает, что, если он отпустит Фетисова, на советском хоккее можно поставить крест — после Фетисова уедут все, кто может. А это означает крест и на его карьере. Иногда я думаю, мог ли он просто сказать: «Слава, я тебя прошу, не уезжай, ты погубишь команду. Моя личная просьба — год продержись». Чисто умозрительно — вопрос, конечно, интересный, особенно после того, что мне наобещали и не выполнили. Я, кстати, не забывал, что у меня может и не быть второго шанса. Вряд ли, поиграв еще годик-другой в ЦСКА, я был бы нужен в НХЛ. Вот почему, даже если представить, что Виктор Васильевич вдруг произнес бы эти слова, надо все равно рассматривать ситуацию в целом.

Когда начались награждения, а за ними речи про национальное достояние, стало ясно, что я попал в такую машину, где я всего лишь винтик. Никогда не думал, что могу превратиться в эту маленькую деталь. Великие игроки Михайлов и Петров ушли со скандалом, мне это не нравилось, но я никогда не думал, что подобное случится и со мной. Есть в нас глупая вера в то, что беда другого тебя не должна коснуться. И вдруг ты понимаешь, что тобою крутят как хотят. Я восстал сознательно и принципиально, я хотел чувствовать себя человеком.

Нет, Тихонов никогда не смог бы попросить меня остаться, пойти на доверительный разговор — это не в его характере. На наших глазах в это же время старший тренер футбольной сборной и сильнейшего клуба страны Лобановский отпускал своих ребят. Наверное, он тоже понимал: что-то не так, если лучшие игроки уезжают из страны. Но он до интриг не опускался. Не знаю, то ли под хорошее настроение мне начальники свободу пообещали, то ли хотели заработать на мне большие деньги. Кстати, «большими деньгами» тогда считался видеомагнитофон в подарок.

Июнь 1989 года. Я уже не помню, как выглядело мое увольнение из армии. Ничего торжественного, во всяком случае, не происходило. Мне сказали, что необходимо получить «бегунок», потому что уже есть приказ о моем увольнении и нужно рассчитаться с клубом. Я начал бегать в хозчасть, в «шмотчасть» — обычная родная рутина. Например, необходимо было вернуть лосевые перчатки, которые я получил еще в детской спортивной школе. Конечно, они уже лет десять как были выброшены в мусор, промышленность такую модель давно не выпускала, поэтому полагалось что-то принести взамен. В политотделе рассчитаться... На всю беготню ушла примерно неделя. Позвонил в очередной раз Ламарелло, я ему сказал, что все — уволен.

Когда в «Совинтерспорте» узнали, что в Москву приехал Ламарелло подписывать со мной личный контракт, то срочно вызвали менеджеров «Калгари» и «Ванкувера», где на драфте числились Макаров и Ларионов. За два месяца до этих событий Каспаров, Роднина, Андрей Чесноков и я собрались вместе для создания ассоциации, которая должна была отстаивать права советских спортсменов, провели пресс-конференцию и, конечно, вызвали к себе ненависть спортивного начальства. Мы держались друг за друга, регулярно встречались, а Гарик говорил, что если мы выдержим, то сделаем большое дело для ребят, откроем им дорогу к западным контрактам, свободным от «руки» государства. «Слава бился один, — говорил Гарик, — а теперь нас четверо. Нам будет легче сражаться». 22 июня (русский человек всегда помнит эту дату) я подписал контракт с клубом НХЛ «Нью-Джерси Дэвилс» в гостинице «Россия» — в окно было видно Кремль и Красную площадь.

ЛАДА: У меня никогда не было полной уверенности, что мы уедем в Америку, потому что все так долго тянулось, столько произошло всяких событий! Даже когда Слава со Стариковым подписывали контракт с «Дэвилс», я и тогда сомневалась. Помимо ребят, собрались Гарик Каспаров, его агент Эндрю Пейдж (в его «люксе» и проходила вся эта церемония), Лу Ламарелло, Ира Старикова и я с двумя нашими юристами — Гиви Мачавариани и Федором Куниным. Сначала пошел к столу Слава, потом Сережа. Они отдельно друг от друга подписывали контракты. Это конфиденциальные бумаги, и их нельзя рассматривать вместе.

Макаров и Ларионов были рядом со мной вплоть до той пресс-конференции. Они должны были выйти с нами на сцену, но накануне отказались: «Ты извини, Слава, нам предложили пятьдесят процентов от суммы контракта, и мы согласились». В «Совинтерспорте», конечно, знали, что свой контракт я подписал самостоятельно, без участия какой-либо государственной или общественной (что в СССР было то же самое) организации. Даже тогда, в 1989-м, это выглядело как невероятный вызов властям, чуть ли не диссидентством. Поэтому в «Совинтерспорте» быстро предложили ребятам (забыв про инструкции не плодить миллионеров и не подниматься выше 20 процентов) 50 процентов, чтобы и Ларионова с Макаровым не потерять. Ребята не выдержали, согласились, а ведь у них отняли по миллиону долларов! И я остался один.

После нашей пресс-конференции началось бешеное давление: никуда ты не уедешь, никто тебя из страны не выпустит. Но через Детский фонд мы получаем паспорта и едем со Стариковыми в ознакомительную поездку в Нью-Джерси. Клуб обещал помочь Детскому фонду, и они действительно многое сделали, например взяли на себя спонсорство группы врачей, которая отправилась на две недели в Тбилиси со своим оборудованием и провела там серию сложных операций. Губернатор штата Нью-Джерси провожал врачей, а я вручил ему майку со своим номером.

На первые деньги от контракта мы со Стариковым купили два автобуса для детских домов, а как только я переехал в Нью-Джерси, то заказал детскую форму для школы ЦСКА на сто тысяч долларов. Представители Детского фонда, чтобы не случилось никаких махинаций, сами вручали форму детям. В самый трудный экономический период школа была обеспечена.

Июль 1989 года. Вместе с представителями Детского фонда мы вылетели в Нью-Йорк. Подписанные контракты лежали в наших сумках. Принимали нас роскошно, возили по штату, показывали дома: «Где ты, Слава, хочешь жить? Выбирай!» Вечерами без конца — рестораны, приемы. И посреди этого гулянья Лу Ламарелло отвел меня в сторону: «Слава, а зачем тебе ехать обратно в Москву? Контракт у тебя есть, жена рядом. Родителей надо — родителей привезем, нет проблем. Сейчас лето, начнете адаптироваться, бумажные дела сделаете, а это займет много времени, надо получить страховку, водительские права...» Раза четыре или пять он мне предлагал остаться, но я ответил: «Нет, Лу, я должен вернуться назад и уехать из СССР легально. Я вел открытую борьбу, и, если убегу в последний момент, кем я тогда буду? Осталось уже немножко, может быть, самое тяжелое «немножко», но я считаю, что должен вернуться назад». Лу меня обнял: «Может, я о чем-то не догадываюсь, но ты какой-то странный человек. Тебя же могут не выпустить?» Я говорю: «Да, есть такая возможность». Лу совершенно в шоке: «Ты понимаешь, что у тебя здесь уже все есть? — (А мне как раз был выдан подписной бонус — чек на сто тысяч долларов.) — Для чего тебе дальше драться?» Как я мог ему объяснить свою позицию, тем более что меня не только Ламарелло не понимал? «Не хочу, Лу, чтобы мой отъезд выглядел бегством. Сколько я прошел, сколько претерпел, и чтобы в последний момент обо мне начали писать, что я затеял весь шум ради того, чтобы сбежать?» И еще я не забывал о том, что своим бегством могу «перекрыть кислород» другим ребятам, которые собирались играть в НХЛ. В глубине души жила постоянная тревога, что я им могу навредить. Сейчас это кажется смешным, но тогда еще существовали в полной силе КГБ и «выездной» отдел ЦК КПСС.

Я вернулся в Москву, где до последнего момента решался вопрос, выпускать меня из страны или нет. Надо было собрать всю волю и иметь крепкие нервы, чтобы после такого приема в Америке, после того, что ты уже все там видел и знал, что тебя ждет — какая жизнь, какой дом, зал, стадион, машина, — вернуться и добиваться этого проклятого «дембеля».

И последнее. Мне трудно говорить об этом, слишком пафосно все звучит. Но — святая правда. Да, я мог бы остаться, а потом долго торговаться с властями, сохраняя на руках советский паспорт. Но своей борьбой я открывал дорогу многим людям, а для этого моя репутация должна была оставаться незапятнанной.

# Глава 4

# ПРОЩАЙ, СССР! —
# HOW DO YOU DO, AMERICA!

Честно говоря, я до последней минуты не верил, что мы улетим... Были зарезервированы и оплачены билеты, которые из Нью-Джерси отправили в Москву на всех шестерых (мы летели вместе с Сергеем Стариковым, его женой и двумя детьми). Но мы не могли получить билеты, потому что их не выдавали без виз, а визы мы не могли получить, потому что не было на руках паспортов, хотя в посольстве США в Москве нас давно уже ждали.

Мы вылетали из Шереметьева в Нью-Йорк 13 августа около часа дня, а отдел МИДа, где нам полагалось получить паспорта, открывался в половине десятого. Из МИДа надо было рвануть в посольство, потом мчаться за билетами в кассы на Октябрьской площади. При этом отстоять все очереди (а тогда в Москве без очередей ничего не обходилось), успеть в Шереметьево, пройти таможню и улететь. Никакой Голливуд подобный боевик не снимет. Сборы мы завершили накануне — сувениры, подарки, коробки. Проснулись рано, а точнее, толком и не ложились, потому что накануне устроили вечеринку для друзей в ресторане гостиницы «Советская». Что-то похожее на проводы, хотя какие проводы без виз и билетов... Но так, на всякий случай — а вдруг!

Мы разработали такой план: рано утром наши жены едут в аэропорт со всеми чемоданами и коробками и ждут нас там, а мы со Стариковым встречаемся пораньше в паспортном отделе МИДа. К открытию туда приехали и Каспаров с Родниной, чтобы нас сопровождать. Очередь на улице колоссальная, и, естественно, чиновник, который был нужен, где-то задерживался. Гарик и Ира не выдержали и, используя свою популярность, прошли без очереди и отправились сами по кабинетам начальников. Минут через двадцать вышел какой-то человек и выдал нам паспорта, будто дефицит из-под полы. Так раньше колбасу или икру завмаги для друзей выносили из гастронома. Сунул он паспорта мне в руку мастерски, никто из очереди ничего не видел.

Я помчался в посольство, а Старому велел отправляться в билетные кассы, занимать очередь, и сделать что угодно, но когда я приеду с паспортами, чтобы он уже стоял около окошечка. Хорошо, в посольстве милиционер узнал меня и сразу пропустил. Зашел я в консульский отдел, там действительно были предупреждены и меня ждали. Быстро поставили во все паспорта визы на многократный въезд в США, которые в те времена советским людям не давались, исключая, конечно, дипломатов. Оказалось, что я прошел под первым номером (так мне потом рассказывали) как советский гражданин с многократным въездом при рабочей визе. С улицы Чайковского по Садовому кольцу жму на Октябрьскую. Слава Богу, что пробки тогда в Москве не были еще такими, как сейчас, но все равно уже час пик. Наконец добрался, а Старый в кассе уже со всеми договорился. Взяли билеты, снова вскочили в машину и — в Шереметьево. Там родители и друзья уже ждали, слоняясь небольшой кучкой по залу. За пару часов мы сделали то, что в те времена было сделать совсем непросто за несколько недель. Но зато родные власти держали нас за горло до последнего момента, когда нервы уже были напряжены настолько, что дальше должны взрываться. Это не была какая-то специальная операция против нас. Нет, так обычно уезжали из Союза на Запад почти все: никто не должен был быть уверен в своем благополучном отбытии в капиталистический ад. Потому и отъезд за границу выглядел как прощание с Родиной навеки. От всей этой нервотрепки объятья и поцелуи в Шереметьеве казались слишком эмоциональными. Крутов прошел с нами до самолета через таможню, через пограничный контроль без паспорта. Мы сели с ним в ресторане зоны отлета, выпили, потом я вспомнил, что он оказался в ней без единого документа (как — остается загадкой до сих пор), и говорю: «Вова, садись в самолет, полетели с нами, если ты уже прошел границу — чего мучиться?» Но Вову с той стороны границы ждала жена.

Мы летели компанией «PAN-AM», первым классом, сумасшедший был тогда первый класс — кресла шириной в кровать.

И только тогда, когда самолет поднялся в воздух, я понял: я выиграл эту войну.

Ничего в моем сражении за свободу выбора не было скрыто от глаз общественности и от всех руководителей — партийных, комсомольских, военных. Вся борьба велась открыто, с помощью таких аргументов, противопоставить которым можно только клевету. Не скрою, я плакал, что выиграл, я плакал от радости, от гордости, что устоял, но я представить себе не мог, как тяжело мне будет в Америке. Мечты были, как у любого эмигранта, который, уезжая в Америку, искренне верит, что там деньги на деревьях растут и не надо себя ни в чем утруждать. И мы, конечно, как и все, столкнулись с огромными трудностями в быту. Но помимо них, возникли серьезные проблемы и с моей работой.

Когда мы, прилетев из Москвы, разместились в нью-джерсийском «Хилтоне», до начала тренировочного лагеря, кемпа, оставалось чуть больше трех недель. Начиналась другая война, но о ней я еще не подозревал. Просто даже представить себе не мог, что я на краю пропасти.

Последние полтора года в Москве я не задумывался, в

каком же состоянии я нахожусь: в физическом, моральном, эмоциональном плане. В той гонке страшно было подумать, что ждет нас впереди, но еще страшнее было оглядываться. Не сразу, но довольно быстро я стал понимать, что начало новой жизни обойдется мне недешево. А я представлял себе, что она начнется красиво и просто. На самом же деле я как спортсмен был разрушен в лучшем случае наполовину. Я, начиная с шестнадцати лет, жил в определенной системе тренировочного цикла. Одиннадцать месяцев в году — тренировки на льду, иногда двухразовые, по строго определенному расписанию. Я это вовсе не для оправдания себя рассказываю. Я жил по четкому графику: три месяца тренируешься, перерыв, подготовка к Кубку «Известий», перерыв, подготовка к чемпионату мира, большой перерыв. Так продолжалось из года в год. Одна и та же схема. Абсолютно точные внутренние часы. Я был натаскан на определенные нагрузки, как охотничья собака-чемпион — на дичь. Если б я жил поменьше в этой системе, куда проще было бы перестраиваться, что потом доказала приехавшая в НХЛ молодежь. А у меня с семнадцати лет — уезжал я в Америку в тридцать один — вся жизнь была подчинена интересам сборной.

В советском хоккее существовало суждение, что две игры подряд, за два дня — это неправильно, нет времени для тренировок, нет времени для восстановления сил. Помню, Тихонов всегда был против, когда мы играли — обычно при выездах на Урал — два матча подряд. Выравнивался класс ЦСКА и местных команд. Часто победы делились: если выигрывали игру первую, на вторую мы уже могли и не собраться. Система тренировок в родном хоккее не была нацелена на плотный календарь. Подготовка к чемпионату мира, где игры шли через день, все равно строилась как подготовка к финальной части сезона. Даже на чемпионатах все было известно по часам. И начинали мы их всегда с разгона от самой слабой команды. То есть все то, чего нет и быть не может в НХЛ. Название одно, а игра совсем другая. В «Нью-Джерси» я должен играть две игры подряд, да еще по 25—28 минут за матч. Должен играть три игры за четыре вечера, да еще с переездами. Или пятнадцать игр в месяц. И мне платят за такую игру, более того, на меня возложены какие-то надежды хозяев клуба, и я должен их оправдать, должен тренироваться и в это же время, параллельно, восстанавливаться. А я понятия не имел, как это делается на таком временнóм отрезке.

Но самое главное, что я был выбит уже и из прежней системы. После Олимпийских игр в Калгари я нормально не тренировался, и для того чтобы вернуться в прежнее состояние суперзащитника, по моим подсчетам, мне нужно было восстанавливаться год или два, а может, больше. Но у меня на это не было и одной недели. Никакие занятия с заводскими командами не могли помочь мне, игроку сборной, неоднократно признававшемуся лучшим защитником мирового первенства, вернуть прежнюю форму. Когда ребята накануне чемпионата мира выступили в мою защиту, у меня было всего три недели для того, чтобы форсировать подготовку, чтобы вписаться в такую команду, как сборная Советского Союза. Но тогда во мне бушевало много задора и желания доказать свою правоту. Теперь же я оказался физически в полном минусе и только удивлялся, что уставать начал так, как никогда не уставал. Когда ты выбиваешься из привычного режима, даже вес меняется. У меня килограмма четыре оказалось лишних. Все вместе, плюс незнание, как выдерживать две игры подряд, как играть три матча за четыре дня, делали мою жизнь не просто тяжелой — неописуемо тяжелой. Я никогда не знал такого сумасшедшего темпа, а здесь даже мальчишки, играя за юниорские команды, имеют где-то 60 игр в сезон. Их с детства готовят к тому, чтобы они спокойно могли «переваривать» такие нагрузки. У меня, естественно, такого опыта не было...

Когда меня уволили из армии, осталось решить последний вопрос — вызвать в Москву Ламарелло для подписания контракта. И перед приездом генерального менеджера «Дэвилс» я сам для себя придумал проблему. Дело в том, что жена защитника ЦСКА и сборной Сергея Старикова выступила в газете со статьей, похожей на крик души, — как Тихонов Хомутова к умирающему отцу не отпустил, как в то время, когда у них дети болели, Сереже не разрешили их навестить, и еще куча историй, которые не лучшим образом характеризовали Виктора Васильевича. Статья Ирины Стариковой вышла через месяц после моего выступления. Но в этом случае обошлось без шума. Парню дали доиграть сезон и «закончили», так выразился мой знакомый в Федерации. Иначе говоря, Сергея потихонечку «сплавили», уволили из армии, но рекомендовали никуда за рубеж не отправлять. Было у него приглашение в Финляндию, еще куда-то звали, но разрешения на работу за рубежом от властей он получить не мог, а другой возможности прилично содержать семью, как продолжать играть, естественно, он не знал. Однажды мне звонит Ира и просит помощи: нет ни денег, ни работы. И когда в очередной раз объявился Ламарелло, я его попросил: «Было бы неплохо, если б Стариков со мной приехал, он хороший защитник, а вдвоем будет легче начинать». Лу отвечает: «Я не знаю, кто он такой». Я объясняю, что Стариков классный игрок, бери, иначе я не поеду. «Я не могу его взять, не знаю, кто он такой». Потом перезванивает: «Я скаутов спрашивал — и они не знают, кто это». Я — конкретно: «Хочу приехать со Стариковым». Лу согласился, но велел ждать драфта, который будет в двадцатых числах июня. «Мы должны его поставить на драфт, — объяснил мне Лу, — иначе мы не можем подписать контракт. Ты никому ничего не говори, все это секрет. Если ты считаешь, что он хороший игрок, мы его берем». «Нью-Джерси» взял Старикова во время драфта. Через пару дней Ламарелло приехал с двумя контрактами.

К сожалению, игра в Лиге у Сергея не пошла. Его отправили в фарм-клуб, но и там не сложилось. У Сергея и в семье были проблемы, в конце концов Стариковы вернулись в Москву, а я остался в «должниках» у «Нью-Джерси» за неудачный контракт. Сергей сыграл в «Дэвилс» всего 10, может, 15 игр, перед тем как попасть в майнер-лигу. Ира и он вместе с ней начали возмущаться, будто я посодействовал такому финалу. Еще в Москве Ира Старикова была очень дружна с женой Касатонова, и как только в Нью-Джерси приехали Касатоновы, семья Стариковых перестала нам даже звонить. Сергей играл в «Ютике», ничего о себе не сообщал, а в это время моя жена забирала его детей из школы, потому что у Ирины начались проблемы с алкоголем. Даже в тот недолгий период, когда Сергей еще играл со мной в «Нью-Джерси», если клуб отправлялся в поездку, дети Стариковых иногда жили у нас дома.

Стариков был чемпионом мира, несколько лет играл в сборной, он двукратный олимпийский чемпион. Сергей — мощный парень, а вот почему на него скауты не обращали внимания, не знаю, мне трудно судить, но думаю, из-за веса. В «Дэвилс» Сергей тянул почти на 120 килограммов, ему тяжело было много двигаться. А может быть, сыграло свою роль и то, что Ира начала попивать, не пойму, с радости или еще с чего? Мы с Сергеем через многое прошли, но, возможно, у него не было настоящей поддержки со стороны жены, семьи, а сам он не хотел или не мог себя преодолеть. Вдруг Стариковы бурно устраивают день рождения Сергея, а в Америке дни рождения массово не отмечают. Но они приглашают всю команду домой, где официанты в белых перчатках, где бьют фонтаны из крюшона на столе, бочками пиво, десятки бутылок алкоголя. В любом клубе, точно так же как в ЦСКА, всегда есть те, кто обо всем докладывает руководству. Почти сразу после дня рождения Сергея отправили в майнер-лигу. Кто знает, может, посчитали, что человек приехал в Америку отдыхать, наслаждаться жизнью, а не «пахать». Мне Ламарелло каждый раз напоминал о Старикове. Когда я подписывал новый контракт с клубом и начинал с Лу спорить из-за денег, он так от меня отбивался: «Мы заплатили миллион долларов человеку, который сыграл всего десять игр и который ничего не показал в фарм-клубе. Нам он был не нужен, а получал больше, чем вся команда в майнер-лиге, вместе взятая».

Плюс ко всему, Сергей отказался заплатить небольшие деньги — о них мы договорились с самого начала — премии для тех людей, которые в Москве работали на нас. Сергей считал, что ему дали плохой контракт, он рассчитывал на лучший. Хотя получил больше, чем Макаров или Ларионов — нападающие с мировыми именами, правда, за счет того, что они половину своего контракта отдали «Совинтерспорту».

Поверить невозможно, но, приехав в Америку, он забыл обо мне через три месяца. Тихонов его «закапывал», а он, вернувшись домой, пошел работать к Виктору Васильевичу. Во время локаута в Лиге, когда легионеры приехали в Москву, у руководства армейского клуба была одна забота — чтобы мы не играли против ЦСКА. Сергей приезжал с уговорами: «не надо играть» или «если будете играть, не надо обыгрывать». Что за сумасшедший дом? Человека выгоняют из ЦСКА — он устраивается в НХЛ, выгоняют из НХЛ — снова в ЦСКА, опять выгоняют из ЦСКА — он приезжает в Нью-Джерси, это было летом 1996-го, приходит ко мне домой и говорит: «Слава, мне нужна твоя помощь, у меня нет работы. Не знаю, что делать, чем семью кормить». После всего, что случилось, вот так спокойно приходит. Я зла ни на кого не держу, потому что знаю, есть у людей слабости, а слабости надо прощать. Но наглость, я думаю, прощать уже нельзя. Наверное, первый раз в жизни я сказал: «Сергей, у меня для тебя ничего нет, я ничем не могу тебе помочь». Правда, через пару недель я попросил Сергея Немчинова устроить Старикова тренером в его детскую хоккейную школу.

Я уже рассказал о проблемах своего физического состояния. Но удар меня ожидал еще и с моральной стороны. Мы приехали летом 1989-го. Советский Союз еще существовал, казалось, на века, и мы являлись для американцев советскими людьми, коммунистами. Я это заметил не сразу, хотя по себе знал, что нас ненавидели во всем мире. «Братья»-чехи и словаки терпеть нас, хоккеистов, не могли, так же как и поляки, шведы, финны. Нас боялись (мы же всех обыгрывали), но и ненавидели. Начиная с 1972 года, когда встречи клубов из СССР и северо-американских команд приобрели более или менее регулярный характер, нас уже не переваривали в Канаде и Америке, потому что мы были советскими игроками. За все годы, что мне пришлось прожить в спорте, я знал, что меня, как советского, уважают за силу. Но за силу, которая против. И когда я оказался в одной команде с американцами, не с теми, кто вел переговоры, а с игроками, первое, что почувствовал, — неприязнь. Уже потом ребята, когда я подружился с ними, рассказывали, что еще до того, как мы появились в «Нью-Джерси», они, узнав о том, что в команде будут играть советские, заранее нас, мягко говоря, невзлюбили. Заблаговременно, ни разу не увидев, не поговорив, не пожав даже руки. Пресса в Нью-Йорке, естественно, была на сто процентов антисоветская. В ней постоянно раскручивались какие-то фантастические истории о СССР, впрочем, точно так же, как в московских газетах о США. И я здесь ощутил то же давление, что выдержал в Союзе, которого, по сути дела, в свободной стране быть не должно, а оно меня прижимало ежедневно. К такому повороту я оказался не готов. Я начал чувствовать, что этот моральный прессинг сказывается на моей игре.

Команда, куда я попал, тогда в Лиге ничем не выделялась, а уровень мастерства у игроков был далек от того, к которому я привык, играя в ЦСКА и сборной. Тренерский состав в «Нью-Джерси» менялся с необыкновенной скоростью: за пять с половиной лет, что я играл в клубе, в нем поменялось пять тренеров. Каждый приходил со своим понятием игры, со своими мыслями. Но это мне было пережить куда легче, чем ситуацию, когда партнер, который должен прикрыть меня, делал вид, что прикрывает, а потом уходил в сторону — и я получал удар в спину. Выходило, что я сражался за то, чтобы быть свободным, чтобы попасть в свободную страну, а столкнувшись с таким отношением, думал: «Для чего я здесь?» Я играл в своей стране, меня в ней почитали, меня уважали во всем мире... И вдруг для того, чтобы я получил травму или чтобы плохо выглядел, меня подставляют мои же партнеры! С подобным я никогда на льду не сталкивался. Я играл в команде, где, если возникала какая-то проблема, выходящая за рамки нашего дела, мы с ребятами могли и без тренеров собраться, чтобы поставить человека на место: или ты будешь играть так, как надо, или у тебя начнутся неприятности. Но здесь обстоятельства складываются так, что я на них повлиять не могу. Ужасное чувство: ты заходишь в раздевалку, а где-нибудь в углу смеются, и ты не знаешь, над тобой смеются или нет, потому что не понимаешь, о чем разговор, так как почти не знаешь английского. Оттого постоянное напряжение, невозможно расслабиться даже на час. Одну неделю играю прилично, две недели — спад.

Хозяин и менеджер команды относились ко мне прекрасно. Дима Лопухин был с нами постоянно как связной от офиса клуба. Бытовые вопросы, записанные в контракте, решались сразу же. Но ведь для всего, начиная от поиска дома и до покупки вилок и скатертей, нужно было время.

Нужно поехать, выбрать, купить, привезти. Нас с Ладой возили выбирать дом. Предлагали всевозможные: и отдельно стоящие, и большие, и поменьше, и совсем маленькие. Мы остановились на кондоминиуме — это когда дома сложены вместе в цепочку и они за забором, с охраной, с общественным центром. Лада боялась оставаться одна, а так соседи кругом, есть к кому обратиться, если что случится. Выбрали местечко Вудлендс в городе Вест-Орандже — это штат Нью-Джерси, но в получасе езды от Манхэттена, то есть на границе штатов Нью-Джерси и Нью-Йорк. Двадцать минут по хайвею, потом через Линкольн-туннель под Гудзоном — и ты в центре Нью-Йорка. Дом нам так понравился, что теперь он наш, мы его выкупили. После сезона надо иметь место, куда можно вернуться и отдохнуть.

Выбрали дом, стали смотреть мебель, покупать миллион мелочей, а на все про все у нас получилось всего три недели. А еще надо было получить «сошиал секьюрити» (карточку социального страхования, что-то вроде нашего паспорта) и водительские права, потому что «родные» права в то время в Америке не действовали, на них нельзя было получить страховку, а без страховки нельзя ездить. С одной стороны, это приятные хлопоты, с другой — занимали время, отвлекали от главного, ради чего приехал: настроиться на то, что через две недели начинается тренировочный кемп, во время которого я должен подготовиться к сезону. Кемп — это шесть-семь дней, и сразу начинаются выставочные игры. Всего неделя, что для меня совсем несерьезно, а надо уже начинать играть, тебя хотят проверить, как ты вписываешься в новую команду. Тебя рассматривают со всех сторон в этих предсезонных играх, когда нет удалений и за грубость не наказывают, не штрафуют, как в регулярном чемпионате.

Я думаю, все упиралось в одно: я приехал из совершенно другого мира, где другая культура, другие взаимоотношения. И проблема проблем, конечно, язык. Без него ты не можешь общаться с партнерами, не слышишь, что о тебе говорят, не можешь давать интервью. Без языка ты глухонемой. Кто-то улыбается, говоря с тобой, а ты думаешь: «Что-то, наверное, не так» и чувствуешь себя дурачком. Английский язык у меня к приезду в Нью-Джерси был на нулевом уровне. Пока ездил со сборной, все, что освоил, — «привет» и «как дела». Нам сразу наняли педагога, симпатичную женщину Элен, но времени у меня свободного почти не оказалось. Иногда я раз в неделю с ней занимался, реже — два. Но базу она все же дала, а в основном пришлось учить язык, как говорят, по ходу пьесы — в общении. Крис Драйпер, мой сосед по комнате в отеле и удивительно организованный человек, был первым, кто постоянно мне объяснял все, что вокруг происходит. Потом его сменил Дагги Браун, интеллигентнейший парень, в конце концов мы с ним подружились семьями. Браун закончил колледж, исторический факультет, много знал о России, о Советском Союзе. С Дагги я играл в «Нью-Джерси» почти пять лет. Когда меня поменяли в «Детройт», Дагги уже бился за эту команду. Так получается, что мы пока все время в одном клубе.

Через три года после того, как я приехал в Америку, Дагги, парень из известной богатой семьи, подошел ко мне и предложил мне стать крестным отцом его первого сына. Я испытал настоящий шок! Я спросил, как же так, вы — католики, а я — православный? Дагги отвечает: «Я ходил к своему священнику, он сказал, что в нашей религии подобное допустимо». Церемония католического крещения намного проще нашей, но такая же торжественная. Один из дедушек моего крестника, рыжего Патрика, — хозяин «Джайнтс» («Гиганты») из Нью-Йорка, популярной футбольной команды с огромными традициями. Крестины Патрика — одно из самых приятных событий в моей жизни.

Так вот, Дагги мне очень помогал, и не только в английском языке. Он вводил меня в американскую жизнь, объяснял, как себя вести, что делать в определенных ситуациях, а его жена Моурин взяла шефство над Ладой. Но все это происходило уже к концу первого года жизни в Штатах. А поначалу нервы не выдерживали и приходили минуты, когда хотелось все бросить и уехать обратно в Москву, но я говорил себе: «Нет, ты не имеешь права это делать, иначе для чего ты прошел через весь этот кошмар?»

И все же первые полгода были мучительные, и Ладе жизнь в Америке давалась не так просто. Она учила язык по телевизору, сидела одна дома, смотрела бесконечные мыльные оперы и потихоньку по ним учила разговорную речь. Лада к языку оказалась способнее меня. У нее хороший слух, а мне медведь на ухо наступил. Люди с хорошим слухом гораздо легче воспринимают чужой язык, у Лады и произношение намного лучше моего. Но и ей было непросто, пока не нашлись друзья, не появился круг общения. Так незаметно мы прижились, и как только появился язык, все стало намного проще. Я начал разговаривать с партнерами, причем не только о хоккее — на любые темы. У них, оказывается, много вопросов ко мне накопилось, и все они висели в воздухе до тех пор, пока я не заговорил. Вдруг выяснилось, что жизнь намного интереснее, и отношение ко мне в команде совершенно изменилось.

Я не ищу оправдания: почему Фетисов в НХЛ не стал таким же героем, как в советском хоккее? Этого не могло случиться по нескольким причинам, но прежде всего из-за возраста.

ЛАДА: Первые недели или месяц после приезда в Америку мы жили в гостинице. Существование как в горячке: наконец мы сюда попали, но еще до конца не понимаем, где находимся. Языка не знаем, совершенно другой мир, другая культура, другой стиль и образ жизни. Мы жили в «Хилтоне», нас специально поселили недалеко от арены. Надо отдать должное, нас очень хорошо приняли и хозяин клуба, и генеральный менеджер. Дали переводчика, тренера по общей подготовке, Диму Лопухина, он говорил по-русски ломано, но говорил. Во всяком случае, мы понимали друг друга. Дима для меня был как соломинка для утопающего, потому что Слава — с командой, а я все время одна, с собакой. Я выводила Рэди рядом с гостиницей гулять к камышам у озера, и в один прекрасный день — около Рэди пудель гуляет, черный королевский. И гуляет он с мужчиной, который мне улыбается и о чем-то начинает со мной говорить, а я: «О'кей, о'кей», а что о'кей — сама не знаю. Мужчина что-то объясняет и на свою собаку показывает. А я в сторону и на другую сторону озера. Стыдно: взрослая женщина, а не может нормально общаться с людьми. Может быть, он с улыбкой, как у них принято, делает нам замечание? Я уже знала, что здесь абсолютно все высказывается с улыбкой. А потом оказалось, что это менеджер гостиницы, он видел, что я гуляю с собакой, узнал, что мы русские, а Слава — хоккеист, который приехал играть в «Нью-Джерси», и чтобы наша собака не чувствовала себя одинокой в чужой стране, он привез из дома свою собаку, пусть побегают рядом. Я, наверное, неделю прийти в себя не могла. Писала письма моим знакомым, звонила и рассказывала об этой истории. А меня в Москве не понимали: «Пошла ты, знаешь, куда? У нас детям еду купить негде, а ты со своими собаками».

Через несколько месяцев после нашего устройства в Нью-Джерси я возвращалась после матча «Дэвилс», а так как сама еще машину не водила, то Слава попросил Дерека, нашего друга-американца, чтобы он меня подбросил домой. Рэди, счастливый, что я вернулась, рванул мне навстречу по лестнице и вдруг упал и забился в судорогах. Американец тут же схватил телефон и стал вызывать «скорую помощь» для собаки. Но выяснилось, что в пяти минутах от нашего дома есть клиника для собак. Мы завернули Рэди в одеяло, повезли к врачу, а время уже шло к полуночи. Влетаем в клинику, а там приемный покой весь в кожаных диванах, на стенах красивые картинки, в углах реклама собачьей еды, одежды.

Встречают нас две милые женщины. Одна — медсестра, другая — врач, обе в белых халатах, забирают собаку. Выходит другая девушка, садится со мной, достает блокнот и начинает задавать вопросы. Я тогда по-английски не говорила, и наш приятель мне переводил. Русский у него был явно не второй язык, но более или менее мы могли общаться. А вопросы были такие: моей собаке нравится оставаться в комнате одной — или она любит, чтобы кто-то находился в помещении вместе с ней; она любит, чтобы телевизор был включен, чтобы магнитофон играл, телефон звонил, радио работало, — или предпочитает тишину; что она любит кушать: печень курицы или печень индюшки, говяжье мясо или телятину, а может, какую другую собачью еду? Пока мне задавали эти вопросы, у меня начинал ком расти в горле, потом и слезы потекли градом, они спохватились, бедненькие, вызвали вторую девушку, лекарства мне принести. Они думали, что я так переживаю за собаку. Я, конечно, волновалась за Рэди, но вспомнила, как мы с моей подружкой совсем недавно сидели в московской поликлинике с грудным ребенком. Он был весь в жару, явно с высокой температурой. Мы ждали приема с ребенком, который задыхался в кашле, сорок минут. Вокруг такие же больные маленькие дети. Медсестра вышла, сунула градусник, причем после того, как я, через полчаса ожиданий, открыла дверь в кабинет и спросила: «Вы здесь работаете или отдыхаете?» Там на лестницах сестры курят, сквозняки гуляют, кафельный холодный пол. Открытые окна зимой в Москве! Но курят, надо выветрить. Грязь неописуемая и лозунги советские, что все лучшее — детям. И когда я увидела эту собачью клинику и услышала, нужно ли Рэди радио, началась истерика.

Потом, когда меня привели в чувство, повели показывать, как моя собака уже лежит под капельницами. Объяснили, что Рэди себя уже хорошо чувствует, все нормально. У собаки был эпилептический приступ. Спрашивают историю ее болезни, чем болели ее мама с папой. Через пару часов мы забрали собаку, но наутро нам звонят из этой клиники и говорят, что нужно срочно привезти Рэди на повторный анализ, потому что у нее повышенный сахар в крови. Я думала, может я ненормальная или у меня что-то случилось с головой, а скорее всего, может, у них здесь что-то не так с головами.

Славы дома нет, команда только-только отправилась в поездку на неделю. Я позвонила Дереку, который ездил со мной в клинику, он сам не мог приехать, но связался с офисом «Дэвилс» и сказал, что мне нужно срочно отвезти собаку на анализ. Клиника — в пяти минутах езды от нашего дома, а офис «Дэвилс» — в сорока. За мной приехал лимузин, который отвез меня в клинику, ждал час и потом привез обратно домой. Самое интересное, что бедный Дерек не спал всю ночь, провозился с нами до трех-четырех часов утра, а ему утром на работу в Манхэттен, мне было неловко перед ним, и когда я ему стала говорить: «Ради Бога, Дерек, извини, спасибо тебе большое», он меня остановил такой фразой: «Лада, это тебе спасибо, потому что Бог и ты дали мне шанс искупить какой-то мой грех». Вот тогда я поняла, что мы не только в другой, пусть очень богатой, стране. Мы в другом мире.

Я учила язык по соуп-операм — мыльным операм. Смотрела подряд четыре соуп-оперы, с десяти утра и до часу. Как раз когда Слава находился на тренировке. А если Слава уезжал, я сидела по 24 часа около телевизора на диване, смотрела один и тот же фильм раз, наверное, по двадцать, пока не начинала понимать, о чем в нем говорят. Когда столько раз видишь одно и то же, невольно начинаешь понимать диалоги, что означает это слово или эта фраза. Я стала запоминать фразы и переносить их в свою речь. Ребята из «Дэвилс» были очень удивлены, что к зиме я уже могла им что-то отвечать. А вначале я приходила во время матча в комнату жен игроков, сидела на диване, улыбалась и думала, о чем они говорят. Чтобы не мучиться, я стала приводить в эту комнату русских, чем безумно удивила других жен, потому что это не принято. Туда, где команда, где игроки, где комната жен, необходим специальный пропуск, и никому доступа нет. По-моему, Слава был единственный в команде, кто все время просил по три-четыре пропуска. На нас, конечно, странно поглядывали, но что делать.

В команде все вместе, все общаются. Когда ребята на игры уезжают, жены звонят друг другу. Сегодня идем к одной жене смотреть по телевизору, как мужья играют, завтра у другой собираемся на посиделки. Во время моей беременности мне преподнесли сюрприз — устроили вечеринку и подарки всякие делали для будущего беби. В НХЛ сложно дружить, потому что игроков часто меняют. Вот Брауны — наши самые близкие друзья в Америке, но это же чудо, что мы в Детройте снова оказались вместе. Уже в Детройте познакомились с семьей Брошер, Лори и Крисом, он финансирует строительство. Настенька подружилась в детском саду с их дочкой Алисой. Дети любили играть вместе, ходить друг к другу в гости, и мы очень быстро сошлись с родителями Алисы. Подружились в Нью-Джерси с Рутсалайненами — прекрасные ребята. Мы много времени проводили вместе, потом в одночасье Рейо поменяли. Поначалу мы часто перезванивались, но когда Рейо с семьей перебрался в Швейцарию, звонки стали реже, раз или два в месяц. Правда, летом мы встретились. Они отправились отдыхать во Флориду, перед этим несколько дней пожили у нас в Нью-Джерси. Дружили мы и с семьей Питера Счастны, но и его поменяли, теперь общаемся по телефону: они в Сент-Луисе, мы — в Детройте. Приезжаешь, знакомишься с ребятами, а на следующий год половина команды — другая. Когда, например, Бобби Холика взяли в «Нью-Джерси», он подходит к Славе: «Мне папа говорил, что ты против него играл?» Слава отвечает: да, играл, только не надо так громко об этом. Когда приехал отец Холика, они обнимаются со Славой, а мы смеемся: «Слава, ты скоро с внуками будешь играть».

Когда мы въехали в свой дом, Дима меня отвез покупки сделать: тряпочки, полотенчики. Мы же с собой ничего из Москвы не привезли. Приехали в дом абсолютно пустой, даже спать не на чем. Нам показали, где напрокат берется мебель. Ночь провели в гостинице, на следующий день Слава поехал на тренировку, а меня привезли в дом, чтобы я показала, куда что поставить.

Когда уже осели, возникли некоторые сложности. Слава большую часть времени проводил в команде, а я оставалась хозяйкой в этом огромном доме. Пешком никто в магазин не ходит, а прав на вождение у меня нет, не было их и в России, значит, надо сдавать экзамены. Села я за руль только в ноябре, а до ноября — как под домашним арестом, пока за мной кто-нибудь не заедет, не заберет с собой. Первое время от «Дэвилс» присылали лимузин, чтобы отвезти меня на стадион, когда играл Слава. Но потом, когда мы подружились с семьей Браунов, Марина — жена Дагги — стала меня забирать с собой на стадион. Смешно, как мы общались. Первая фраза, которую я выучила, это: «Ай пик ю ап... эт сикс». Марина звонит: «Ай пик ю ап?», а я повторяю. Она: «Но, но, но. Ай пик ю ап». То есть она мне звонит по телефону предупредить, чтобы я была готова. Потом ей надоедало, что она мне объяснить по телефону ничего не может, вешала трубку, приезжала ко мне: «Я тебя с собой возьму. Хоккей». Показывала на часы. Я отвечала: о'кей. Я говорю — Марина, на самом деле — Моурин. Это Настенька так ее зовет — Марина. Моурин, молодец, помогала во всем, не жалея времени. Потом Элен Мандел, учительница английского, взялась за нас. Элен нанял клуб «Дэвилс». Она приходила раз в неделю давать уроки, при этом по-русски ни слова не знала, приносила с собой картинки, вырезая их из журналов. По ним Элен нам объясняла американскую жизнь. Первое, что мы выучили, — как в ресторане заказать ужин, как заправлять машину, как отвечать по телефону, как спросить то, что тебе нужно. Мы со Славой полтора-два часа конспектировали эти уроки. Она нам помогала весь первый год. В конце концов мы стали большими друзьями и до сих пор общаемся. Элен говорит, что тоже нам благодарна, что никогда не забудет, как она была со мной в тот момент, когда я рожала. Обычно при родах разрешено присутствие только одного человека из семьи: мамы или мужа, а для нее сделали исключение. Видеть, как рождается ребенок, по мнению Элен, — это такое счастье.

И конечно, Дима Лопухин со своей женой Терезой — наши первые помощники. Очень был смешной наш со Славой первый поход по магазинам. Мы въехали не только в пустой дом, но и холодильник в нем тоже был пустой. Вот мы впервые и отправились за едой. Магазин в пяти минутах от нашего дома. Заплатили 500 долларов, но в коляски напихали все: что поесть, чем помыть, чем постирать. Провели в магазине, наверное, часа три. И большая часть этого набора на следующий день переехала на помойку, включая все продукты в баночках. Да, еще мы увидели замороженные хвосты лобстеров! Давай купим? Давай. А как их готовить? Решили разморозить, положили в духовку, смотрю — на коробке 375 F написано, поставили 375 градусов по Фаренгейту. Сколько минут готовить — непонятно. Вытащили — резина резиной, откусить невозможно. Мы изучали гастрономию методом тыка. Зато потом, когда через год приехали Валера Зелепукин со Стеллой, Юля и Саша Симаки, я уже все знала. Подсказывала — это масло не покупай, если надо сгущенку, бери в этом магазине. У меня был самый жуткий счет за телефон. Шутили в команде на эту тему много, потому что, когда к нам пришли первый раз брать интервью, я сказала, что получила счет на 1200 долларов. Немая сцена, журналисты открыли рты. А потом прошло во всех местных газетах, что на столе у меня письма на Родину в слезах, а также телефонные счета на 1200 долларов. После таких публикаций начались звонки от болельщиков: чем они могут нам помочь? Люди приходили на хоккей и приносили нам пироги, искренне считая их русскими, потому что дедушки, бабушки у них родились на Украине. Кто-то подарил даже игрушку для собаки. Они хотели нас поддержать, за что мы им очень благодарны.

Первое время мы никуда не ходили — ни у меня, ни у Славы не было знакомых среди эмигрантов. Моя московская подруга случайно узнала наш телефон и позвонила. Это была Марина Трошина, актриса Ленкома, которая в том же году оказалась в Нью-Йорке, встретилась с молодым человеком, вышла за него замуж и осталась в Америке. Новые приятели появились в Америке благодаря Саше Розенбауму. Он приехал на гастроли с женой Леной, и они познакомили нас со своими друзьями еще по Ленинграду. Позже мы подружились с совладельцем русского ресторана «Самовар» Романом Капланом, с переводчицей Региной Казаковой, так постепенно начали обрастать своим кругом.

Трудно находить новых друзей, особенно когда тебе за тридцать, да еще в новой, незнакомой стране. Но мы удачливы, у нас здесь есть настоящие друзья.


Многие в России помнят фильм «Рожденная свободной», западное кино о львах. Так вот, надо быть рожденным свободным, чтобы чувствовать себя в Америке как рыба в воде. Мы же были рождены несвободными, поэтому мне с таким трудом приходилось привыкать ко всему. Я оказался в совсем иной общественной системе. И даже в хоккее мне следовало перестраиваться. Сначала я старался внедрить игру, которую знал досконально, — игру с «пятерками». Но я быстро понял, что ни исполнителей, ни понимания такого стиля в «Нью-Джерси» нет. Я вскоре пришел к мысли, что являться в чужой дом со своими правилами тоже, наверное, не стоит, и тогда стал упрощать свою игру. Я честно выполнял свои профессиональные обязанности, и при этом старался отдавать все силы в каждом матче. Но творческого удовлетворения, как раньше, от такого хоккея я не испытывал, зато чисто профессиональные навыки легионера со временем появились. К тому же и команда начала играть намного увереннее. За пять с половиной лет, что я играл в «Нью-Джерси Дэвилс», клуб ни разу не оставался за бортом розыгрыша Кубка Стэнли. А в нашей подгруппе были такие команды, как «Нью-Йорк Рейнджерс», «Питсбург», «Филадельфия». До моего прихода «Дэвилс» за десять лет всего лишь раз попали в розыгрыш Кубка Стэнли. Но теперь команда была боеспособной, она могла играть с любым противником. И так просто мы уже никому не уступали. Правда, в плейоффе первый раунд поначалу нам не удавался, но все игры серии проходили в настоящей борьбе. Нехватка опыта не позволяла «Нью-Джерси» переигрывать противника. Со временем пришел и опыт: команда получила хороший кубковый статус, с ней стали считаться. В конце концов «Дэвилс» выиграли в 1995-м Кубок. К сожалению, без меня: в середине сезона состоялся мой переход в «Детройт». На следующий год, когда меня не было в составе «Дэвилс» уже весь сезон, клуб не попал в плейофф. Интересные зигзаги порой выписывает судьба.

Единственное, что было упущено, — это момент, когда я мог стать лидером обороны в команде. Через год после моего приезда в команде появился Скотт Стивенс, он и получил эту роль. Хотя я не считаю, что первый сезон в НХЛ вышел у меня неудачным, скорее всего, все получилось нормально — без взлетов и падений.

Проблемы начались во втором сезоне. Через месяц после начала чемпионата я заболел воспалением легких и продолжал с ним играть. Так до конца сезона я из болезней и не выкарабкался. Второй год в Лиге отбил у меня мечту стать в НХЛ тем, кем я был в советском хоккее. Я играл только так, как требовалось команде. Я старался о лишнем не думать, выходил на лед и действовал точно по заданию. Потом мне сказали, что первого тренера убрали из «Дэвилс» из-за меня, потому что он не понимал, что происходит на площадке, когда я играю. На самом же деле, я считаю, ничего у меня из того, что я хотел сделать в «Дэвилс», не получилось. В команде в то время не было классных исполнителей, которые могли бы поддержать мои идеи. Те же, с кем я играл, мне не верили. Для американца получить шайбу в центре — фантастическое событие, такому их никогда не учили. Здесь должны видеть шайбу, вброшенную защитником в зону противника — в угол или за ворота. Это делается для того, чтобы нападающего никто не мог в этот момент ударить. Поэтому понимать иную ситуацию мои партнеры были не способны не из-за тугодумия, а просто оттого, что они никогда не играли в такой хоккей. Впрочем, чтобы играть по этой системе, необходимо взаимопонимание всех пятерых игроков. Именно так получалась знаменитая «детройтская карусель», когда мы, пятеро русских, выходили вместе. И хотя Слава Козлов и Сергей Федоров моложе Ларионова, Константинова, меня, но выросли они в русском хоккее, он у них в крови.

Еще в «Нью-Джерси», года за три до «Детройта», я как-то разговаривал со шведом Патриком Сандстремом, стараясь привлечь его на свою сторону. «Это не будет работать, — говорил он, — потому что остальные не будут тебя понимать. Я здесь уже давно, так что мой тебе совет: упрощай игру, вбрасывай, выбрасывай, вбрасывай». Конечно, это смешно — люди всю жизнь только и делали, что вбрасывали шайбу, как вдруг им на голову сваливается русский и начинает перестраивать их, пытаясь заставить играть по-другому. При этом лучше, чем они, он вбрасывать в зону и выбрасывать шайбу все равно никогда не будет.

Мой внутренний конфликт в понимании хоккея накладывался в «Нью-Джерси» на тренерскую чехарду — все это не шло на пользу моей игре. Потому что каждый новый тренер приходил со своими идеями. Был один, прямолинейный, он говорил так: «Про хоккей я знаю следующее:

если мы их перебили, значит, мы выиграли, если не перебили, значит, они». Он считал, кто сколько раз врезался и в кого. Но даже этот, на мой взгляд, отрицательный опыт руководства командой может помочь мне в дальнейшем, если я займусь тренерской работой.

Никакого сплава европейского и канадского хоккея в НХЛ не произошло. То, во что там играют, — это нормальный североамериканский хоккей. А в «Нью-Джерси» даже мысли о робком влиянии европейцев быть не могло. Правда, одно время, когда в команде еще играл Питер Счастны и как раз Валерий Зелепукин приехал, пара канадцев под нашим влиянием заиграла с нами в нечто похожее на этот сплав, но две-три игры сыграем хорошо, а потом нас опять разбивают. Не знаю почему. По-моему, тренеры считали, что у нас получается слишком вычурный хоккей, а игра, по их понятию, должна быть проще. Они объясняли, что так она и привычнее и понятнее зрителю, поскольку он в итоге все определяет, не будет ходить на матчи — клуб разорится. Ссылка на зрителя здесь так же свята, как у нас раньше на цитату Ленина, которую никто не знал.

Я имею право так говорить потому, что мы в «Детройте» выходили на лед «пятеркой». И выясняется, что зрителю приятно смотреть, как мы играем. Они действительно не все понимают, иногда у меня после матча спрашивают: а как так получилось, что у вас правый защитник Константинов выбежал один на один и забил гол? И мне сложно объяснить, что это идет от взаимопонимания, взаимостраховки, чему вроде конкретно не учат, а получается само собой.

В Америке тренер никогда не скажет защитнику, чтобы он постарался открыться у дальней линии, получить там пас и убежать один на один с вратарем. Я не знаю в США и Канаде ни одного тренера, который мог бы такую систему предложить на занятиях, даже в шутку. А у нас это получается, Вова в сезоне 1996—97 годов убегал, наверное, раз десять один на один и стабильно забивал. Даже тренер к нам подходил: «Я все вижу, но все равно не могу понять, как вы играете?» Тренер нашей команды! А мне в этой системе намного проще находиться, я «читаю» партнера, я всегда знаю, что мне делать, партнер «читает» меня. Как ни странно, мне легче в запутанных комбинациях русского звена, чем взять шайбу и, видя, что нападающий бежит, просто выбросить ее, используя борт, чтоб он бежал дальше, соревнуясь с защитником соперников, кто быстрее дотянется до шайбы. Если я начну играть с американцами, как я играю с Ларионовым, Федоровым или Козловым, то у нас будет полное непонимание. Начнутся такие ошибки, которые в лучшем случае меня высветят как «белую ворону». Партнер вроде все делает правильно, а я не подыграл ему. Поэтому, выходя с другим звеном, постоянно надо помнить: «Куда? Зачем? Почему?» А играя со своими, казалось бы, в более сложный хоккей, чувствуешь себя намного свободнее. Острые игровые моменты проходят совершенно интуитивно.

Однако вернемся в Нью-Джерси. Мои первые ощущения от раздевалки, от своего места в ней, от новой формы — все было необычно. Все совершенно иное. Конечно, организация хоккейного бизнеса в Америке настолько была выше, чем в СССР, что нечего и сравнивать, терять время. Приходишь в раздевалку перед тренировкой — форма постирана, развешена, клюшек неограниченное количество, коньки — две пары всегда готовы. В раздевалке — баня, сауна, массажист, полностью оборудованный медицинский кабинет. Все, что нужно для дела. Шнурки тебе надо — сто пар шнурков лежит, носки — лежат кучами. И вначале это не то что шокировало, а озадачивало: почему у нас на все дефицит? Комплект тренировочный — на тренировочном катке, а в раздевалке на стадионе у нас другая форма, игровая, только коньки привозили и увозили.

Идеальная работа, которую выполняли всего три человека. Формы игрок касался, только когда ее надевал и снимал. Он ее не собирал, не разбирал, не стирал. После Москвы это казалось чудом.

Поскольку немалая часть моей жизни в Америке прошла в раздевалке, я должен сказать о ней хотя бы пару слов, тем более что для любой команды НХЛ раздевалка — это некий клуб, откуда не торопятся (в отличие от Москвы) уходить ни после тренировки, ни после матча. В Нью-Джерси было два катка: на стадионе и отдельно тренировочная площадка. Больше времени мы, естественно, проводили в тренировочной раздевалке, чем в игровой. Раздевалка — это не только комната, где ты перед выходом на лед надеваешь форму. Там тебе выделено место, на нем написано твое имя, там развешивается твоя форма и раскладываются все твои причиндалы: щитки, бинты, в общем, все мелочи, которые тебе нужны. Атрибутика в раздевалке напоминает, за какой клуб ты играешь. Во всех командах раздевалки разные: есть побольше, есть поменьше. Но прежде всего раздевалка должна быть компактной, в ней не должно переодеваться больше 24 человек — это постоянный состав команды. Если кто-то приезжает на короткое время, ему ставят отдельный стульчик. Компактной раздевалка должна быть для того, чтобы ребята могли друг друга видеть, а не перекликаться через сто метров. Обязательно рядом комната отдыха. Там можно посмотреть телевизор перед матчем и после него, выпить кофе, просто поболтать, почитать прессу.

Душ с гидрованнами есть везде, правда, в некоторых командах еще стоят и джакузи. Медицинская комната обычно большая, потому что в ней находятся несколько массажных столов с ультразвуком или электрической стимуляцией. Мелких травм у игроков всегда много: и ушибы, и растяжения. Перед тренировкой тот, кто легко травмирован или нуждается в перевязке, должен приходить пораньше, чтобы получить соответствующие процедуры. Везде есть айсмашины, те, что делают лед, потому что много ушибов, а к ним прикладывают мешочки со льдом. Машины с соком, кофе, напитками — тоже во всех раздевалках.

Но ни в одной из раздевалок не кормят, а в «Детройте» есть обеды. Их приносят по инициативе ребят. Дело в том, что мы тренируемся достаточно поздно по сравнению с другими командами, обычно раньше одиннадцати не начинаем, и игроки не успевают получать трехразовое питание. Поэтому мы решили сами организовать обеды за свой счет. У нас высчитываются какие-то деньги с каждого пэйчека, то есть зарплаты, но это не обязаловка.

Когда мы начали обживаться в Вест-Орандже, в нашем доме появились разные люди, некоторые из них в дальнейшем стали друзьями, с другими пришлось расстаться. Поначалу, конечно, нас окружали люди из эмиграции, потому что отсутствие языка не позволяло общаться с американцами, а до свободного приезда старых приятелей из новой России оставалось еще два года. Эмигранты знакомили нас с городом, правилами жизни в нем, правда, со своей колокольни — они по-своему видели американскую жизнь.

Некоторые из них занимали высокое положение в Советском Союзе, имели там какой-то вес и вдруг оказались в похожей со мной ситуации. Но мне все же было полегче, потому что моя работа, даже по американским меркам, хорошо оплачивалась. Мой и их заработки были несравнимые, а деньги сильно влияют на моральное состояние. Каждый из нас строил свою жизнь заново, но разница состояла в том, что им приходилось все время выкручиваться. Поэтому и цели виделись по-разному. Одни хотели мне от всей души помочь, другие хотели привлечь меня к какому-то бизнесу, так как мое имя и финансовые возможности открывали перспективы и для них. Мне казалось: вот люди, которые уже столько лет здесь живут, они внушают доверие, тем более они так уверенно рассказывают, что знают про бизнес все вдоль и поперек.

Магазин деликатесов в Нью-Йорке на Пятой авеню я открыл с подачи одного нашего нового знакомого, войдя в бизнес, который, в принципе, должен был давать хороший доход, но в итоге ничего не приносил. Я ничего и не потерял, но дело не в этом, я подумал, что подобный бизнес не для меня. Невозможно заниматься любой финансовой деятельностью, не имея над ней полного контроля. Лишняя головная боль мне в то время была совсем ни к чему, поэтому и пришлось расстаться с этим бизнесом. Расстаться и со многими людьми. Не то чтобы я с ними попрощался навсегда или разругался, сама жизнь нас развела. Как бы то ни было, становление в новом обществе, в новой жизни прошло более или менее ровно, без больших срывов. Была еще одна встреча, и привела она меня не в бизнес, а в церковь.

У нас, в Нью-Джерси, с командой работал журналист Герри Торн, он сейчас один из ведущих комментаторов ESPN. Герри проникся ко мне симпатией и однажды рассказал, что у него есть русские приятели — симпатичная семья. Герри нас и познакомил. Действительно, настоящие русские люди, Нина и Ростислав Цитовичи, которые оказались в Америке давно, им за 60 лет, у них дети почти наши ровесники. Они, как и большинство русских людей за рубежом из старой эмиграции, постоянно ходят в церковь. Тогда нам все это казалось совершенно необыкновенным. В Нью-Джерси, точнее, на границе штатов Нью-Джерси и Нью-Йорк, замечательный православный храм. Время летит быстро, но хочу напомнить, что мы уезжали из Советского Союза и считали себя настоящими советскими людьми, следовательно, были атеистами, а стали прихожанами этой Покровской церкви. Когда родилась Настенька, мы ее там крестили, а так как Лада оказалась некрещеной, крестили и ее. Ростик и мама Нина стали для

Лады крестными родителями. Меня же крестили в детстве, тайно, как и многих детей в России. И хотя мой отец — простой рабочий, все равно полагалось факт крещения скрывать.

Рядом с церковью русское кладбище, где похоронены многие люди с известными именами. Именами, которые проходили через историю нашего государства.

В семье Ростика нам всегда были рады и хотели помочь. Мы каждый год отмечали у них Пасху, тогда в их доме собиралось много русских людей из старой эмиграции, которые держатся друг друга. Это счастливые минуты — общение с людьми, сохранившими чистый русский язык, с людьми, которые чтят и любят Россию, болеют, переживают, все время следят, что происходит на Родине, на которой многие из них, кстати, никогда и не были. Через церковь они стараются помогать России: собирают какие-то вещи и отправляют их неимущим, хотя сами в большинстве люди небогатые. Им Америка дала дом, работу. Но они не забывают, что есть Родина. Церковь расширяется, так как в Нью-Йорке и Нью-Джерси появляются теперь состоятельные русские, которые могут делать для нее большие пожертвования.

Многие ребята, попавшие в НХЛ из России, сразу же купили себе дома или начали строить новые... Жизнь здесь такая, что ты не знаешь, где будешь завтра. Мало кто в НХЛ проиграл с первого до последнего дня в одной команде. Даже великий Грецки, даже любимец зрителей Мессьер. Когда тебя меняют и надо куда-то ехать, дом приходится сдавать жильцам, а что с ним еще делать? Или продавать? А в это время рынок может пойти вниз — ты потеряешь деньги. Мы выбрали в Нью-Джерси дом недорогой, я уже говорил, кондоминиум, и прожили в нем уже восемь лет. Поэтому у нас есть, что называется, «явка» в Нью-Джерси, куда мы можем приехать в любой момент и откуда я могу «танцевать, как от печки», когда придется искать работу после хоккея. Новый город, новый дом или новая квартира — это все здорово отвлекает. Переезды — ужасное занятие, но если ты получил новую работу, то переезд тоже часть бизнеса.

Рассказывая о первых годах в Америке, я не могу не вспомнить о моем самом надежном партнере в ЦСКА, сборной СССР, о моем когда-то лучшем друге — Алексее Касатонове. Не сказать об этом — значит соврать.

У нас с Лешей Касатоновым разница в возрасте всего полтора года. Я уже играл в основном составе армейского клуба, когда его привезли из Ленинграда как перспективного и молодого, 19-летнего. Мы с Лешей как-то сразу подружились, и в Москве он долго жил у меня. А на сборах мы с ним делили один номер. Его вещи стирала моя мама, а когда мы возвращались домой, готовила и кормила нас, как братьев. Мы и были, как братья, и когда гуляли по Москве, то куда бы ни заходили, в бар или в ресторан, если одного из нас нет, то спрашивают: видят меня — а где же Леша? Его — где Слава? В свое время, когда Виктор Васильевич меня разлучил с петровской «тройкой» и стал создавать новое звено «Жлуктов—Капустин—Балдерис», он планировал меня поставить вместе с Сережей Бабиновым. Но я предложил Виктору Васильевичу объединить нас с Лешей, мы друзья и будем друг за друга стеной стоять в защите. На что Тихонов ответил, что нам еще рано играть вместе, мы еще слишком молодые. Но со временем все же объединил нас в пару. Так мы росли, помогая друг другу и в игре, и в жизни. То, что нас связывала близкая дружба, наверное, помогло нам стать ведущей парой защитников в мире почти на все 80-е годы.

Многое в жизни случалось, многое пришлось пережить вместе, но когда ко мне начали попадать Лешины интервью, которые он принялся раздавать после того, как вернулся в 95-м в Москву, я две или три ночи не спал, думал, что же это такое? В памяти ведь сохранились минуты, предать которые, кажется, невозможно... Например, мы поехали в отпуск в военный санаторий в Сочи, нам было по двадцать лет, может, чуть больше. Ужинали в ресторане «Кавказский аул», Леша отошел, вдруг слышу какой-то шум, выбегаю и вижу: Лешу окружили несколько человек и дело явно идет к драке. Мы встали спина к спине, прибежали еще несколько кавказцев, кто-то из них достал ножи. Никто не пришел к нам на помощь, потому что против нас была серьезная банда — все стояли и смотрели, чем это кончится. Мы дрались около огромного дерева, которое растет перед входом в ресторан. Была секунда, когда кого-то из нас могли просто убить. Мы отбились, сломали кому-то из главных челюсть, потом бежали через кусты, они за нами гнались. Нас хотели судить как зачинщиков драки, но, на счастье, нашлись свидетели — это нас спасло.

Я помню, как получил «Волгу» и мы отправились с Лешей на ней в Прибалтику выручать нашего приятеля, который оказался там «на зоне». Это в то время, когда, узнай начальство, что мы, комсомольцы, игроки сборной, приехали «на зону» к другу... Есть, есть на свете вещи, которые не поддаются никаким тестам.

Мы с Лешей отдыхали всегда вместе, даже с его будущей женой я их познакомил. Если бы мне в то время сказали, что я буду читать Лешины высказывания о том, какой я плохой друг, я в такое никогда бы поверить не смог. Мы не только жили в одной комнате, вместе ели, вместе играли, мы прикрывали друг друга. Если кто-то Крута «обижал», Макара или Ларика, огромный, не огромный — неважно, бежали им на защиту. Леша был и для мамы моей, и для отца членом семьи. Бывало всякое. И недопонимания, и разборки какие-то, и обиды, но ничто, никакие ссоры не идут в сравнение с тем, что прожито. Леша знал всю мою жизнь, каждый мой шаг, я ничего от него не скрывал. И вот журналист спрашивает у него: «Вы поругались со Славой из-за Тихонова?» Он отвечает: «Я не хочу к этому возвращаться, но, в частности, да, из-за Тихонова». А я все думаю, из-за чего и почему?

Вспоминаю наш последний год в ЦСКА. Летом 1988 года мы вместе отдыхали в Ялте, вместе летели на награждение олимпийцев в Кремль, готовились к сезону. Потом декабрь, поездка в Америку, когда я думал, что меня здесь оставят; мои знакомые нас возили по магазинам — после серии у нас было три или четыре свободных дня. Мы, как всегда, жили в одной комнате, вместе отметили окончание серии. Летели в самолете рядом, полет долгий, мы, как обычно, сели с Лешей в последний салон, играли в карты, пили пиво, трепались. Но в аэропорту я дал интервью «Московскому комсомольцу», и с тех пор я Лешу ни разу не слышал. У нас не произошло никакого выяснения отношений, просто вышло так, что Тихонов оказался для него гораздо дороже. Я все хотел понять, где у нас получился разрыв? После выхода статьи ни одного звонка... нет, пару раз я его слышал — на партсобрании, когда он вставал и говорил, что я предатель, что бросил команду в середине сезона, хотя прекрасно знал всю ситуацию: как меня мурыжили, как обещали, как обманывали. Я был потрясен, но потом решил: у каждого своя судьба и не всегда человек может быть сильным в любых ситуациях...

Многие меня убеждали, что в основе Лешиного предательства лежит зависть: мол, мы были все время вместе, мы были парой, мы были неразлучны. Но в итоге я вроде бы стал национальным героем, а он — просто известным хоккеистом, каких два-три десятка человек. И вдруг появилась возможность как бы отыграть эту ситуацию: меня из национальных героев развенчивают, делают предателем — и поднимается у человека внутри страшное чувство скрываемой радости: «Так тебе и надо, не высовывайся».

Но не могу в это поверить. Допустим, у Жанны Касатоновой с Ладой сразу не сложились отношения. Но это можно понять, Жанна намного старше, а Лада как бы из нового поколения, но пользовалась авторитетом среди жен в команде. Но это женские проблемы, а тут мужики, которые прошли через жизнь...

В один прекрасный день Леша Касатонов возник в Нью-Джерси, более того, ему предстояло играть со мной опять в одной команде. Он легко прошел тот же путь, который мне пришлось с таким трудом пробивать и, кстати, действительно бросил команду в середине сезона. А ЦСКА как раз в том году проиграл первый чемпионат страны за много лет. Я уехал в августе 1989-го, он в декабре, перед Рождеством, через четыре месяца после последнего парт-собрания, где обвинял Могильного. Я даже не старался объяснить менеджеру «Дэвилс» наши отношения. Я понимал, что ему они «до лампочки». У него бизнес. Стариков, за которого я имя свое положил, которого тащил за уши, не заиграл. Стало ясно, что нужен еще защитник, и Лу привез Касатонова. Был лишь единственный момент, когда меня вызвали и спросили: «Сможешь ты с ним в паре играть?» Что мне отвечать? «Как скажете, так я и буду делать, потому что мне хочется играть, хочется выигрывать». Я профессионал. Личных проблем в работе быть не должно. Конечно, я не мог не задуматься о доверии, ведь мы снова в паре, и он мог меня подставить в игре. Предположим, я пошел по старой памяти к воротам, а вдруг он меня не подстрахует? Впрочем, так оно и было несколько раз. Но я по своему характеру все равно не мог играть иначе. Иногда закрадывается мысль: надо сказать, что я плохо себя чувствую, и не выходить на игру. Но эта мысль быстро улетучивается. Во мне живет ощущение, что я никому не могу уступить, не могу не сыграть так, как надо сыграть. Я бегу в угол и никогда не смотрю, какой номер из команды соперника на меня наваливается, здоровый это игрок или нет, я вижу только игровой сюжет и должен соответственно действовать, хотя иногда можно не пойти в угол, споткнуться, пропустить шайбу...

Но вернемся к неигровому моменту.

Леша готовился к отъезду в Америку основательно и серьезно, в отличие от меня, бегающего от инстанции к инстанции. Ему Тихонов дал возможность приехать в «Нью-Джерси» в хорошей форме, и он сразу стал прилично играть. Никакой злости у меня к нему уже не было, но американская пресса начала раздувать нашу ссору, я же не мог всем объяснять подробности, да американцев они и не волновали. Шло время, я ждал, что мой недавний друг возьмет бутылку вина, придет ко мне поговорить, потому что столько лет за плечами... Я продолжал думать о наших отношениях: как все случилось и почему. Я хотел выяснить, стоит ли что-то на свете той нашей дружбы. Друзей сложно находить, у меня больше нет такого друга. Я ждал, что он придет, про себя разговаривал и спорил с ним, я не знал, сойдемся мы вновь или нет, но не сомневался, что надо по-мужски поговорить, закрыть все вопросы. Но этого не произошло. Он не пришел.

Мы вместе играли в «Нью-Джерси» больше двух лет. Бывали в поездках, выпивали со всеми. Банкеты в команде какие-то устраивались, то есть были минуты, которые располагают к разговору. Я думал, ну ладно, что сделаешь — жизнь рассудила так, а не иначе. Но больно все время, какая-то недоговоренность осталась между нами, невысказанность. И вдруг в России появляются Лешины статьи...

А я до сих пор не знаю, простил бы я его или нет. В жизни разное бывает, и люди иногда становятся слабыми перед определенными обстоятельствами. Это как-то можно понять, но если Лешей двигала и вправду зависть, которая копилась все годы нашей дружбы... Страшно тогда жить.

Но ведь смогли сильнейшие игроки ЦСКА сказать: «Если не возьмете на чемпионат мира Фетисова, мы тоже не поедем». Наверное, такое в советском спорте случилось впервые. В СССР спортсменов невозможно было уговорить пойти на подобные акции. Это здесь, в Америке, хоккеисты объединены в свой профсоюз и могут отстаивать свои интересы. Забастовки, локауты — тому подтверждение, здесь есть у людей гордость, и, безусловно, она во многом опирается на финансовую независимость. А у нас слово «забастовка» считалось невозможным, хотя мы жили все вместе, и жили дружно.

Когда ты молод и полон амбиций, тебе не важно, какая политическая система в стране. Ты хочешь быть первым, ты хочешь выиграть... А потом начинаешь понимать, что платишь слишком большую цену за все, и спрашиваешь у себя, стоит ли «это все» такой цены? И тогда начинает возникать конфликт, но к тому времени тебя уже слегка придушивают, а если ты продолжаешь «выступать» — тебя просто выкидывают, сначала из сборной, потом из команды и потихонечку, потихонечку провожают на отдых. Это типичная ситуация для советской системы. Почему считалось, что спортсмены — «рвачи»? Естественно, тебя «напрягает», когда ты видишь, что перед тобой заканчивают карьеру поколение за поколением величайших игроков, которые вызывали восхищение в мире, но не получили даже того немногого, что нужно для скромной жизни. И у них нет больше никакой возможности что-то еще сделать для семьи, потому что квартиру и машину им давало спортивное общество, а кто же тебе, пенсионеру, будет их улучшать или менять? Квартиру нужно давать уже тем, кто играет! Ты же не мог пойти в магазин и купить какой-нибудь импортный холодильник. Все раздавалось по списку, и все эти списки были у тренера. Когда мы приехали в Америку, мне казалось странным: пришел, оттренировался, хорошо или плохо, помылся, сел в машину и уехал — и с тренером больше нет никаких контактов. И нет никаких двухмесячных сборов, где все время устраивают собрания.

Самое трудное время наступает, когда появляется семья. Теперь ты уже должен думать: не дай Бог завтра получить травму, потому что родился еще один ребенок и вместо двухкомнатной квартиры нужна трехкомнатная. Нужен участок для дачи, дети же растут. А если ты известный игрок и постоянно на виду, то хочешь жить как нормальный человек. Но не успел машину или дачу получить пока играешь, значит, ты уже никогда их не получишь. Тем более в ЦСКА, где столько игроков, три «пятерки» только в сборной играют. Я никогда не забуду, как побывал у Николая Ивановича Русака — заместителя председателя Спорткомитета СССР. Он меня вызвал к себе и говорит: «Чего ты там ерепенишься насчет процентов? Двадцать процентов от твоего контракта с американцами — это огромные деньги, и вообще, я тут недавно с отцом своим разговаривал, он живет в Белоруссии, в деревне, крепкий еще мужик, пасека у него. Когда я ему сказал, сколько мы вам заплатили за Олимпийские игры в Калгари, он возмутился: «Как же так, Коля, такие деньги этим дармоедам...» Уму непостижимо — это слова человека, который руководил спортом в стране.

Кому-то дали трехкомнатную квартиру, а кому-то нет: он что-то не выиграл или выпил и попался, а может, тренировался плохо — теперь его на крючке держат. Жена пилит: «Вот этот получил, а ты, такой-сякой, никак не можешь». И за то, что ребята рискнули ради меня собственным благополучием, я им благодарен на всю жизнь. Они подписали письмо, потом выступили и во «Взгляде». Леша письмо не подписал, а когда они его позвали с собой на телевидение, он не поехал. Он единственный из команды, кто выступал против меня на партсобрании и говорил, что я предатель. Возможно, ему сказали: «Фетисов-то ни в какую НХЛ не уедет, вот тебя мы туда направим». Это так по-советски. Иначе как объяснить, что опорный игрок в середине сезона взял и уехал в Нью-Джерси. И оформлял документы не в «Совинтерспорте», где должен их оформлять настоящий партийный спортсмен, а в организации Стаса Намина. Кстати, Стас потом удивлялся, что какие-то мизерные деньги Леша должен был заплатить за паспорт, но так этого и не сделал. Леша ведь тоже уезжал в советские времена. А наш самый свободный в мире гражданин тогда не имел права выехать на Запад по личному контракту, только через организацию с правами на внешнюю деятельность. Я, напоминаю, был командирован в НХЛ Детским фондом.

Тяжело, очень тяжело для меня переживалась, или проживалась, эта ситуация. Ведь я считал Алексея Касатонова самым близким другом. Самым надежным партнером. А он предал...

Швейцария, чемпионат мира, 1990 год. Из Швейцарии ребята позвонили мне как раз за день до того, как «Нью-Джерси» играла шестую игру в первой серии плейоффа. Сказали, что команда молодая, неуверенная, а канадцы привезли сильный состав. В то время «Эдмонтон» уже вылетел из плейоффа, и на чемпионат приехали Коффи, Мессьер и другие звезды НХЛ. Меня дома не было, все это они сообщили моей жене, просили: если у Славы есть возможность, пусть он прилетит в Женеву.

Мы проиграли шестую игру, выбываем из Кубка Стэнли. Я вернулся домой в два-полтретьего ночи — звонок, Слава Быков с Андреем Хомутовым просят приехать в сборную. Слава говорит: «Все ребята хотят, чтобы ты был с нами, ты нужен команде». Что там обиды, когда зовут в первую команду страны. Хотя и понимал, что без разрешения Виктора Васильевича или даже без его подсказки никто не стал бы звонить в Америку. Я сказал, что вылетаю первым самолетом, не спросив, сколько мне заплатят, про это я и не думал. Я отправлялся в команду, где тренер высказывался в мой адрес весь год. В то время «Советский спорт» ежедневно продавался на Брайтоне, потому что «Аэрофлот» возил все советские газеты. Поэтому все, что обо мне писалось, я знал. И вдруг это приглашение... Через пятнадцать минут звонит Макаров, команда, где он тогда играл, «Калгари», тоже вылетела из Кубка, и его приглашают в Швейцарию. Я Сергею сообщаю: еду. Он: «Тогда я тоже прилечу, там встретимся». Чемпионат мира для нас с Сергеем оставался важнейшим событием в жизни. Потом в американской прессе писали, что мы специально в плейоффе не старались, чтобы выступить за команду СССР.

Выходил я на лед в паре с Мишей Татариновым, его потом признали лучшим защитником на турнире. Мне кажется, что и я помог ему сыграть. Но не в этом дело, главное — мы выиграли чемпионат мира, чемпионат Европы! Кстати, Лада тоже прилетела в Швейцарию, вот это был сюрприз для игроков! Первый раз чья-то жена сама приехала и поселилась в гостинице неподалеку, а не прибыла в составе туристической группы. Я попросил, чтобы Ладу аккредитовали, она сама на такси приезжала на стадион.

Сейчас все это звучит смешно, а тогда так необычно — жена, такси, отель, все смотрели на Ладу как на чудо света. Вели мы себя с ней смирно, режима не нарушали, я жил вместе с командой, с Сережей Макаровым в одном номере. В один из дней он звонит домой, в Канаду, жене, а та говорит, вы кому-то проиграли в предварительном турнире, а здесь прошло интервью Тихонова, и он сказал, зачем вообще Макарова и Фетисова пригласили? Зачем вообще они сюда приехали? Совершенно не играют. Макаров в шоке: «Я уезжаю, как можно такое терпеть? Я прилетел в Европу, у меня восемь часов разница во времени, и вдруг он не мне, а канадскому телевидению говорит через переводчика, что мы ему нужны как пятое колесо». Макаров возмущается, как так — человека приглашают, просят помочь и такое оскорбление? Я его успокоил, напомнил, с кем он дело имеет, а в итоге Сергей в финальных играх сыграл очень здорово, правда, потом высказал все, что он думает о руководстве. Но как я понял, никого не волновало, что там считает Макаров.

На банкете Пол Коффи подсел к нам за стол, и Слава Быков подарил ему свою золотую медаль. Потом, когда мы встретились в «Детройте», Пол не раз вспоминал, что у него до сих пор эта медаль хранится. К тому же, когда мы играли какую-то суперсерию, ему подарили русский самовар. «У меня в гостиной он стоит на самом видном месте, — говорил Пол, — чтобы я русских не забывал».

После чемпионата мира мы остались с Ладой в Швейцарии еще на две недели. Наш друг Тино Кати, швейцарец, который раньше работал в Международной федерации хоккея, по старой памяти нас принимал, возил по стране. Каникулы мы провели роскошные.

На следующий год, в 1991-м, мне опять позвонили, пригласили на чемпионат мира, теперь уже в Финляндию. Все шло хорошо, но из-за поражения в последнем матче мы проиграли чемпионат мира. Обвинили меня, так как решающий гол забил Сандин, который вышел с краю, убрал шайбу назад, из-под меня бросил — и забил. Счет сравнялся, а для шведов это было равносильно победе. А может, мы проиграли, не помню. В общем, в проигрыше чемпионата назвали конкретного виновного — меня. Но все же устно пригласили участвовать в Кубке мира в августе 1991 года.

Вернемся к сезонам в Нью-Джерси. Я уже говорил, что проблемы, которые возникли, — это мое недопонимание американско-канадского стиля игры, а со стороны моих новых партнеров и тренеров — моего стиля. Играть всю свою жизнь с Макаровым, Ларионовым, Крутовым или с Харламовым, Петровым, Михайловым, а потом оказаться вместе с ребятами, которые ничем на них не похожи...

Я старался что-то поменять в себе, играть, как мне казалось, более продуктивно. Но в «Нью-Джерси» существовали совсем другие понятия о хоккее, тем более, не в обиду будет сказано, по классу «Дэвилс» были далеки от той команды, из которой я ушел. Взаимоотношения на площадке тоже совсем другие, и те навыки, которые выработались с годами (когда ты «автоматом» знал, что твой партнер обязан оказаться в такой-то точке, отдаешь туда, а там никого нет), только мешали. Возможно, если б я попал не в «Нью-Джерси», а в другую команду, которая играла бы немного свободнее, мне пришлось бы легче, но выбирать не приходилось. У тренеров, которые работали в «Нью-Джерси», понимание хоккея полностью не совпадало с моим: они требовали некий упрощенный способ «бей — беги». Мы тренировались в совершенно четких тактических рамках. А когда играла знаменитая «пятерка» ЦСКА, то постоянно присутствовала импровизация. Ради справедливости надо сказать, что и Тихонова иногда наша вольница раздражала, он на нас кричал, ругался, тем более когда фантазия вредила делу. Но когда непредсказуемость наших ходов приносила пользу, трудно было найти аргументы «против».

Легко понять мои чувства: я играл в такой хоккей, который доставляет мне помимо результата еще и удовлетворение. И вдруг попал в систему, где необходимо делать только то, что тебе велели. Да и ребята сами не хотят ничего выдумывать, потому что это им может стоить места в составе. Ведущим игрокам клуба, конечно, было легче, чтобы я приспосабливался к их игре, а не наоборот. Со временем я понял, что проще будет швырять шайбу по углам в закругления или вбрасывать в зону, чем таскать ее, при этом не передерживая в своей зоне, ожидая, пока кто-нибудь откроется в центре, и отдать ему под красную линию пас, — никто так здесь не делает.

Со временем каждый матч превратился для меня в некую

рутинную работу, хотя команда с каждым годом усиливалась, хозяева все время покупали игроков высокого класса. Но тогда я уже решил, что мое время ушло. Из-за слома навыков потерян год, а может, и два-три. Руководители клуба начали ориентироваться на других опорных защитников, и это естественно: мне уже исполнилось тридцать три, пошел тридцать четвертый год. Понятно, что ни тренеры, ни менеджеры не собирались подстраивать игру команды под меня. Из лидера мирового хоккея я превратился всего лишь в часть команды, которая решала для себя важный вопрос — закрепиться в плейоффе. Конечно, многое изменилось при Жаке Лемэре, который пришел в «Дэвилс» из «Монреаля». Жак предложил совершенно иную организацию игры. «Монреаль Канадиенс» — это огромные традиции. Но, к сожалению, Жак оказался уже пятым моим тренером в «Нью-Джерси». Это шараханье от одного тренера к другому вряд ли могло улучшить мою игру. Кстати, одним из моих тренеров был и Херб Брукс, который тренировал американских олимпийцев, победивших советскую сборную в Лейк-Плэсиде в 1980 году. Наконец, когда в мой последний год в «Нью-Джерси» пришел Лемэр, казалось, выпал мой шанс на собственную игру, но я уже был так морально изношен, что не чувствовал в себе прежнего горения в игре.

Перед тем сезоном, в котором меня поменяли в «Детройт», мы по всем спортивным законам должны были выйти в финал Кубка Стэнли, но проиграли «Рейнджерс» в двух последних играх полуфинала, хотя вели в серии 3:2. Шестая игра, которую мы проводили у себя дома, могла стать решающей (мы вели 2:0 почти до конца второго периода!), но Леша Ковалев забросил нам шайбу, счет стал 2:1, а в третьем Мессьер забил три гола, хет-трик! Накануне шестой игры Мессьер поклялся перед болельщиками Нью-Йорка, что «Рейнджерс» выиграет, а он забьет три гола, и получил приз ESPN, как человек, который дал обещание и, несмотря на пресс обстоятельств, выполнил его.

В Нью-Йорке мы проиграли и седьмую игру. Но команда действительно изменилась в лучшую сторону. Я исправно выполнял роль ветерана-защитника, которому не полагается делать ошибок, тем более, я подружился почти со всеми игроками «Нью-Джерси» и они мне полностью доверяли. Когда тренер формирует команду, он понимает, что и опытный защитник может сделать ошибку, но, как правило, он не сделает такую, которую объяснить невозможно, поэтому многие предпочитают ветеранов молодым игрокам, причем именно в плейофф. Но мое время в «Нью-Джерси», увы, ушло, хотя вместе с Жаком Лемэром пришел помощником главного тренера знаменитый защитник Ларри Робинс. Те полтора года, которые я провел рядом с ним, дали мне немало. Я во всех тонкостях узнал о правилах жизни в Лиге. Но даже просто пообщаться с таким легендарным человеком, как Ларри Робинс, уже многого стоит. Мы тренировались вместе, Ларри ведь играл до 42 лет, и я получил ряд ценных советов, как себя держать в форме в таком возрасте, ведь немногие играют на высоком уровне после тридцати. С Ларри мы стали хорошими друзьями.

Подведу итоги своих первых двух сезонов в НХЛ.

Первый сезон я из-за травм не мог считать удавшимся. Я приехал в Америку с поврежденным плечом — упал с мотоцикла накануне отъезда. Когда случилась вся эта катавасия с увольнением из армии, я потерял много друзей. Чтобы отвлечься, я проводил время у ребят — гонщиков на мотоциклах в спидвее и кроссе. Замечательные парни, отчаянные на машинах, но с правильным отношением к жизни.

Команда гонщиков под началом Виталия Русских базировалась на Ленинградском шоссе у «Водного стадиона» — неподалеку от моего дома. Когда я приходил к ним, я чувствовал себя намного лучше — меня окружала компания настоящих мужчин. Мы не обсуждали, что происходит со мной. Ребята сами все понимали.

Как-то раз мне предложили попробовать прокатиться на кроссовой машине большой мощности. Конечно, я не отказался. Круг проехал, второй, потом чуть прибавил газу, а она как сумасшедшая сорвалась с места. Я увидел, что лечу прямо в стену, растерялся, пространство для поворота маленькое, буквально «пятачок». Там стоял вагончик для рабочих, и я направил мотоцикл прямо на его ступеньки, отпустил руль и вылетел на траву. Я так сделал, потому что не хотел падать на асфальт. К счастью, эта огромная машина, взлетев, упала не на меня, а рядом со мной, но я прилично повредил плечо, и весь первый сезон оно болело. Кроме плеча, болело колено, мне пришлось играть в наколеннике. Но главное то, о чем я подробно говорил: огромные потери и моральных и физических сил. Конечно, я рассчитывал на большее и был недоволен сезоном.

Второй год в «Нью-Джерси» у меня начался неплохо, но через месяц я заболел воспалением легких, играл недолечившись. Потом, когда уже сил совсем не осталось, я занялся лечением. Болезнь отняла не один месяц и, конечно, испортила всю картину второго сезона.

Для меня это был ничем не примечательный сезон, рутинная работа. Самым замечательным событием года стало рождение Настеньки.

В первый отпуск мы в Москву не приезжали, были на то определенные причины: Лада проходила обследование у нескольких докторов, чтобы выбрать правильное лечение. Мы хотели ребенка, поэтому все лето решили посвятить главному делу нашей жизни. Съездили только в Пуэрто-Рико. Почему именно туда? Потому что это американская территория, не нужно виз, а мы еще не получили никаких документов, кроме американской рабочей визы в советском паспорте. Вся волокита с родным серпасто-молоткастым паспортом упростилась, когда нам сказали, что в Пуэрто-Рико можно ехать с американской визой. Так мы попали на этот карибский остров и не пожалели, а, наоборот, получили массу удовольствий. Отдых в Пуэрто-Рико — первый отпуск с женой за границей, нас вместе даже в Болгарию не выпускали. Жили мы в городе, где море кристальной чистоты, погода отличная, бассейны какие-то фантастические и в казино можно ходить играть. Я впервые за всю жизнь испытал ощущение абсолютного отдыха, когда ни о чем вообще не думаешь. Там, в Пуэрто-Рико, мы познакомились с Мстиславом Ростроповичем и Галиной Вишневской. Удалось провести с ними всего два дня, но они запомнились надолго.

В тот же отпуск мы отдыхали еще и во Флориде, прилетев в пятницу и рассчитывая уехать в воскресенье. Нас пригласил в гости вместе с Борисом Зосимовым и его одиннадцатилетней дочерью Леной хозяин виллы, парень из состоятельной американской семьи Дерек Зиф. Мы, воспитанники гостиниц в Ялте и Дагомысе, попав в семейный дом, оказались как в сказке. Свой пляж примерно в полкилометра шириной, большой бассейн, и весь дом уставлен старинными греческими амфорами. Приехали на два дня, а задержались на десять. Отдых получился абсолютно здоровый, безалкогольный, даже пиво не пили.

ЛАДА: В Пуэрто-Рико мы познакомились с очень приятным русским интеллигентным молодым человеком. А когда разговорились — шел 1990 год, и русский в Пуэрто-Рико был еще в диковинку, — оказалось, он скрипач из оркестра Ростроповича. Мы пообедали вместе с ним, а когда вышли в холл — навстречу идут Ростропович и Галина. Скрипач хотел нас представить, а Ростропович уже раскрыл объятья: «Галина, посмотри, это же Слава Фетисов!» Но больше всего меня потрясло, когда Галина, обняв Славу, сказала: «Мы читали

«Огонек», мы так переживали за вас. Ну как вы? Ну, молодцы, наконец-то». Мы прекрасно провели вместе два последних дня отпуска. В последний вечер Ростропович был уставшим после концерта, и мы не пошли в ресторан, а заказали ужин к нам в номер. Посидели, Ростропович объяснял Славе, что нужно делать, пока молодой, как сохранять заработанные деньги. Для нас — ценные советы. Мы ведь никогда таких денег в руках не держали. Он говорил, как вкладывать деньги в недвижимость, как делать, чтобы деньги, которые ты зарабатываешь сейчас, работали на тебя после ухода из хоккея. Потом Славе описывал, как он уезжал из СССР. Кресел в номере, как обычно, всего пара, они достались Ростроповичу и Славе, а мы с Вишневской устроились на кровати. Сидели и шептались, о чем шепчутся все женщины. Она рассказывала о своих девочках, оказалось, что ее дочка Оля — болельщица Славы.

Прошло года полтора, Саша Могильный сломал ногу и приехал пожить к нам в Нью-Джерси. Пошли вместе в «Русский самовар». Подходит Роман Каплан: «Хочу вас познакомить с замечательным человеком» — и показывает на Ростроповича, который ужинал, как потом выяснилось, со своим зятем. Прошло столько времени, нам неудобно о себе напоминать. Вдруг Ростропович вскакивает: «Слава, ты что старых друзей не признаешь!» И опять мы вечер провели вместе. Могильный был потрясен величием и простотой знаменитого музыканта. Обменялись на прощание телефонами. Договорились созваниваться. Но просто так не возьмешь и не позвонишь, не скажешь: «Здравствуйте, давайте еще повидаемся». Но когда мы видимся — это дорогие минуты.

Для меня весь первый год в Америке как отпуск. Первый раз вечерами вдвоем, первый раз все лето свободное. На сборы не надо, тренироваться с командой летом не надо. Слава сам себя контролировал, играл в теннис и плавал, но все равно полностью три месяца вместе с мужем. В тот год Слава играл за сборную страны в Швейцарии.

Я полетела туда через четыре дня, что вызвало большое напряжение у руководства команды, когда меня увидели около автобуса сборной. Выглядело это ужасно смешно. Меня встретили в аэропорту представители из Швейцарской федерации хоккея, зарегистрировали в гостинице, потом отвезли на стадион, аккредитовали, выдали карточку «гость». И я пошла на игру. В перерыве мне подарили огромного мишку с эмблемой чемпионата, и после игры с этим мишкой я стою около автобуса и жду, когда ребята выйдут. Когда они меня увидели, лица у всех вытянулись, я не помню сейчас кто, но меня спросил: «А Виктор Васильевич знает, что ты здесь?» Я засмеялась: «Не знает, ну и что? Узнает. Я за свой счет приехала за мужа и за вас поболеть».

Я жила в пяти минутах от их гостиницы, Слава приходил ко мне, мы вечера проводили вместе, а к отбою он уходил. А потом уже, на банкете, я была единственной женщиной, которая сидела за советским столом. Этот банкет мы на Оллстарзгейме вспомнили. Слава хотел меня познакомить с Флери, а тот на меня смотрит и говорит: «Мы ведь знакомы?» Я отвечаю: «Конечно, мы знакомы. Мы оба были на банкете после чемпионата мира». Тогда Флери возмущался и пытался выяснить у Сережи Макарова: «Почему ты так играешь за русских? Носишься, как скорый поезд. Почему ты в «Калгари» так не летаешь?» Флери был капитаном «Калгари». Сережка говорит: «Ну ты и сравниваешь команды. Тут у меня полное понимание с партнерами».

Это был наш последний отпуск без Настеньки. А потом, когда команда уехала, мы остались со Славой в Швейцарии на две недели и объездили всю страну, начиная от французских кантонов, потом посмотрели итальянские, немецкие. Мы впервые чувствовали себя свободными людьми.

Вернулись в Нью-Йорк, из Нью-Йорка — в Пуэрто-Рико. Первый раз мы увидели острова с пальмами, океан необыкновенного цвета, песок, непохожий на наш. Идешь в океан, вода теплая, как парное молоко. Время для отдыха считалось неудачное, июнь — самое жаркое там время. Выйдя из гостиницы в два часа дня, можно задохнуться. Впервые мы попали под тропический ливень и радовались как дети. Оделись к ужину: Слава в хороших брюках и рубашке, я прическу сделала, туфли на каблуках. Идем в ресторан. Жарко, прекрасное чистое небо, и вдруг на тебя выливают ведро воды, и не одно, а сотни, причем за пару минут. И опять небо чистое, ты через пять минут сухой.

Потом Флорида. Огромный дом на Вест-Палмбич. Оттуда отправились в знаменитый Диснейуорлд вместе с Борей Зосимовым и его дочкой. Конечно, попали туда во время каникул, когда дети со всего мира, особенно японские, набили битком весь этот парк. Чтобы попасть на любой аттракцион, нужно было отстоять в огромных очередях. Первый аттракцион — «Дерево Робинзона Крузо», дом на дереве, по которому мы поднялись и спустились за пять минут. На второй аттракцион еще выстояли в ожидании, когда запустят, на третий Слава плюнул и сказал, что дальше шага не сделает. Потому что до этого мы стояли полтора часа, чтобы проехать десять минут по джунглям на лодочке, хотя было очень интересно, но солнцепек выдержать невыносимо, да еще в очередях. (Единственная очередь, которую я видела в Америке, — это Диснейуорлд.)

Все наши отпуска отныне только летом. Потому что Рождественских каникул в НХЛ нет. Есть Рождество, 24 декабря вечером — ужин, 25-го никто не работает, а уже 26 декабря может быть матч. Есть небольшой перерыв во время Оллстарзбрейка — четыре дня, когда ребята, кто не участвует в этой игре, могут уехать кто в горы, кто во Флориду. Мы раз в Атлантик-сити съездили.

В июле 1991 года во время второго отпуска родилась Настя, и мы поехали в Москву. Отцу как раз летом 60 лет исполнялось — 19 августа. Хотели и Настю показать, и отметить юбилей отца. Теща за время нашего отсутствия разменяла все наши квартиры: мою однокомнатную, Ладину однокомнатную, свою трехкомнатную — на одну огромную на Тверском бульваре, даже успела сделать в ней ремонт. Солидная пятикомнатная квартира, такую я бы не получил, играя еще 20 лет в ЦСКА и сборной. С нами приехала американская девушка Ира — дочка Цитовичей, тех людей, которые в Нью-Джерси стали Ладиными крестными родителями.

Мы прилетели в начале августа, я начал потихоньку тренироваться, а Лада была очень занята, с подругами встречалась, Ирину возила по Москве. 16 августа я поехал в ресторан «Узбекистан» заказать зал для юбилея.

«Советский спорт» все два года, что я играл в НХЛ, меня полоскал как мог: будто я украл у государства огромные деньги. Но когда в газете узнали, что я приехал, то позвонил главный редактор Владимир Кудрявцев и пригласил в редакцию. Я ответил, что ничего не хочу слышать об этой газете: «Вы за два года меня ни разу не спросили, что происходит, а теперь вдруг просите, чтобы я дал интервью!» Кудрявцев ответил, что тех журналистов, которые меня поливали, он уже выгнал, они его якобы обманывали. Стал обещать, что напишет все, как я скажу, слово в слово, и без моей подписи интервью не будет напечатано. Я отказался, но он позвонил еще, и я, желая, чтобы люди узнали мою точку зрения, на этот раз согласился. Кудрявцев приехал ко мне домой, я ответил на его вопросы, и мы договорились, что утром 19-го я подъеду, прочитаю гранки, а что не понравится — исправим.

18 августа я отправился на рынок, купил для банкета фрукты, завез их вечером в «Узбекистан» и подтвердил, что к шести мы ждем гостей. Жизнь в Москве замечательная, весело, полный дом народу, как раньше это было у нас с Ладой. Легли спать за полночь, а утром, часов в шесть, — звонок, Ладина подружка звонит и говорит: «Вы что, не слышали? Вы что, спите? Собирайтесь, мотайте в аэропорт и быстро сваливайте отсюда!» Спросонья не могу понять, что происходит. Она: «Да вы что? Танки в городе, переворот, коммунисты берут власть!»

Мой отец родился в Рязанской области, в деревне. Мама — в Смоленской области, тоже в деревне. Маленьким я по разу был и на родине отца, и на родине мамы. В Москву перебрались еще мои рязанские и смоленские дедушки и бабушки. Родители познакомились уже в столице. Жить они стали в Бескудниково. Там я и родился 20 апреля 1958 года. Сейчас на том месте, где мы жили, стоят большие дома, а раньше был огромный охраняемый сад и бараки стояли. В одном из бараков наша семья и разместилась.

Мама пошла работать в типографию после моего рождения, сразу как прошел послеродовой отпуск, а до этого она работала в бухгалтерии в поселке. Отец работал на закрытом заводе, а потом ушел в строительную организацию и в ней уже трудился до пенсии. А мама так и работала долгое время на комбинате «Правда». Жили мы вместе с мамиными родителями — с бабушкой Настей и дедом Николаем — в одной комнате, которая была перегорожена одеялами. Потом, так как наша комната в бараке была последней в ряду, отец с дедом сделали пристройку. В этой пристройке и прошло мое детство. Помню, что в ней вода зимой замерзала в ведре, потому что печка не протапливала всю «квартиру». На нашей улице чуть на пригорке стояла водоразборная колонка, и, когда из нее набирали воду, она, естественно, проливалась и почти вся улица оказывалась покрытой льдом. По нему я и начинал кататься, когда был еще совсем маленький. Небольшая горка, в ней вырубали ступеньки, чтобы до колонки добраться, и за зиму так нарастало, что лед долго весной держался, такой получался толстый.

Дед с бабушкой работали вместе на заводе. В день зарплаты они брали меня с собой на работу, и пару раз мы возвращались на такси от Савеловского вокзала к себе в поселок, что, несомненно, было своеобразным шиком. Еще у нас около барака был высажен небольшой садик, где дед держал пару кроликов. Вот и все хозяйство. Какие-то воспоминания черно-белые. Удобств, естественно, никаких, туалет на улице. И много-много семей в этом бараке.

Когда мне исполнилось шесть лет, дед с бабушкой получили от завода квартиру на Коровинском шоссе в «хрущевке». Туда мы все вместе и переехали в 1964 году, в трехкомнатную квартиру: отец, мама, бабушка, дед и я, впятером. Через три года родился Толик, нас стало уже шестеро. Квартира была метров сорок, обычный панельный дом начала шестидесятых. Но в те годы наш переезд можно было приравнять к нынешнему переходу из городской квартиры во дворец.

Микрорайон, где мы поселились, был новый. Среди его жителей оказались энтузиасты хоккея, которые построили во дворе хоккейную коробку с освещением. В ней и началась моя хоккейная судьба. В теплом подвальчике дворовый комитет выделил нам место, где можно было погреться и надеть коньки. А коробка оказалась нестандартных размеров, меньше обычной примерно на треть, но зато в ней зимой всегда был залит лед, и я пропадал там с утра до вечера.

Еще в Бескудникове, когда мы жили в бараке, отец водил меня на пруды, когда они замерзали, и я там катался. Сначала на двухполозных коньках, которые к валенкам привязывались веревкой, потом, когда подрос, мне купили коньки «гаги».

В то время не каждая семья могла купить коньки. А у меня был еще и велосипед, ведь в семье все работали, на меня денег хватало. Была и лошадка с педальным приводом, чуть ли не единственная в поселке. Но с детства я любил играть в мяч. Всю жизнь у меня была любовь к футболу и хоккею. Я уже играл в хоккей с юношами в ЦСКА, но одновременно ходил в спортивный клуб «Молния», неподалеку от дома, и в их футбольной команде становился на место центрального нападающего. В хоккее я играл с самого начала в защите, и футбол успокаивал мои амбиции, каждому пацану хочется играть в нападении.

Но вначале я не выделял ни хоккей, ни футбол. Зимой занимался одним, а летом — другим. Напряженно складывались дела в межсезонье, когда тренировки хоккея и футбола иногда совпадали и приходилось делать выбор — куда идти? И в один прекрасный день я решил, что остаюсь в хоккее. Не знаю, как ко мне это пришло, но я себе сказал: это моя игра, я буду хоккеистом, и хорошим хоккеистом.

В детский сад я никогда не ходил. Бабушка вышла на пенсию, и я оставался с ней. Но сначала, когда бабушка еще работала, мама ходила во вторую смену, а бабушка — в первую. Бабушка бежала с работы домой, и они меня передавали друг другу. Так до школы они меня и растили в две смены.

Другая моя бабушка, мама отца, умерла рано. Без матери остались трое сыновей и дочь. Братья были старше отца, они так и жили в деревне под Рязанью, а отец — самый маленький — вместе с сестрой Анной и своим отцом, моим дедом, приехали в Москву. Дед Максим по тем временам был очень высокого роста. Я его отлично помню, он жил с моей теткой неподалеку от нас, рядом со станцией Бескудниково, в двухэтажном кирпичном доме. Дед Максим был печником. Я его запомнил уже стареньким, он болел. Наверное, я пошел в него, потому что ни папа ни мама у меня ростом не вышли. Часто я ходил с родителями от наших бараков до дома деда Максима и тети Ани.

Машины тогда попадались нечасто, и по воскресеньям мы отправлялись пешком в гости.

Рядом с домом деда был парк со стадионом, где по субботам и воскресеньям всегда играл оркестр. Отец в парке бился в домино, у него в том районе оставалось много друзей. На стадионе я мог попинать мячик или поездить на велосипеде, пока отец сидел с друзьями. На обратном пути мы с отцом бегали наперегонки. У тети Ани росли две дочери — мои двоюродные сестры, они со мной возились, поэтому в гости к деду я ходил с удовольствием.

Отец у меня человек спортивный, он и боксировал в молодости, и в футбол играл. Очень азартный, не любил проигрывать, если продует — лучше не подходи, злился долго. Он коренастый, до сих пор в неплохой форме. Отец и приучал меня к спорту, все эти игры наперегонки, и коньки, и лыжи. Хотел ли он видеть меня спортсменом? Трудно сказать, но вряд ли. Когда я гонял шайбу во дворе — это одно, а когда я пришел и сказал, что записался в ЦСКА и мне нужно будет ездить туда постоянно на тренировки, он первым делом спросил: а как школа? Образование в семье считалось главным делом. Отец говорил: я всю жизнь «пашу», а если ты получишь диплом, то будешь человеком. Для них сын-инженер был куда выше, чем сын-спортсмен. Поэтому они мое известие восприняли довольно настороженно, хотя я пребывал в необыкновенном восторге от того, что получил настоящую цеэсковскую хоккейную форму. Родители как-то не разделили этот восторг со мной, а сказали, что, если школа будет «хромать», забудешь про свой хоккей.

Насколько я помню, отец был «спартаковцем», всегда «болел» за «Спартак». Может, поэтому он не то что без энтузиазма, а довольно-таки холодно отнесся к тому, что меня взяли в школу ЦСКА. Потом, конечно, отцу пришлось возить меня с утра на Ленинградский проспект, где расположился армейский клуб, ездить со мной по воскресеньям на игры. И, насколько я знаю, он с тех пор и до конца, пока я играл в ЦСКА, ни одной моей игры в Москве не пропустил. Кстати, в школе, до седьмого класса, я был почти круглым отличником. Только пара четверок, не больше.

Во дворе на Коровинском жили дядя Витя Ставросов и дядя Боря Иванов — те самые энтузиасты хоккея, которые и построили «коробку». Один из них, не помню кто, работал на «динамовской» арене. По-моему, он никогда с себя не снимал динамовской майки с большой буквой «Д» и динамовской спортивной синей шапочки с маленьким помпончиком. Этот наряд вызывал у всех мальчишек страшную зависть. Дядя Витя и дядя Боря любили футбол и хоккей, без конца проводили во дворе какие-то соревнования. Это были настоящие заводилы, которые организовывали и собирали вокруг себя народ. Культурным центром двора стала хоккейная «коробка». И дети там крутились, и родители вечером играли. Потом во дворе появился физрук при ЖЭКе, Борис Николаевич Берминов, который впоследствии стал футбольным судьей. Борис Николаевич тоже любил спортивные игры и создал во дворе детские команды по хоккею и футболу.

Через два или три квартала от нашего дома стояла уже настоящая «коробка», где мы могли принимать другие команды, играть и тренироваться. Наш двор два года подряд успешно выступал на районных соревнованиях. В команде я был самый маленький. Со второго раза мы выиграли районный приз «Золотая шайба», а чтобы попасть во Всесоюзный финал, нам необходимо было победить и на городских соревнованиях.

Первая игра — против района, где метро «Сокол» и Песчаная площадь. Они нас принимали у себя на Песчанке, где, кстати, и тренировалась хоккейная школа ЦСКА. К этому времени я уже не попал в школу «Динамо», почему — расскажу ниже. Но в тот момент, на мое счастье, перед нашим матчем на льду занималась группа моего, 1958, года рождения. И их тренер, Юрий Александрович Чабарин, по какой-то причине вдруг остался поглядеть на дворовую команду с Коровинского шоссе. Юрий Александрович нас посмотрел, а потом подошел к Борису Николаевичу и говорит: «Слушай, мне вот этот мальчишка, — и на меня показывает, — понравился. Ты не мог бы его ко мне на тренировку привезти? Я хотел бы посмотреть, как он будет среди моих пацанов выглядеть».

Борис Николаевич оказался доброжелательным и исполнительным человеком. Своих детей он не имел, любил заниматься с мальчишками, переживал за них. В свободное время он повез меня в ЦСКА. В то время детские спортивные школы уже имели маленькую амуницию, а я вышел в громадных щитках, огромных крагах, непонятных коньках большого размера — и со стороны это выглядело, похоже, довольно забавно.

Не знаю, средним я был или крупным мальчишкой, но Чабарин меня сразу в защиту поставил, потому что из всех остальных я был все же самым здоровым. В дворовой команде я играл все время со старшими, поэтому мне казалось, что я маленький, а здесь вроде самый большой, раз меня сразу в защиту определили.

Надо сказать, что попытки записаться в хоккейную школу я до этого уже делал. И в тот же ЦСКА с первого раза я не попал. Володя Щуренко, Володя Гордеев и Игорь Новичков жили со мной в одном дворе и играли, как и я, за «Молнию» и в хоккей, и в футбол. Володя Щуренко долгое время потом выступал за «Химик», то есть играл в высшей лиге. А Гордеев и Новичков оказались в первой лиге. Но сперва их всех взяли в школу «Динамо», и они приходили к нам в дворовую «коробку» в динамовской форме. В то время для меня подобное было на грани фантастики: вместе с тобой в одной команде играет человек, и вдруг он уже в «Динамо»! Я их спрашиваю: «Как вы там оказались?». Они отвечают: «Нас всей «тройкой» приметили в «Молнии». Старший тренер «Молнии» перешел в «Динамо», в детскую спортивную школу, и их забрал с собой. Потом мы все вместе оказались в молодежной команде ЦСКА, все четверо из одного двора. Но это случилось через несколько лет, а тогда они объяснили мне, куда ехать, и я отправился в «Динамо». Подхожу к тренерам и сообщаю им, что я 1958 года рождения и хочу у них заниматься. Мне задали вопрос, за кого играешь? Ответил: за дворовую команду, но играл на первенстве района и Москвы. Хорошо, говорят, мальчик, но мы не берем таких маленьких. Ребята моего возраста еще не участвовали в чемпионате Москвы среди спортивных школ, и они не собирали команду заранее, потому что искусственного льда тогда в школе «Динамо» не было. Шел сентябрь 1966 года, мне еще девяти не исполнилось.

По-моему, мне отказал Станислав Петухов — в то время начальник динамовской школы: «Мальчик, приходи через пару лет, у нас не набирают таких маленьких». Я возразил, что слышал, будто и в таком возрасте берут. Петухов сказал: «Только в ЦСКА». — «А где ЦСКА?» — спросил я. «Садись на трамвай, тройку остановок проедешь, выходи. Попытай счастья, может, там тебе повезет».

Я сел на трамвай, доехал до ЦСКА. Комплекс мне показался громадным, долго по нему бродил, пока не нашел Дворец. Но меня в него не пустили, сказали: видишь, там какая-то группа тренируется на настиле, иди к ним. Около гимнастического зала лежал деревянный настил и на нем детская хоккейная школа занималась атлетизмом. Я постоял, посмотрел, как мальчишки, которые постарше меня, разминаются. Подождал, пока у них кончатся занятия, подошел к тренеру, поздоровался. Тренировал мальчишек, которые были на три года старше меня, Александр Николаевич Виноградов. Он сразу спросил, сколько мне лет. Я уже смекнул, если в «Динамо» сказали, что рано, накину здесь себе годок. Сказал, что мне девять, и в ответ услышал, что таких старых уже не берут в ЦСКА. Я чуть не заплакал, зачем соврал! Но Александр Николаевич меня успокоил, оказывается, чуть позже, осенью, будет дополнительный набор в младшую группу. «Приезжай, — говорит Виноградов, — может, ты попадешь в команду». Я, конечно, приехал, но не прошел отбор: очень много детей собралось, очередь стояла от билетных касс ЦСКА до Дворца, чтобы внутрь зайти, надеть коньки и прокатиться перед тренерами. Запускали нас большими группами, но я не произвел никакого впечатления.

И вот второй шанс! Может быть, если б я играл в нападении, Юрий Александрович меня бы не заметил. Может быть, ему нападающие были не нужны, а требовался именно защитник? Так, с трех попыток, я попал в организованный хоккей, и то благодаря «Золотой шайбе». Но меня все же разозлило, что я не прошел конкурс. С утра до вечера я катался на коньках во дворе, благо до льда надо было пройти сто метров от подъезда. Отец с мамой не запрещали, но, идя с работы, отец всегда спрашивал, сделал ли я уроки? Пообедал или нет? Если все нормально — катайся. Может, не совсем допоздна, но часов до десяти я катался каждый день. Это не прошло даром, потом в детской команде я хорошо стоял на коньках.

Я рос не очень уж послушным малым, но хорошо учился, потому что знал: учеба пригодится в дальнейшей жизни — отец постоянно втолковывал мне эту истину. Но я бы не сказал, что у меня был покладистый характер. В пионеры, во всяком случае, меня со всеми вместе не приняли, я нахулиганил в школе. Всех возили на Красную площадь, а меня уже приняли прямо в школьном зале. В комсомол в школе я тоже не вступил, наш комсорг Владик Третьяк записал меня в славные ряды передовой молодежи, когда я уже в основной команде ЦСКА играл. Владик тогда сказал: «У нас партийно-комсомольская организация, некомсомольцам нельзя в команде играть». Через неделю мне принесли комсомольский билет. Я не хочу строить из себя отверженного Системой, так сложилась моя жизнь. В карты мы резались, любил «трясучки» на деньги. Ведь вырос я в рабочем районе, хотя и старался не хамить взрослым. С самого раннего детства отец прививал мне уважительное отношение к старшим.

В новой трехкомнатной квартире я спал в общей комнате, ее в семье называли «зала», шестнадцать квадратных метров — необъятная площадь. Комнатка в восемь метров — там бабушка с дедом жили. Дед, правда, умер вскоре, года через три, как получили квартиру. Дальняя комната — спальня родителей. Зала — проходная, только через нее можно пройти и к бабушке, и к родителям. Телевизор отец купил, когда мы еще жили в бараке. КВН, с линзой. Потом что-то поновее поставили в зале. В то время на такие вещи, что рядом спит ребенок, не обращали внимания. Впрочем, Анастасия тоже спокойно спит при работающем телевизоре.

За нашим домом находился заболоченный пустырь, и там я умудрился утонуть в болоте. Хорошо, мужики вытащили, еще немного — и меня бы засосало. Кладбище рядом было, потом его снесли, но мы проводили там все время. Те места вскоре стали неузнаваемы — ни кладбища, ни пустыря, ни болота. Зато во дворе разбили настоящий парк. Там мы играли в бадминтон, в казаки-разбойники, в футбол. У нас, кстати, не только хоккейная, но и неплохая футбольная команда была. Мы выиграли первенство Москвы в дворовом турнире «Кожаный мяч» и поехали в Краснодар на всесоюзный финал «Кожаного мяча». Мне тогда стукнуло лет десять. Это была моя первая поездка на поезде в другой город. С нами отправился Борис Николаевич.

Все мои впечатления от Краснодара — сплошной праздник. Единственное, что его омрачило, — это команда Грузии, там ребята уже брились, на голову выше нас, из себя видные. Всем в подгруппе они позабивали по десять мячей, особо не церемонясь. По правилам нельзя было играть в турнире тем, кто занимается в детских спортивных школах или старше определенного возраста. Что для кавказских ребят какие-то правила! Они и выиграли турнир. Но и для нас, верных лозунгу Кубертена, главным была не победа, главное — участие. Пацанам с московской рабочей окраины попасть на всесоюзный турнир! В Краснодар!.. Жили мы в общежитии. Арбузов — море, и дешевые, мы ими просто объедались. Куда-то нас на экскурсии возили, но самое большое впечатление: мы все в поезде, мы — одна команда, тем более в таком сопливом возрасте.

Вот такой обычный двор с московской окраины, необычный только тем, что в нем соорудили «коробку».

Я и сейчас благодарен людям, которые ее сделали, которые следили за ней, которые невольно воспитывали нас. И вдруг все в один день разломали. Я приехал в свой старый двор, а на месте площадки — гаражи. Сейчас в Москве дворы — унылое зрелище, энтузиасты повымерли, катков почти не заливают. А без льда в детстве стать хорошим хоккеистом почти невозможно. Тем более что и сейчас в московских спортивных школах не так уж и много искусственного льда. Впрочем, и зимы в Москве не такие крепкие, как раньше, чтобы несколько месяцев можно было кататься на естественном льду.

Я забегу немного вперед. Когда я уже играл в юношеской команде ЦСКА, нас пригласили в Канаду. Долго боялись выпускать, сомневались, все же первый раз в истории хоккея юношеская команда из Европы приедет играть с юношами Канады. Шел 1974 год, мне еще не исполнилось шестнадцати. Но вот летим, и когда подлетаем к Монреалю, стюардесса рассказывает, что из себя представляет этот город, и называет фантастическую цифру: не то 200, не то 300, а может, даже 400 искусственных катков! В од-

Родители, бабушка, родственники.

Папа и мама,
еще совсем молодые.

1964 год. Мне шесть лет.

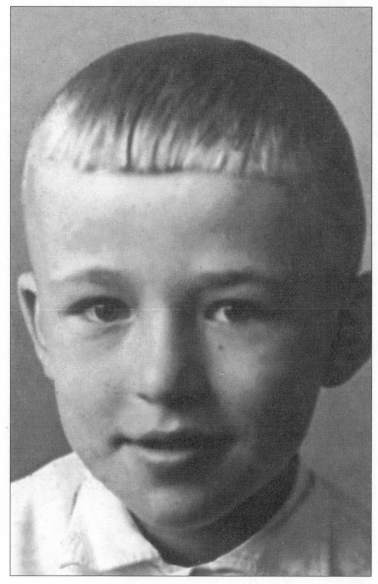

Меня приняли в пионеры.

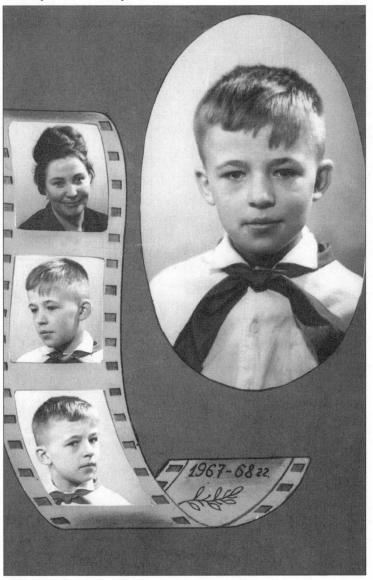

1967-68 гг.

Команда нашего двора.
Я – четвертый справа в верхнем ряду, самый маленький.

Первая фотография
на заграничный паспорт
(14 лет).

Молодежная команда ЦСКА
во главе с Александром Павловичем Рагулиным.

В юношеской сборной
страны.

Мой брат Толик.

Папа у могилы Толика
на Долгопрудненском
кладбище.

Игроки сборной СССР – Билялетдинов, Бабинов,
Мышкин, Фетисов, Хомутов, Макаров, Крутов. 1985 год.

Начало моего немалого стажа
передвижения на костылях.

Эти женщины меня выхаживали.

Мечта советского человека –
автомобиль "Волга".

Сборная СССР после награждения в Кремле. 1988 год.

Легендарный тренер
Анатолий Васильевич
Тарасов.

Знаменитая "пятерка" сборной СССР и ЦСКА.
Защитники – Касатонов и Фетисов. Нападающие – Макаров,
Ларионов, Крутов.

Хоккеисты ЦСКА с министром обороны СССР
маршалом Устиновым.

Мой бывший лучший друг Алексей Касатонов.

С Игорем Ларионовым.

Приз лучшему защитнику
чемпионата мира и Европы. 1978 год.

Незабываемая встреча на отдыхе с Мстиславом Ростроповичем и Галиной Вишневской.

С Гарри Каспаровым.

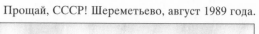

Прощай, СССР! Шереметьево, август 1989 года.

ном городе Монреале! В то время на весь Советский Союз их было, наверное, всего несколько десятков.

Те ушедшие в историю дворовые площадки давали постоянный приток в советский хоккей. Я не был от рождения хорошим конькобежцем и, возможно, не очень хорошо владел коньками. Но благодаря тому, что мог часами крутиться на льду, я стал вполне прилично кататься.

Итак, меня записали в школу ЦСКА. В то время ребята моего возраста еще не участвовали в первенстве спортивных школ Москвы, предстояло ждать два года. Но команду уже собрали, и ей даже на какое-то время выделялся искусственный лед во Дворце спорта. Мне надо было вставать в пять утра, чтобы добраться к семи до Дворца спорта ЦСКА. Всего выделяли нам 45 минут раз или два в неделю. В первый раз, когда нам сказали приехать к семи, я не мог уснуть всю ночь, боялся проспать. В то время покататься на искусственном льду в Москве — это было нечто!

Хотя команду уже укомплектовали, но что-то Юрий Александрович увидел во мне и включил в ее состав. Он был моим первым тренером. Я никогда не забуду, с какой теплотой и вниманием он относился к нам, вкладывал в нас всю душу и знания. Мы для него были как его собственные дети. Шла середина сезона, когда меня сразу поставили на игру, — так я стал «армейцем». Душой и заводилой моей первой команды в ЦСКА считался Иван Иванович Авдеев, его звали Иваном Ивановичем уже с пяти лет. Иван Иванович с пяти и рос в клубе, был как талисман, его все знали и любили.

Юрий Александрович после второй тренировки выдал мне настоящую детскую хоккейную форму: маленькие щитки, маленькие перчаточки. Самое главное — он дал мне майку ЦСКА! До этого я играл в каких-то желтых, по колено, майках. А тут майка по размеру. И — Боже мой! — фетровые номера, чтобы мама пришила. Во всех дневниках, журналах, где угодно я потом рисовал эмблему

ЦСКА. Еще дали белый фетр, чтобы из него вырезать номера на рукаве. Я получил третий номер и помню, как выкраивал эту тройку, потом ее мама пришивала — целая история. Я, счастливый, так в форме и уснул.

Раньше я форму получал в ЖЭКе, убогую и почему-то огромных размеров. Даже взрослый человек в ней «утопал». Три возрастные группы выступали в дворовых соревнованиях, но комплект формы существовал один на всех. Старшие отыграли, передавали ее в раздевалке младшим. Огромные лосевые краги, в них клюшку не удержать, сжать пальцы сил не хватало, поэтому мы, малыши, играли в обычных варежках.

Но оказывается, в стране имелась линия, где производилась в небольшом количестве форма только для детских спортивных школ. И школам этим, не командам, а именно школам, ЦСКА или «Динамо», каждые два или три года выделялся полный комплект. Правда, и он переходил к следующему поколению, но хоть размер был детский и качество нормальное. И конечки выдавали маленькие, по размеру, коньки в магазине нельзя было купить. Распределялись коньки тоже по школам и точно так же передавались от старших младшим. Нам они уже доставались с разбитыми и разодранными мысами, оттуда белый пластик торчал. Правда, это почему-то считалось большим шиком. Пластик придавал боевой вид этим конькам, потому что в обычных «гагах» такого мыска не было.

Когда я попал на первую тренировку в ЦСКА, стояла уже зима. Ребята играли на открытой площадке. Скорее всего, уже прошли зимние каникулы, так как во время них проводился городской финал «Золотой шайбы», где, собственно, меня и заметили. Мне еще не исполнилось девяти, а надо было ездить на автобусе с пересадкой, с клюшкой в руках и рюкзаком с формой за плечами. Ехал полчаса до метро «Войковская», потом на метро до станции «Аэропорт», а потом уже на трамвае до ЦСКА. Нам выдали и баулы, но случилось это через несколько лет. Баул с одной лямкой, высокий как стакан. Но баул — уже верх пижонства, рюкзаки таскали рыбаки, дачники, туристы, а вот когда ты идешь с баулом и клюшкой, ты уже не такой, как все, тебе кажется, что вся улица на тебя смотрит. Так как утром народ на работу спешит, то даже с пустыми руками втиснуться в автобус было непросто. А надо пролезть с рюкзаком и клюшкой без очереди, потому что опаздывать нельзя. Но, кстати, так навыки хоккейные вырабатывались — умение пробиться сквозь толпу. Через полгода утреннее перемещение по Москве проходило на автопилоте.

Следующая задача — успеть с утренней тренировки в школу. Мария Андреевна, наш директор, очень переживала по поводу моего увлечения хоккеем, так как считала, что у меня есть определенные способности, особенно к математике. Она не сомневалась, что я занялся не тем делом. Раньше для поездки за границу, если ты школьник, характеристики подписывались директором школы, а я начал выезжать рано. И каждый раз, когда я к ней приходил (а Мария Андреевна — очень интеллигентная женщина, была моей учительницей с первого класса, потом уже стала директором), она постоянно со мной вела долгие беседы. Спрашивала, зачем мне нужен хоккей, разве он может в жизни пригодиться? Я отвечал, что хочу себя посвятить спорту. Мария Андреевна огорчалась от моей глупости и начинала мне объяснять, что у меня совсем другие способности. Она об этом сообщала не только мне, но и моим родителям.

Как я уже говорил, в 1974 году юношеская команда ЦСКА поехала в Канаду. Еще была свежа в памяти прошедшая пару лет назад суперсерия, когда советские хоккеисты первый раз играли с профессионалами. И у нас складывалась похожая ситуация, потому что наши юниоры до этого ни разу не играли против канадских юниоров. ЦСКА укрепили — человек пять-шесть привезли с Урала, всех подстригли под полубокс, сейчас это супермодная причёска, а тогда носили длинные волосы и мы страшно переживали. Одели в одинаковые простенькие куртки, шапки-ушанки — так мы и поехали, как сборная детского дома. Не знаю, как я умудрился получить характеристику, ведь я не был комсомольцем. А уже девятый класс. Но, наверное, Мария Андреевна помогла.

Никогда не забуду того приёма, который устроили для нас, мальчишек. Я трижды ездил на Олимпийские игры с национальной сборной, в Америке уже играю девять лет, но такой встречи больше не видел.

Мы летели в Монреаль на полупустом «Ил-62», но весь полёт не могли заснуть, хотя в самолёте хватало места, чтобы полежать сразу на трёх сиденьях. Когда прилетели, стюардесса объявила: всем пассажирам оставаться на своих местах, а юношеская хоккейная команда ЦСКА должна пройти к выходу. А там нет трапа, сразу — в рукав-гармошку. Сейчас спуск по трапу — необычное явление, а в то время рукав казался чудом. Ступаем на него и вдруг — десятки камер, сотни журналистов, все по-английски что-то у нас спрашивают, суета бешеная. Легко представить мои ощущения — ощущения мальчишки, не избалованного подобным вниманием. Тренируемся, играем, за нами постоянно, на протяжении всего турне, ездили пять или шесть киногрупп, снимали нас во время завтрака, обеда, прогулок.

Первая игра проходила в Монреале, в «Вердан Мейпл Лифз» — старом Дворце спорта, но на пятнадцать тысяч зрителей. Привезли на автобусе в туннель, так сейчас во многих Дворцах делают, но тогда тоже чудо — не на улице высаживают! Прошли какими-то коридорами, слышим непонятный гул. Выходим на лёд, пятнадцать тысяч человек орут. И мальчики рядом канадские, все на голову выше нас, без шлемов мимо раскатываются. Первые две минуты мы «горели» — 0:2, точно как взрослая сборная в 72-м, а потом собрались и выиграли 7:3. Стадион стоя нам аплодировал.

Из шести игр мы победили в пяти, а последнюю играли с фарм-клубом «Торонто Мейпл Лифз», то есть со взрослыми хоккеистами, и сыграли с ними вничью.

Мои видавшие виды коньки, запаянные и перепаянные, сломались после первой игры, и канадец, который ездил с нами, сказал мне через переводчика, что такие коньки уже больше не подлежат восстановлению. Прямо на стадионе был магазин, и он мне купил коньки «Мустанг ССМ». Это все равно, что поменять «Жигули» на «Мерседес». Я в этих коньках играл до тех пор, пока они не стали мне малы. Только тогда я отдал их в ЦСКА младшим ребятам, у кого размер оказался подходящим.

Меня сейчас ребята из «Ред Уингз» спрашивают, а кто играл против тебя в то время? А я не помню — столько лет прошло, все собираюсь посмотреть, у меня где-то дома в Москве сохранилась программка с этого турне. Даже самому интересно, кто из тех ребят попал в НХЛ? Мы играли с лучшими командами провинции Онтарио, а эта провинция — самая сильная у канадцев в хоккее. Все шесть игр турне проходили при полных трибунах. Та, уже почти забытая, серия дала в свое время мне много как хоккеисту, но прежде всего она подарила мне коньки, на которых хотелось без конца кататься. Может, и хорошо, что я начинал на «гагах», они плохо держали ногу, и приходилось кувыркаться.

После канадского турне я почувствовал себя намного увереннее, у меня как бы появились дополнительные силы. А ведь не хотели меня на эту серию брать, потому что я был младше ребят на год. Наш тренер, Николай Вениаминович Голомазов, считал, что нужно взять только тех защитников, которые играют исключительно у своих ворот, а не подключаются в атаку. Меня он называл анархистом или авантюристом, потому что когда я чувствовал, что имею возможность получить атакующий пас, то рвался вперед. Забивал я много, но, конечно, и «проваливался». В последний момент Александр Николаевич Виноградов — наш старейшина, который проработал долгие годы в школе ЦСКА, сказал свое веское слово — и я поехал. Кстати, и забил больше всех из защитников. Серия мне дала еще и вкус к международным матчам. На всех последующих чемпионатах мира волнение обычно подступало, но уже не до такой степени, как тогда в Канаде.

Нам дали 42 канадских доллара каждому на две недели. Правда, цены тогда были такие, что я смог купить себе ботинки на огромной «платформе», самой высокой, какую нашел, две пары кримпленовых штанов в клеточку, вызывающего цвета желтые мохеровые носки, рубашку нейлоновую с огромным воротником, маме платье, отцу кофту, бабке даже что-то там обломилось и брату Толику. В общем, притащил целый мешок на эти 42 доллара.

На следующее утро после возвращения, во всем новом, я заявился в школу. Описать ужас дежурной учительницы, которая стояла у входа, невозможно. Еще эти «платформы» сумасшедшие. Я и так никогда в школу не носил сменную обувь, все время проходил через кухню: тетечка, которая на кухне работала, меня пропускала с заднего хода. А тут заявился из Канады со жвачкой (жвачка в то время была почти запрещенной, как и религия) прямо в класс — на «платформе», в кримпленовых штанах, в короткой канадской куртке. Короче, дежурная учительница упала в обморок. Директриса прибежала, устроила скандал, отправила меня обратно домой переодеваться. Потом я уже все вместе на себя не надевал, а потихоньку стал внедрять, то штаны в клетку, то туфли на «платформе». Месяца через два нарисовался снова во всем заграничном, но уже смог так целый день в школе просидеть. Учителей, правда, раздражал мой внешний вид, а директриса звонила родителям, когда класс начинал жевать резинку и надувать из нее шары. Мария Андреевна грозилась выгнать меня из школы за то, что я распространяю буржуазную привычку. Но для моих одноклассников просто так жвачку получить — это был уникальный момент. Не надо фарцевать, выпрашивать ее на выставках, клянчить у интуристов, а просто пришел ко мне и получил. Нам в Канаде дарили эту жвачку, я ее целый чемодан притащил.

За счет чего, играя на дурных коньках, в неуклюжей форме, впервые на Западе, мы все-таки выигрывали? Индивидуально канадцы нам ненамного уступали. Но мы были натасканы на коллективную игру, а тут они сильно проигрывали. Тем более в той игре, которую мы привезли, — быстрый пас. «Отдал — открылся» для них оказалось большим сюрпризом, как, наверное, и в 1974 году. Даже когда мы сражались против фарм-клуба, где ребята уже взрослые, то только за счет паса нам удалось свести с ними матч вничью. Не думаю, что и в дальнейшем мы превосходили индивидуально в чем-то североамериканских хоккеистов, но воспитанное с детства понимание коллективной игры приносило ощутимое преимущество. Потом, через двадцать с лишним лет, детройтская «пятерка», показывая, в принципе, советский хоккей, используя взаимозаменяемость в линиях и неожиданность в принятии решений, наводила ужас в Лиге. Для североамериканца правильная игра — упрощение. Если ты последний защитник, то не имеешь права отдавать шайбу через «пятак». Здесь тоже свои правила, которым учат с детства, но у нас, помимо правил, все же поощрялась и импровизация.

Перед поездкой в команде появился новый тренер: Юрий Александрович Чабарин нас передал Николаю Вениаминовичу Голомазову, который занимался в школе ЦСКА уже юношеским хоккеем. И тут у меня возникли сложности, так как Голомазов начал меня «ломать», требовать, чтобы я к атакам не подключался. Но у меня, шестнадцатилетнего, уже было собственное представление о своем хоккее. Я высказал как-то Николаю Вениаминовичу достаточно деликатно свои мысли, но у нас с ним начались постоянные конфликты. Вот тогда-то и встал вопрос: брать или не брать меня в Канаду. В те дни мне хотелось распрощаться с хоккеем, потому что я считал, что буду полезен команде только в том случае, если стану действовать так, как сам нахожу правильным, а не иначе.

Я не думал уходить в другой клуб. Но я впервые встретился с требованиями, что нужно действовать по чужому плану, — это уже был уровень взрослой команды, а я по-детски все еще считал, что игра — это прежде всего то, от чего я должен получать много удовольствия. Конечно, это чисто мальчишеское желание, но мне должны были дать шанс проявить себя там, где я ощущал себя сильнее. В общем, пришел момент, когда мне захотелось (знала бы об этом Мария Андреевна) покончить со спортом. Александру Николаевичу Виноградову пришлось долго со мной разговаривать, и Вениамин Михайлович Быстров — тогда директор школы ЦСКА — тоже потратил на меня не один час. Вот они-то меня и уговорили не прощаться с хоккеем. В конце концов все образовалось, я смог свою игру объединить с действиями команды.

Постепенно поездки и турниры, а я уже играл за молодежную сборную СССР, стали вытеснять школу, но в вечернюю я не перешел, закончил обычную. В какой-то момент и улица тоже стала соперничать с хоккеем: взрослеешь, начинаешь поглядывать на девочек, на компании, которые сидят допоздна с гитарами и сигаретами. Это твои друзья, и они тебя постоянно дразнят. Они развлекаются, а ты с мешком хоккейным, с клюшкой мотаешься туда-сюда. Но отец со мной был строг. Он сказал: выбирай, или ты занимаешься серьезно хоккеем, или заканчивай с ним, потому что в школе ты уже почти перестал учиться так, как надо, в спорте у тебя вроде что-то получается, а улица подождет. Я очень уважал мнение отца.

Кстати, то же самое чувство уважения я испытывал и к ЦСКА. Это одна из лучших хоккейных школ в мире. Ее традиции заложил великий Анатолий Владимирович Тарасов. Отдельная тема — как проводились общеклубные собрания, когда все мальчишки приходили на подведение итогов сезона. Тарасов, тренер основной команды ЦСКА, команды чемпионов, тренер непобедимой сборной, ни одного такого собрания не пропустил. Это и укрепляло дух клуба, потому что для нас Тарасов был божеством. Любое место, кроме первого, расценивалось им как катастрофа. В детской спортивной школе десять или двенадцать команд, а он обсуждает каждую, высмеивает команды, которые плохо играли на чемпионате Москвы или на юношеском чемпионате страны, хвалит тех, кто выступали хорошо. Мы ждали эти собрания с трепетом, выступления были долгими, но Тарасов сразу никуда не убегал, досиживал до конца. Такая была атмосфера в школе, куда я попал с самого детства, и она, я уверен, была правильной. Никогда не забуду плакат у входа в тренерскую, который гласил: «Ты записался в ЦСКА?»

Когда я начал играть в основном составе ЦСКА и получил право присутствовать на взрослых собраниях, которые проводил Анатолий Владимирович, я понял, что в армейском клубе не только школа, абсолютно все было подчинено многолетним традициям. Это не просто слова — ЦСКА действительно существовал как одна семья, в нем собрались лучшие тогда специалисты, и уже потому школа клуба создавала великих игроков. Вся система подготовки в школе ЦСКА была направлена на отбор лучших из лучших. Мы тренировались без каникул. Летом на три недели ездили в лагеря под Серпухов. Там, в лагере, у меня завязалась мальчишеская дружба с Ваней Авдеевым и Андреем Шуйдиным, сыном знаменитого клоуна Шуйдина, напарника Юрия Никулина. Михаил Иванович Шуйдин — уникальный человек, порядочный и добрый, обгоревший на фронте танкист. Нет ничего для мальчишки лучше, чем встретить в жизни такого человека.

Так летом образовалась наша «тройка». Мы дружили крепко, присутствовали на всех играх школы, уходили со стадиона, по-моему, только поспать, и сами старались как можно больше времени провести на льду. Какая бы команда ни тренировалась, мы клянчили у тренеров, чтобы они нам разрешили тоже покататься. В общем, мы в ЦСКА почти поселились, а пообедать бегали через дорогу в пельменную на Песчаной или в кафе «Сокол». Но если нас не могли найти в ЦСКА, значит, мы переместились в цирк на Цветном. Я парень с московской окраины, а тут рядом и Никулин и Шуйдин, разве можно даже сейчас объяснить, что такое свободно заходить в их гримерные, бродить за кулисами, кормить редких животных, хищников и гулять во дворе цирка с мартышками. Такое чудо сперва не укладывалось в сознании, а потом, как любое привычное чудо, стало повседневностью. Я уже не поражался, наблюдая за подготовкой к репризам, глядя, как, например, стрела пробивает насквозь клоуна. Эти «тайны» открывались мне в гримерной великих клоунов. Но когда я в школе рассказывал о том, как делаются номера в цирке, на меня смотрели так, будто меня допустили к государственным секретам.

Андрей Шуйдин параллельно учился в училище циркового и эстрадного искусства. Там наша «тройка» тоже часто болталась. Нередко, сидя у Андрея дома, я слышал, как Михаил Иванович говорил: «Андрей, ну что ты с шайбой носишься, я уже старый, пора менять меня на манеже». Я помню, как Никулин и Шуйдин вернулись из поездки по Америке и Михаил Иванович привез бейсбольную «ловушку», — это сейчас я знаю, для чего она, а тогда мы ее приспособили для ловли шайбы или теннисного мяча. Как же интересно Шуйдин рассказывал нам про гастроли! Какой же он был замечательный человек! И хотя он постоянно твердил: «Андрюшка, забирай номер», Андрей отбивался: «Нет, я хочу быть хоккеистом». Андрей любил хоккей и старался в нем достичь вершины, хотя мог уже в 18 лет иметь безбедную профессию. Но он пытался до последнего использовать все шансы, чтобы стать классным хоккеистом. Зная, чего это стоит, я испытываю к Андрею огромное уважение. Сейчас он пришел в цирк, старается закрепиться в цирковом бизнесе.

Андрей играл в первой лиге, в высшую так и не попал, понял, что надо менять профессию, пока не поздно. Я сейчас говорю о Шуйдине, и перед глазами — как мы втроем шли по аллее ЦСКА на каток посмотреть тренировки мастеров.

Иван Авдеев, третий наш товарищ, наверное, был самый талантливый из нас. Я уже говорил, что даже в детской команде его звали Иван Иванович. На переходе от молодежной команды к команде мастеров он потерялся. Не знаю почему, но часто талантливые ребята психологически не в состоянии перейти этот рубеж. Мы никогда не разговаривали с ним на эту тему. Могу только догадываться, что, возможно, не пошла сразу игра и он не смог справиться с этой ситуацией.

А самая моя большая в жизни благодарность — к Александру Павловичу Рагулину, который тренировал нашу молодежную команду. Рагулин — великий защитник и к тому же совершенно потрясающая личность. Его авторитет был для нас настолько огромен, что мы не смели даже думать проиграть. Однако все в команде он построил на полном доверии к ребятам, хотя возраст самый непростой, семнадцать—девятнадцать, но мы настолько уважали этого человека, что на каждой игре готовы были умереть, только бы его не подвести. Незабываемое время. Рагулин, возможно, не столько как тренер, сколько как Великая личность многое нам дал. В нем такая уверенность, он такой большой, такой честный. Мог с нами сесть в карты играть, один раз проиграл все деньги, что отложил на билеты на обратную дорогу. Наутро приходит ко мне: «Слушай, Филя, дай денег, билеты не на что покупать». Деньги у меня лежали под подушкой, я: «Конечно, Палыч, забери». Он обещает, что в Москве отдаст. «Палыч, это не важно, забирай деньги». Через неделю приносит сколько взял.

Мы играли финал молодежного первенства страны в Усть-Каменогорске. А у меня как раз день рождения — семнадцать лет! Палыч говорит: «Ничем не балуйтесь, никаких отмечаний во время турнира. Выиграете — обещаю вам банкет сделать». Он что-то откладывал, копил деньги, договаривался со столовой. Мы выиграли, и он накрыл стол. Настоящий банкет, шампанское, официанты, все как положено. Сидели вместе с ним до полуночи, пели под гитару. Да за такого человека ребята могли и голову положить. Кстати, с ним наша команда не проиграла ни одного турнира, хотя по составу многие соперники были намного сильнее. Из команды Рагулина только двое-трое пробились потом в высшую лигу. Но он создал настоящий коллектив. Именно Александр Павлович, Палыч, научил меня, как создается команда, где немного талантов, но которая никогда не проигрывает.

Первый серьезный турнир за пределами Москвы, в котором я участвовал, проходил в Челябинске. Играли финал юношеского чемпионата страны для ребят 1957 года рождения. Собрали 12 команд из разных регионов. В самом Челябинске образовалась очень сильная команда: Макаров, Стариков, Тыжных, Евстифеев, Мыльников. Почти все ребята из той юношеской челябинской команды потом играли в высшей лиге, многие — в сборной страны. Дворец спорта ЧТЗ — полный. Все говорили, против челябинцев шансов у нас практически нет. А мы их обыграли в финале 8:1. Поражение земляков произвело в Челябинске ужасное впечатление на болельщиков. Сразу и не вспомнить, но, по-моему, пока я играл за детскую школу ЦСКА, ни одна из команд, с которыми я выходил на лед, ни разу не проиграла кому-либо первого места. Ни на первенстве Москвы, когда я еще был мальчишкой, ни потом, уже с юношами, на всесоюзных турнирах. В ЦСКА царил дух постоянной победы. В команде любого возраста четко выделялась направленность к коллективным действиям, мы были готовы друг за друга кому угодно глотку перегрызть.

До сих пор люди, у которых мы росли, работают в детской спортивной школе армейского клуба. Условия сейчас, конечно, совсем другие, знаменитой тарасовской школы как таковой уже нет. И никто его заменить не смог. Но энтузиасты по-прежнему на льду, по-прежнему воспитывают хоккеистов. И не только в Москве. В 1994 году, когда во время локаута мы, российские легионеры, проехали с серией матчей по многим городам страны, я увидел в детских школах условия гораздо хуже, чем в столице, к тому же у тренеров нищенская зарплата, но люди пашут. Я думаю, что хоккей в России на них и держится, поэтому и мальчишки появляются, и не пустуют места тех, кто уходит в НХЛ. К тренерам, которые работают с детьми и отдают себя им полностью, у меня особое отношение. Я преклоняюсь перед ними, перед людьми, которых никто не знает и которые воспитали не только игроков, воспитали хороших парней.

# Глава 6

# БАРРИКАДЫ И СУД

В августе 1991 года проходил Кубок Канады. Я играл на двух последних чемпионатах мира за сборную СССР и вроде бы получил приглашение еще весной, после чемпионата в Хельсинки, принять участие и в Кубке Канады. Хотя и не заняли мы в Финляндии первого места, но мне за свою игру стыдно не было. Руководители советской Федерации сказали: «Приезжай на сбор». Более того, мне пообещали выслать приглашение в клуб. Чемпионат мира закончился в мае, те, кто приехал из НХЛ, стали собираться назад, в Америку. Перед отъездом нам сказали: «Ориентируйтесь на третье, на пятое августа». Мы с Сережей Макаровым решили: «Так или иначе в начале августа все равно собирались приехать в Москву, все нормально и время есть для подготовки». В июле должна была родиться дочь, я торопился в Нью-Джерси и, как выяснилось, не зря. Лада попала в аварию, оказалась в госпитале. Загреметь в больницу на восьмом месяце беременности с угрозой выкидыша, и это при том, как тяжело ей досталась эта беременность!

Но все обошлось, и мы приехали с Серегой в Новогорск в начале августа. Но Фетисов с Макаровым сборной оказались не нужны. Выяснилось, что приглашение выслали всем, и нам с Макаром в том числе, но тем, кого действительно хотели видеть, еще и позвонили домой предупредить, что на сбор надо явиться 25 или 28 июля, на неделю раньше, чем нам предварительно объявили. А некоторым, включая нас с Сергеем, отправили в клуб приглашения на русском языке. Естественно, клуб не заинтересован отпускать игрока, тем более что приглашение на русском, переводить они его не обязаны, оно лежит в офисе, никаких проблем. Все те, кто не знал про эти хитрости, ждали звонка из клуба. Я же сам позвонил, спросил, нет ли чего для меня из Москвы. Мне говорят: «Что-то там на русском тебе пришло». Я заехал, смотрю — приглашение, а в нем написано, кто не явится до 28 июля, тот автоматически исключается со сборов. Но дело в том, что само приглашение я получил 28-го.

Финал этой истории такой: мы с Сергеем приехали в Новогорск, команда уже тренируется. Мы с мешками заходим, говорим, так и так, поздно получили вызов. А нам говорят: «Вы опоздали, ребята. Все. Команда уже укомплектована». Мы с Михалычем как приперлись с клюшками, с формой, так развернулись и уехали. Команда улетела на товарищеские игры в Финляндию и возвращалась в Москву как раз 19 августа. Мне рассказывали, как некоторые игроки и кое-кто из тренеров радовались приходу ГКЧП, отмечали, что бардак кончен, теперь порядок наведут. Так все складывается интересно, почему-то все, кто меня закапывали, 19 августа встретили как праздник, те, кто поддерживали, были в шоке... А в Кубке Канады сборная СССР благополучно заняла предпоследнее место.

ЛАДА: Два года мы не были в Москве. Наконец приехали, Настеньке всего три недели, мы везли ее в корзиночке. С нами прилетела и дочка наших приятелей — американка Айрин, Ирина, у которой родители были угнаны во время войны из Прибалтики в Германию и остались там в американской зоне. Она в Союзе никогда не была и хотела посмотреть на родину родителей.

19 августа в четыре часа утра я покормила ребенка и положила ее дальше спать. Мамы меня поймут, что

такое утреннее кормление и как хочется спать, а всего три-четыре часа до следующего подъема. Я уже откинулась на подушки, мне показалось, что спала я всего пару минут, как раздался звонок. У меня есть подружка, очень интеллигентная девушка, которая разговаривает тоненьким и очень тихоньким голосочком. И вдруг, в шесть утра, я поднимаю трубку, а она кричит: «Вы что, с ума сошли, привезли ребенка! Сейчас же собирайтесь и улетайте отсюда! В Москве переворот!» А я говорю: «Манечка, какой переворот? Что с тобой?» Спросонья ничего понять не могу. Она: «Переворот, я тебе говорю, телевизор включи!» Я по коридору с криком: «Мама!» Мама идет на кухню, включает телевизор. Я села смотреть спиной к окну: «Мама, переворот, слышишь — траурная музыка. Что-то здесь происходит?» А мама смотрит не на меня, а в окно, а у нас напротив дома танк стоит. Мама так и охнула: «Переворот». Наша бедная Айрин тут же звонит в американское посольство. Оттуда ей велели сразу явиться с вещами. Но она продолжает: «Дело в том, что меня пригласили русские друзья, которые работают в Америке, и у них ребенок родился в Америке — то есть американский гражданин». Из посольства отвечают, что ребенок и его мама тоже под защитой США, потому что ребенок грудной: «Берите эту маму с ребенком и, пожалуйста, — в посольство». Мы, конечно, ни в какое американское посольство не пошли. Я ее успокоила, говорю: «Собирайся, пойдем гулять, будем на баррикадах фотографироваться». Подошли мы к ТАССу, поговорили с лейтенантиком — парнем, который на этом танке сидел. Мы его спросили: «Ребята, а вы будете стрелять?» Лейтенант отвечает: «У нас снарядов нет». И он с нами сфотографировался около танка. Для американской девушки, конечно, все происходившее выглядело экзотикой. Но к вечеру 20 августа стало страшно. И мы сознательно пошли к баррикадам у Белого дома. Я нацедила молока, оставили маленькую Настеньку с моей 83-летней бабушкой. Отправились втроем: мама, Слава, я. Чувства меня переполняли совершенно сумасшедшие, их никак не передашь. Но было такое состояние, что в любой момент ты готов встать в шеренгу, взяться за руки и стоять до последнего с людьми, которые рядом. И еще — ты свидетель чего-то огромного и важного, что происходит в стране. Слава — в спортивном костюме, узнавали его многие. Подходит к нам молодой человек и говорит: «А я тоже Фетисов Вячеслав Александрович, 1958 года рождения». Слава ему: «Да ладно». Парень показывает паспорт, действительно все так, а сам он приехал в Москву из какого-то провинциального города, из Норильска или Новосибирска. Я их сфотографировала вместе, мы оставили снимок в Москве, и я попросила, чтобы в «Спорте» нашли адрес этого парня и фото ему отослали. Два тезки, два Фетисовых Вячеслава Александровича 1958 года рождения. Он прилетел специально в Москву постоять за Белый дом. Нас окружили, и один мужчина говорит: «Слава, извини, конечно, но жизнь есть жизнь. Не дашь автограф?» И Слава два часа давал на баррикаде автографы. Время уже к трем часам ночи, и тут вдруг все побежали с криком, что идут танки из Кантемировской дивизии. Слава нам: «Немедленно домой к ребенку». Я говорю: «А ты?» — «Я останусь здесь». Мы продолжаем стоять, и тогда Слава говорит моей маме: «Забирай Ладу, и идите домой. Сейчас, не дай Бог, здесь что-то случится. Ребенок останется сиротой». Я ему отвечаю: «Ты, значит, никуда не уйдешь, а если что-то случится — ребенок без отца останется? Нет, или идем вместе домой, или я буду с тобой». Вернулись мы домой, наверное, часов в 5 утра, когда более или менее спокойно стало.

Много молодежи рядом с нами оказалось, чуть старше нас, чуть младше. Когда мужики в три ряда стоят, руками друг за друга держась, у тебя внутри рождается чувство гордости за этих сильных русских мужчин и огромная к ним благодарность.

Еще утром 19-го мама сказала: «Слава, улетай, пока не закрыли аэропорты, ведь Язов среди путчистов, ты вспомни, как он с тобой разговаривал и что он тебе обещал». Слава успокаивает: «Да ладно, теща, ты что думаешь, они про меня вспомнят?» Мама: «Этого никогда не знаешь, может быть, вспомнят через день, а может — через неделю. Но совершенно точно, они начнут ходить по квартирам». Тут я вмешалась: «Да, мама, сейчас они начнут стучать в нашу дверь и скажут: чего это вы тут расселись в такой большой квартире?» Если все повернется обратно, пропади она пропадом, эта квартира.

Шесть утра. Светает. Звонит подруга жены: «Уезжайте скорее». Мы спрашиваем: «Что случилось?» Она в истерике: «Идите посмотрите, вы же напротив ТАССа живете...» Мы телевизор включили — похоронная музыка играет, как обычно, когда кто-то из Политбюро помер. Я выбежал во двор посмотреть — действительно, танки около ТАССа. Интересно все складывается, но что делать?

Сидим, смотрим телевизор — показывают заседание, сидят ГКЧПисты, среди них Язов. Теща тут запаниковала: «Ты давай беги в Шереметьево быстро. Мы тут как-нибудь сами разберемся». Я ее спрашиваю: «Куда бежать? Если уже все, конец, они пришли к власти, то никуда и не убежишь. Мне, кстати, и бежать не от чего, я ни в чем не виноват». — «Нет, давай прячься, а ребенка мы сейчас отнесем в посольство». А Насте чуть больше месяца. Паника, они с Ладой в Шереметьево звонят. Я вмешался: «Никуда не звоните, потому что я никуда не поеду». Успокоили друг друга, как могли. Надо же, два года дома не был — и приехал! Я утром собирался в «Советский спорт», мы договорились с главным редактором на 10 часов, полагалось завизировать свое интервью. Поехал, все перекрыто, танки повсюду стоят. Я на батькиных «Жигулях» чешу по родной столице, по бульварам, в это издательство. Нигде не проскочишь, быстрее пешком бы дошел. Танки с одной стороны, БТРы — с другой, обстановка нервозная. Суеты, правда, особой я не заметил. Приезжаю в «Советский спорт», как порядочный человек, несмотря ни на что, раз договорился. Вахтера нет, в коридорах ни одного человека. Захожу к главному в приемную, слышу — он разговаривает по телефону, а секретарши на месте нет. Думаю: «Может действительно что-то происходит серьезное?» Вхожу в кабинет. Главный редактор стоит спиной ко входу, лицом к окну: «Да... Есть... есть... Да... Ну ты же понимаешь, что спорт и политика — это те вещи, которые далеки друг от друга. Да... да... есть... есть... ладно, Николай Иванович, ладно». Увидел меня: «Я не могу сейчас разговаривать с тобой, потом встретимся». Я спрашиваю: «Что случилось?» Отвечает, вот позвонили, в числе тех газет, что закрыли, «Советский спорт». Сидит, кручинится: «Я же со всем составом редакции вышел недавно из партии. Сейчас надо всех предупредить, чтобы они говорили: это коллективное решение, а не чья-то инициатива, просто думали такое время пришло, что надо общим собранием выйти из партии. Ошибались. Ты представляешь, 10 августа, в День десантника, беспорядки начались в Парке культуры, мы опубликовали снимок на первой странице: перевернутая машина, а рядом пять номеров. Знаешь, у комитетчиков в машине много номеров, которые они меняют. И все эти номера валялись рядом: частные, государственные. Вот черт, я это напечатал. А что теперь делать?»

Я поглядел, моя статья уже вся перечеркнута: «Значит, работать не будем?» — «Ну хорошо, — мучается он, — раз пришел, давай, но я не знаю, выпустят этот номер или нет. По-моему, решили совсем закрыть нашу газету. Ты понимаешь, мы в списках тех газет, которые должны закрываться!.. Не знаю, что делать. Начальникам звоню — никого на работе нет». Я прочитал свое интервью. Оно уже до меня оказалось правленным, были вычеркнуты острые моменты, спорные факты. Я сказал: «В таком виде беседу нет смысла выпускать, кому она нужна?» — «Да ты понимаешь, время какое? Ты что? Народу важно знать твое мнение. Ты подписывай». — «Нет, — говорю, — даже не подумаю, и ничего выпускать не надо, мне это ни к чему». Попрощался. Сел в «Жигули» и опять по бульварам, от Покровки до дома, до Тверского, часа полтора.

Когда «Советский спорт» вновь легализовали, они напечатали мое интервью, правда, все равно с сокращениями и без моей визы. Наверное, в тот день во многих местах такой бардак творился, я рассказал же о том, чему сам был свидетелем.

У отца 19 августа 60-летие. Делать нечего, я уже заказал ужин в «Узбекистане». Позвонил близкому другу, полковнику Коле Домарацкому. Коля обещал взять комендантскую машину и еще пару машин с военными номерами, чтобы нас отвезли в ресторан, а потом обратно привезли домой. В зале ресторана, конечно, ни души. Остались пара официантов да директор — мой старый знакомый. Но родственники каким-то образом собрались, друзья подтянулись. Получилось, как пир по время чумы, но по-русски, так как плясали под гармошку. Валера Лавров, который долгое время в «Узбекистане» проработал музыкантом, пришел с гармошкой. Так наша семья встретила путч. Как полагается, с еще хорошим грузинским вином. Расплатился я долларами, так как днем решил: надо скидывать «зелень», пока не поздно. Отдал доллары, не знаю уж по какому курсу, и вздохнул свободно. Комендантский час уже назначили, и такой кавалькадой — впереди комендантская машина, за ней мы с гармошкой, Домарацкий с нами, сзади две машины с солдатиками — поехали домой. Кто посмелее, зашел, остался до утра у нас.

В те дни я ходил тренироваться в ЦСКА к своему первому тренеру Юрию Александровичу Чабарину. Там тоже происходили какие-то чудеса, у людей уже появилось оружие. Звонит Макаров: «Ну чего, пойдем в баню? Я баню заказал» — это 20 августа. Приезжаем в Северный порт, там какой-то «высокий начальник» построил себе шикарную баню. Он тоже рассказывает свою версию, как подплывали баржи с оружием под видом гражданских судов, какой-то то ли отравляющий, то ли усыпляющий газ разгружали. Не знаю, что уж тут была правда, а что вранье и слухи, но такая ситуация всегда рождает легенды.

Вечером прибегает друг: «Если надо оружие, то звони туда-то». Сидим, вечереет, у нас — гости, тут выстрелы начались, мы ж все-таки в самом центре. Говорю: «Ну, я пошел». Жена: «И я с тобой». Я ей: «Нет, ты со мной не пойдешь — с ребенком останешься». Теща тоже собралась, я ее спрашиваю: «Ты-то куда?» — «Я тоже пойду, может быть, пригожусь». Это уже черт знает что: баррикады, обстрел, и они со мной собрались. «А кто с ребенком?» А у нас была Ладина бабушка, Анна Ивановна, которой за 80, мама тещи. Она, говорят, и будет с ребенком. Еще Ирину, американку, мы оставили. «В случае чего, — я отдаю ей последнее распоряжение, — посольство недалеко, беги. Бери ребенка, а бабку не бери, с ней проблемы будут, она не гражданка США, а наша».

Не знаю, что могло случиться с нами, повернись все по-другому, но мы пошли к Белому дому, а тут как раз и началась кульминация всех событий. Идем мы по Калининскому проспекту к Кутузовскому, встретили Сашу Якушева. Я смотрю: люди бегут, кричат, что «Альфа» уже на

149

подступах, сейчас будет стрелять. Кто-то уходит, кто-то, наоборот, приходит, кто-то рядом говорит: «Терять нам нечего, мы здесь и умрем». Большинство — безоружные. Жена рядом за руку ухватилась, теща сзади. В таком порядке мы всю ночь продержались. Какие-то люди меня узнали, автографы попросили, потом подходит мужичок и говорит: «Я твой тезка полный». — «Как полный?» — «Я Фетисов Вячеслав Александрович». Откуда-то с Урала человек. Показал документы, я расписался, по-моему, прямо на его паспорте. Мы дошли до Белого дома, до последнего кордона, там ребята стояли в оцеплении, пропускали дальше по какому-то паролю. Сообщили, что едет много бронемашин, попросили разойтись, мол, серьезные дела завариваются. Но все стоят, началась эйфория, уже никто из рядов не выходил. Народу много, кто-то предлагал выпить, кто-то — покушать. Кооператоры привозили кто что мог, кто соки, кто колбасу, в общем, закуска была. Сидели мы рядом с перевернутыми троллейбусами на поваленных столбах. У нас в Нью-Джерси есть снимки семейного пребывания на баррикадах. Потом пронесся слух, что Горбачев едет, народ расступился — образовался коридор, проехали два ЗИЛа с охраной. Какое-то расслабление пошло по рядам. Стало ясно, что это конец, коммунисты не победят. Информации никакой не поступало, но вроде вокруг все успокоилось, народ повеселел, и мы потихоньку пошли домой. Наступало утро 21 августа.

Остальные события известны, а мы в этот день улетали в Америку, но не потому, что спешили убежать из Москвы, а просто у нас давно был заказан на этот день обратный билет. Как Ельцин стоял на танке, мы видели уже в Нью-Джерси по телевидению.

В Нью-Йорке за пять лет мы с Ладой познакомились со многими интересными людьми, с известными и даже знаменитыми. Нью-Йорк — особая точка мира, где можно

150

встретить кого угодно. Конечно, одна из самых ярких фигур — Миша Барышников. Мы вместе праздновали старый Новый год. Постоянно кто-то приезжал, звонил. Наш телефонный номер не держался в секрете ни от кого, и каждому, кто звонил, мы старались уделить внимание и обязательно приглашали на хоккей, если я играл в это время в Нью-Джерси. В общем, как здесь говорят, социальная жизнь, то есть общение с людьми, была за все годы жизни в Нью-Джерси довольно-таки полная. Родилась дочь. Жизнь в Америке стала привычной. Мы забыли первые неудобства от непонимания чужих правил. Казалось, все наладилось, но вдруг в какой-то момент почва закачалась под ногами. Кстати, это тоже типично для Америки. Здесь расслабляться нельзя.

Первый трехгодичный контракт с «Нью-Джерси Дэвилс», который я подписал еще в Москве, заканчивался весной 1992 года. За неделю или две до окончания сезона команда тренировалась дома на «Бренден Берн арене». Только закончилась тренировка, ко мне бежит Дмитрий, тогда он еще работал в клубе, его уволили сразу после окончания сезона. Дмитрий заметно нервничает: «Слава, за тобой приехали маршалы (маршалы — это те, которые по решению суда арестовывают людей), не знаю, по какому поводу. Ты должен подчиниться и ехать туда, куда они тебя заберут». Но я вышел через другую дверь, приехал домой и сразу позвонил своему адвокату — Володе Злобинскому, он американец русского происхождения.

Заканчивалась пятница, и секретарша Володи говорит, что его в офисе уже нет, он уехал играть то ли в теннис, то ли в футбол куда-то в Квинс. Я ее прошу, чтобы она меня с ним соединила во что бы то ни стало, меня хотят забрать маршалы и никто не знает почему. Секретарша каким-то образом нашла Володю, но пока я сидел дома, позвонил Дмитрий с сообщением: маршалы меня ищут и мне лучше приехать в клуб, потому что в Америке с ними шутки плохи. И добавил, что ищут меня (не выходя из клуба?!) не только маршалы, но и какая-то женщина из прокуратуры. Я сказал, что жду звонка своего адвоката. Дима в панике: «Все равно они никуда отсюда не уйдут до тех пор, пока ты не появишься». Но тут уже появился Володя, он уже выяснил, что Малкович, тот самый импресарио, что безуспешно пытался мне в Москве помочь, выставил мне иск на миллион долларов. Злобинский советует: «Отправляйся в клуб к маршалам, я как раз сейчас играю в теннис (или футбол) с адвокатом, который возьмет твое дело, и мы скоро к тебе приедем. Сообщи Ладе, куда тебя отвезут».

Я возвращаюсь на тренировочный каток. Там маршалы вынимают свои удостоверения и объявляют: «Господин Малкович предъявил вам иск. Он заявил, что вы покидаете страну, и мы должны вас привести в суд для того, чтобы в судебном порядке разобраться с этим вопросом». Вокруг нас — хоккеисты «Нью-Джерси», и, к счастью, маршалы не стали надевать на меня наручники. Я спрашиваю, могу ли я на своей машине ехать? Они говорят, нет, машину надо оставить здесь. Посадили меня к себе на заднее сиденье, и мы поехали в Ньюарк — административный центр Нью-Джерси, где находится большой суд и где потом слушалось мое дело. Привезли, а там уже нас ждал адвокат Малковича.

Для меня все происходящее — гром с ясного неба! Забирают, предъявляют иск. Но так как это гражданское дело, а гражданских дел уйма — здесь чуть ли не каждый судит каждого, — то на рассмотрение претензий стоит огромная очередь. Нас записывают в эту очередь, а дату заседания должны сообщить позже. Но в моем случае требовалось предварительное слушание, Малкович в своем иске заявил, что у меня закончился контракт и, как он слышал в интервью, я собираюсь уезжать обратно в Россию. Иск он мне выкатил на миллион долларов. Предварительно суд должен решить: надо ли взять у меня деньги в залог, чтобы я не сбежал?

Итак, пятница, вторая половина дня, суд закрывается в четыре-полпятого, а моему адвокату приходится пробиваться из Квинса в Ньюарк через все сумасшедшие пробки. Пятница в Нью-Йорке — такой же день, как сейчас в Москве, люди пораньше заканчивают работу и стараются поскорее уехать за город.

Стояла прекрасная погода, глубокая весна, все разъезжались по дачам. И Володя, естественно, болтался во всех этих пробках, так как ему из Квинса необходимо проехать через Манхэттен. Он постоянно звонил из машины и каким-то образом уговорил судью задержаться. Потому что если б судья не принял в пятницу никакого решения, то меня бы до понедельника посадили в камеру. Но наконец приехал мой адвокат, а с ним — его коллега, специалист по подобным искам, который и вел мое дело. Я сидел у маршалов в офисе, они мне дали кофе, про команду расспрашивали, все же болельщики. Наверное, поэтому они хотя и делали свою работу, но не отвели меня в камеру, где обычно сидят задержанные на улицах. Когда я увидел адвокатов, мне вздохнулось свободнее — с адвокатами в этой стране намного легче. У судьи уже терпение лопалось, он же с утра до вечера сидит в своем офисе, а тут впереди два выходных дня. Но все же Володе удалось его на полчаса задержать.

Судья вышел в зал в мантии, все как в кино: «Встать», и так далее. Моему лойеру (адвокату) удалось доказать, что у меня достаточно веские причины никуда не убегать, что у меня в Америке дом, что у меня две машины, есть бизнес, что у меня деньги в банке и в ценных бумагах и, в конце концов, еще сезон не кончился, и вообще я веду переговоры с «Дэвилс» о продлении контракта. Суд не взял с меня никакого залога.

Конечно, можно было поднять большой скандал. Человека выдергивают ни с того ни с сего, арестовывают, везут в суд. Я мог два дня просидеть в тюрьме ни за что ни про что, потому что какой-то человек услышал где-то, что я уезжаю, хотя мне еще плейофф играть. Но мы решили, что, поскольку впереди суд, не надо судью напрасно злить и настраивать против себя. После слушания меня отвезли обратно в Нью-Джерси на тренировочный каток, и только тогда до меня дошло, что могло произойти.

Малкович предъявил иск только мне, ни Ларионову, ни Макарову — у них в командах с этим типом разобрались сразу. Там ему заплатили деньги, хотя он ничего для ребят не сделал, палец о палец не ударил. Но у Игоря и Сергея он хотя бы присутствовал при подписании контракта. В моих делах Малкович вообще никак не участвовал, причем при свидетелях заявил: «Если ты уедешь сам, в чем я сомневаюсь, у меня никаких к тебе претензий не будет». В Москве тогда, в 1989-м, он находился в тесном контакте с сотрудниками Госкомспорта, и потом, на суде, эти бывшие госкомспортовцы участвовали как свидетели с его стороны.

Я попал в длинную, изматывающую все нервы историю под названием американское судопроизводство.

Вскоре начались расспросы по иску, перекрестные допросы: адвокаты Малковича вызывали меня, мои адвокаты вызывали его. В общем, процесс раскрутился почти на два года. Для того чтобы выиграть дело, мне нужно было говорить только правду, а правда заключалась в том, что перед подписанием моего контракта Малкович заявил, что у него финансовых претензий никаких ко мне никогда не будет. Это я должен был доказать в суде. Но еще, на всякий случай, когда я подписывал с «Дэвилс» контракт в Москве, я предупредил Ламарелло о своем соглашении с Малковичем и попросил, чтобы он, генеральный менеджер клуба, выяснил поточнее, поскольку я не знаю законов США, имеет ли силу отказ от договора, когда он на словах, но при свидетелях? Лу мне ответил, раз есть джентльменское соглашение, претензий никаких не возникнет. Я еще раз попросил Лу, чтобы он все проверил, не возникнет ли потом каких проблем? На следующий день Ламарелло сказал, что он разговаривал с Малковичем, они обо всем договорились, никаких вопросов не будет. «А если они возникнут, — сказал Лу, — то будут не твои проблемы, а мои».

Так, совершенно конкретно, Ламарелло высказался при моем адвокате (только после этого я подписал контракт), и это оказалось ключевым моментом, о котором я должен был сообщить суду. Именно в нем заключалась та самая неприятная правда, которую я скрывать не имел права. Пресса в Нью-Джерси начала раскручивать историю так, будто я сужу за свои ошибки всю команду «Нью-Джерси». Хотя рассчитался бы Ламарелло с Малковичем сразу, намного дешевле весь этот процесс обошелся бы ему и мне.

Дело в том, что, как только я приехал в Америку, Малкович прислал письмо с предложением обсудить финансовые вопросы. Еще и двух месяцев не прошло, как я поселился в Нью-Джерси, он послал письмо и в «Дэвилс» к Ламарелло, где просил, чтобы с ним как можно скорее связались и каким-то образом рассчитались.

Чтобы вся эта эпопея была понятна американскому жюри, далекому от советской реальности, мне приходилось подробно рассказывать в суде все эпизоды моей запутанной московской драмы конца эпохи Горбачева с расшифровкой абсолютно непонятного американцам неправительственного учреждения — ЦК КПСС. Процесс начался поздней осенью, хотя я надеялся, что он пройдет летом, во время отпуска. Но это было чисто гражданское дело, поэтому нас поставили в очередь, которая подошла где-то в ноябре.

В 1993 году я хорошо начал сезон, играл стабильно. Но потом начались слушания, заседания, адвокаты, вызовы свидетелей с моей стороны, то есть их приезды из Москвы, опять допросы — и так с утра до вечера. Какой-то сумасшедший дом, в котором постоянно работали два адвоката, о чем-то все время спрашивая меня, телефонные звонки, видеокассеты. Дурдом на протяжении двух недель суда. Я совсем не тренировался, так как должен был находиться каждый день в зале заседания, даже когда допрашивали не меня. По американским правилам полагалось демонстрировать свою заинтересованность в исходе дела и чтобы жюри это видело. Я только выходил играть. Причем не от случая к случаю, а принимал участие во всех играх чемпионата НХЛ, которые в этот период проходили. Если матч в другом городе, то команда, как обычно, выезжала на день раньше, я оставался сидеть в суде и только на следующее утро летел прямо на игру, для этого хозяин «Дэвилс» давал мне свой самолет. Бешеная карусель, к тому же такое «удовольствие», как суд, стоило мне огромных денег. Я даже в мыслях не допускал, что будет, если я еще и проиграю процесс. Приходилось концентрировать все внимание, все детали нужно было помнить назубок.

Трудно передать те ощущения, когда ты через переводчика рассказываешь присяжным о своих злоключениях, а потом выходит старый дядечка, который прикинулся дурачком и плачется, что молодой русский, который получает большие деньги, его обманул и не платит то, что обещал еще в Москве. Чем должна закончиться история, когда русский судится с пожилым американцем на американской земле, да еще при таких стонах? Плюс пресса, которая начинает давить, будто я «затащил в суд команду», однако дело касалось не команды, а Ламарелло, хотя к тому времени Лу мог и не быть генеральным менеджером «Нью-Джерси». Но он им оставался и давал показания как человек, который обещал мне, что все с Малковичем будет нормально.

Понятно, что в эти дни мне было не до хоккея, но я должен был приходить в клуб и делать свою работу. Кончилось тем, что в одной из игр я получил травму и получил ее исключительно благодаря своему нервному состоянию и полной физической неподготовленности. Пришлось серьезно лечиться, травма больше месяца мешала играть. И хотя я очень добросовестно готовился к своему четвертому сезону в НХЛ — все пошло прахом, весь сезон полетел кувырком.

ЛАДА: Трудно сосчитать, сколько у Славы швов и травм. Сам на эту тему он никогда не говорит. Серьезные травмы, что случились при мне, — это когда он сломал ногу, потом недавно ему прооперировали мениск, а потом авария в лимузине. А такие раны, когда накладывают швы, — это чуть ли не через две игры на третью. У Славы за последний год появилось много новых шрамов. Его как будто сглазили. Летом сидели в компании, приятели ему говорят: вот у хоккеистов лица все изуродованы, зубов нет, а у тебя, Слава, вроде и лицо нормальное, шрамов мало. И в прошлом сезоне, как назло, все ему попадало в лицо: брови уже кромсали несколько раз, клали по двенадцать швов, по восемь, губы третий раз зашиваются за сезон, то там разорвано, то тут разорвано, то шайба попадет, то клюшкой ударят. Мелкие болячки и синяки я и не считаю, ушибы все время: то в бедро, то в спину. Под шайбу ляжет, а потом всю ночь со льдом спит. И спина от клюшек вся расцарапана. Хоккей, как говорят американцы, тафгейм — тяжелая игра.

Сейчас я даже толком не помню, какую получил травму. Я могу посмотреть в своей книжке — у нас есть такие специальные книжки, куда все записывается, но, по-моему, я растянул связки в колене, потому что дальше я играл в железном наколеннике. Атмосфера в команде получилась сложной. Ребята расспрашивали меня, но в основном их информировала пресса, и верили они ей больше. А пресса поддерживала Малковича. Никто из корреспондентов не присутствовал в суде, но с чьих-то слов они постоянно о нем рассказывали. Хозяину «Дэвилс», наверное, тоже доложили не так, как все на самом деле происходило. Хорошо еще, публика меня не освистывала. Наверное, в Нью-Джерси тогда только настоящие болельщики знали, что творится на процессе. Возможно, искаженная информация придавала нехороший оттенок моим действиям и оказывала давление на присяжных, тем не менее они вынесли такое решение: я ничего не должен человеку, который судился со мной, «Дэвилс» никому ничего не должна и, наконец, Малкович тоже никому ничего не должен. Получилось, что я выиграл, потому что меня судили, но в итоге — оправдали. Стоило мне это «развлечение» порядка 200 тысяч долларов.

Мне пришлось оплачивать не только адвокатов, но и обеспечение собственных свидетелей, потому что их надо было привозить из Москвы, а это значит покупать билеты, платить за гостиницу. Хорошо хоть адвокаты сделали мне скидку, иначе сумма взлетела бы еще выше. Потом еще и Лу помог, кое-какие мне деньги дал. После того как все закончилось, он сказал, что всегда питал ко мне уважение, но теперь испытывает его вдвойне, потому что я смог пройти через такой ад. Но как бы мне ни помогали, этот суд все равно мне стоил больших денег и, прежде всего, загубленного сезона. И возникло какое-то непонятное отношение со стороны людей из клуба, которые не вдавались в подробности дела, но какие-то выводы свои сделали.

Так прошел для меня сезон 1993—94 годов.

А теперь вернемся в Москву начала 1989-го. Я хочу рассказать подробности о «проблеме Малковича».

Итак, я бьюсь за свой отъезд в Америку, но ничего не получается. То же самое происходит и с другими ребятами нашей знаменитой «пятерки», исключая, конечно, Лешу

Касатонова. У нас был общий приятель, он и сейчас жив-здоров, интересный, неординарный человек — Лева Орлов. В свое время — диссидент, потом Лев отсидел, говорили, что за антисоветчину. Как-то родственники-музыканты познакомили Льва со своим западным импресарио Малковичем. А надо сказать, что в нашем дерганом отъезде Лев активно участвовал, как мог поддерживал меня, ребят и всячески старался нам помочь. Почему-то Орлов решил, что этот импресарис может мне быть полезен.

Малкович прибыл в Москву и предстал перед нами таким добрым американским дядюшкой, который сделает все возможное и невозможное, чтобы мы уехали. Он сказал, что для него наш отъезд станет делом чести, так как мы боремся за справедливость и свободу. Но мы должны подписать с ним контракт (составленный только по-английски, хотя никто из нас тогда английского не знал). Лева тоже общался на этом языке, как говорят, со словарем, но мы, нормальные советские люди, конечно, подписали с Малковичем контракт. Как потом уже выяснилось, он по нюансам оказался настолько кабальным, что не соответствовал никаким американским стандартам. Получив контракт, Малкович исчез и, естественно, ничего с его стороны не делалось.

Весь смысл нашего договора с Малковичем заключался в двух главных пунктах. Первый: «Совинтерспорт» не должен никак фигурировать в наших контрактах с НХЛ. Второй: Малкович, много лет работавший с солистами Госконцерта, сам пробьет нам дорогу на Запад по отработанной с выдающимися советскими музыкантами схеме. Естественно, он никаких других возможностей не знал и не мог знать, так как работал с государственной организацией. В итоге, когда он вновь появился в Москве, то первое, что сделал, — предложил нам сотрудничать с «Совинтерспортом».

Когда же в «Совинтерспорте» узнали, что я пригласил в Москву Лу Ламарелло и буду сам, без государственных посредников, подписывать контракт, то они тут же вызвали менеджеров «Калгари» и «Ванкувера», заинтересованных в Макарове и Ларионове, и торжественно перед корреспондентами подписали их бумаги, отобрав таким образом у ребят половину заработка, так как понимали, что еще немного, и этого они лишатся. На этом мероприятии оказался и Малкович, который благодаря нашей наивности тут же вошел со своими процентами в контракт Сергея и Игоря, повторяю, даже не ударив для нас палец о палец.

Более того, пользуясь нашим незнанием западных реалий, он нас обманул, причем жестоко. Малкович записал себе как агенту 25 процентов от суммы контракта. Хотя, как я потом узнал, импресарио больше десяти, как правило, не имеют. Но дело даже не в музыкальных импресарио, пусть у них другие цифры, но в хоккее таких процентов сроду не было. Может быть, они есть у боксеров, но там другое дело, там разовые призы, измеряемые десятками миллионов. Малкович пообещал также устроить Ладу на работу в модельное агентство, уверяя, что контракты у нее будут сумасшедшие, обещал договориться с издателями и выпустить мою книгу. Конечно, мы, приезжавшие раз в год на пару недель в Америку, да еще под контролем, слушали его развесив уши. Он мне рассказывал, что встречался с Горбачевым (потом повторил эту байку в суде), без доказательств, одни слова. Но потом, когда понял, что с советской системой ему не сладить, он мне сказал: «О'кей, если ты найдешь свою дорогу, успехов тебе, парень, но я тебе помочь не смогу».

Но когда я уже приехал играть в НХЛ, он, наверное, решил, что с меня можно так же легко получить деньги, как с Крутова, Макарова и Ларионова. Он с их контрактов снял огромные суммы. Ребятам пришлось расплачиваться только потому, что Малкович присутствовал у них при подписании контракта, тем самым как бы став их официальным агентом. Но у меня его, слава Богу, не было. У ребят он присутствовал при всех переговорах, хотя его позиция создавала то, что называется конфликт интересов, потому что Малкович одновременно представлял и «Совинтерспорт», и игрока, что вообще нонсенс. Они быстро договорились, и все получилось замечательно. Малкович 25 процентов получил от «Совинтерспорта» и, по-моему, 10 — от игроков.

Подав на меня в суд, Малкович, по сути дела, ничего не терял. Он даже адвоката нанял не на конкретную сумму, а на долю с того миллиона, который он у меня собирался отсудить. Ему процесс не стоил ничего, в отличие от меня и «Дэвилс». Ничего не теряя, этот старичок мог выиграть много. Поэтому он спокойно пошел в суд и, скорее всего, не сомневался, что в Америке я у него никогда не смогу выиграть, тем более, он имел мою подпись в нашем контракте. Но не обломилось.

Закончился этот сезон для «Дэвилс» неплохо. Команда проиграла только в полуфинале в седьмой, последней, игре «Рейнджерс», который в том же, 94-м, выиграл Кубок Стэнли. В его составе было четверо русских хоккеистов, получивших первыми перстни за победу в Кубке: Немчинов, Зубов, Ковалев, Карповцев.

Решающий, седьмой, матч в Нью-Йорке мы проигрывали 0:1, на последней минуте сняли вратаря, забили гол, счет стал 1:1. Потом два периода овертайма, причем голевых моментов у нас было больше. И как раз я оказался невольным организатором победного гола «Рейнджерс» в наши ворота. Шайба находилась у меня, я ее выбросил из зоны и попал в спину кому-то из игроков «Рейнджерс», он бежал к скамейке на смену. Шайба взмыла вверх и по совершенно непонятной траектории опустилась в угол площадки, к ней первым успел Стефан Мато, он летел со смены, подхватил, объехал вокруг наших ворот (я уже поехал меняться, не сомневаясь, что шайба вышла из средней зоны). Направляясь к скамейке, я увидел, что происходит на площадке, побежал обратно к воротам, стараясь выбить у Мато в падении шайбу... А она попала в мою клюшку, от моей клюшки — в клюшку нашего вратаря и — в ворота!

Стечение этих нелепых обстоятельств как итог сезона вместе с судом. Так я закончил свой пятый год в НХЛ.

Кстати, в этой серии мы играли с «Буффало» знаменитую игру — семь периодов: три основных и четыре овертайма! Доиграли до седьмого периода, а счет — 0:0. Вратари стояли выше всяких похвал. Свисток на седьмой период прозвучал после двух часов ночи, а матч мы начали в семь. Закончили же его около трех ночи. Седьмой, решающий матч должен был состояться дома, по сути дела, на следующий день, потому что, пока мы прилетели в Нью-Джерси, уже было пять утра.

Но эта игра с «Буффало» стоит отдельного рассказа. Первое мое необычное ощущение заключалось в том, что я устал пить, а пить надо много — страшно, если организм останется обезвоженным. К тому же тренер больше не выпускал после основного времени одного из защитников-ветеранов, потому что тот занервничал. Следовательно, на оставшихся падала дополнительная нагрузка. Потом я уже пил, как автомат. В перерывах все раздевались догола, надевали свежее нижнее белье, потому что форма пропотела и промокла насквозь. А дополнительные периоды проходили почти без остановок, реклама в овертаймах не предусмотрена. После двух овертаймов у нас уже не было лишних комплектов белья, мы заняли его у «Буффало».

Говорить о чем-то в перерыве невозможно — сил нет. Кто-то посоветовал поменять коньки, потому что и ботинки насквозь вымокли. Я перед шестым периодом поменял коньки, вышел — не могу кататься, пришлось опять натягивать свои ботинки, хотя они и весили килограммов по десять каждый, пропитанные потом и водой со снегом. И все же на своих коньках было намного удобнее. Эмоций уже никаких ни у игроков, ни у болельщиков. Люди засыпали на трибунах. Это была третья по продолжительности игра в истории НХЛ. Зрители, которые остались, уже из принципа хотели дождаться результата. Многие с детьми пришли, и дети спали или на руках, или на скамейках, женщины тоже спали. Пиво уже не продавалось, поэтому тот, кто выпил, успел протрезветь. Кричать болельщики уже не могут, а вратари все тащат, все отбивают, конца игры нет и нет. Мы с Могильным столкнулись где-то, он пробурчал: «Скорей бы все закончилось». Я говорю: «Дай забить», он не врубился и серьезно отвечает: «Нет, не дам». Когда-то, еще в Москве, я смотрел фильм «Загнанных лошадей пристреливают...» Мог ли я подумать, что окажусь в таком же марафоне. Действительно наступает полное безразличие, но тем не менее отдать игру никто не хочет, слишком далеко зашло противостояние. Для нас выиграй — и мы уже в полуфинале. Для них — это шанс задержаться в плейоффе.

Наконец они забили гол, естественно, нелепый, потому что в таких ситуациях нормальные голы не забивают. По-моему, у них и сил не осталось даже порадоваться, а у нас полная опустошенность: столько времени упираться и проиграть. Пришли в раздевалку, по-моему, никто уже ничего не понимает. Я быстро переоделся, вышел на улицу, май месяц, но прохладно, все же три часа ночи. Меня начало лихорадить от ветерка, от недавних волнений, от дикой потери веса. Почти 45 минут я находился на льду. А мне уже было 36 лет. Журналисты перед следующей игрой шутили: «Как ты себя чувствуешь?» Я отвечал: «Если матч будет продолжаться не больше семи периодов, то нормально, если больше, наверное, не выдержу».

Рейс из Буффало обратно в Нью-Джерси был чартерный. Наш самолет ждал, ждал и по каким-то причинам улетел. Прислали за нами какой-то старый самолет. Мы в нем расселись, даже какую-то еду нашли, но никто есть не хочет, а в себя хоть что-то, но надо было запихнуть. Воду выпил, соки какие-то... Самолет взлетел, чудом не развалившись. Проиграли, и все вокруг кажется серым и убогим. Когда прилетели в Нью-Джерси, объявляют: «Можете ехать домой, а если хотите — то в гостиницу, там номера заказаны. Завтра все спят, тренировок нет». Я взял пару таблеток снотворного, позвонил Ладе, сказал, что поеду в гостиницу, потому что так устал, что сил добираться до дому нет. Она говорит, конечно, езжай в гостиницу, но не забудь отключить телефон. Когда я добрался до номера, на часах уже чуть ли не шесть. Я выпил снотворное, хотя вполне мог бы обойтись без него — вырубился сразу.

Очнулся уже в полдень, вставать не хотелось, но пришлось подниматься. Необходимо что-то поесть, иначе не восстановиться. Заказал завтрак в номер, что-то поклевал, потом подумал, что неплохо выйти на воздух, погулять немного, чтобы еще поспать часик. Заставил себя одеться, поехал в парк, он недалеко от отеля, походил там, потом вернулся в номер и действительно еще час поспал. Ужин нам устроили командный. А на следующий день уже играли и игра получилась нервная, шайба в шайбу. Мы победили 2:1 или 3:2.

А «Рейнджерс» закончили свою серию довольно-таки легко: за пять игр разобрались с «Вашингтоном» и нас поджидали.

Серия плейоффа 1994 года вообще получилась какая-то дурная, мы играли с «Бостоном», и я впервые забил гол в свои ворота. Матч проходил в Нью-Джерси. В борьбе я оказался под таким углом к воротам, что попасть в них даже теоретически невозможно. Смотрю — прострел на «пятак», а сзади меня игрок противника, поэтому я должен эту шайбу выбить обратно в угол, если пропущу, то чудак сзади может забить. Не знаю, как получилось, я играл в хоккей до этого вечера уже тридцать лет, и никогда со мной такого не случалось, а тут будто кто-то меня за руку дернул в последний момент, и я с таким смаком вколотил шайбу в ближнюю «шестерку», причем оттуда, откуда, повторяю, забить невозможно. Мне потом наш вратарь сказал: «Я такие броски не беру». К счастью, мы тот матч выиграли.

Эти объяснимые и необъяснимые события будто подталкивали меня к тому, что пришла пора прощаться с «Нью-Джерси», если я хотел играть дальше. Последний удар — гол в полуфинале. И играл же неплохо, и ставили меня против сильнейших «троек» соперников. Но этот драматический гол, перечеркнувший финал... Игру «Дэвилс» с «Рейнджерс» назвали лучшей в НХЛ за последнее десятилетие, но когда ты проигрываешь, тебе уже все равно, лучшая это игра или нет. Осадок на душе ужасный от всех этих судов и, наконец, поражение в полуфинале.

Не помню даже, где мы отдыхали в отпуске. В памяти осталось только то, что летом 1994-го я поехал поболеть на футбол. У меня всегда была мечта посмотреть чемпионат мира по футболу живьем, а тут он как раз проходил в США. Мы с Сергеем Немчиновым и женами полетели в Калифорнию в Сан-Франциско, через весь континент, посмотреть на игру Россия—Бразилия. В итоге — удручающее впечатление от российской команды. Праздник, который происходил вокруг стадиона, — это все присутствовало, и в такой атмосфере, конечно, приятно оказаться. Но игра наших футболистов была вне всякой критики. Не результат, а именно игра. И для чего надо было лететь через всю страну? Но в конце концов мы хорошо провели время, а Саша Стеблин, президент хоккейного «Динамо», который тоже прилетел на чемпионат, меня познакомил с Гелани Товбулатовым. «Это мой коллега, — сказал Саша, — он вице-президент хоккейного клуба «Спартак», и у него такая идея — организовать летом турнир на Кубок «Спартака» но с участием команды профессионалов. Как ты на это смотришь? Ребята из НХЛ смогут приехать?» Я честно сказал, что ситуация сейчас не лучшая, но сама идея неплохая и если я могу быть полезным, то, конечно, помогу.

Через пару недель Гелани появился в Нью-Джерси, мы с ним купили огромный кубок, провели его презентацию. А когда я приехал в Москву, то выяснил, что про меня писали, будто я уже никому в НХЛ не нужен, а кубок с собой притащил потому, что уже заканчиваю карьеру. Человек домой приехал, зачем же его так ругать? Хорошо, следом за мной приехали Леша Ковалев и Сергей Зубов — эти два парня, чемпионы Кубка Стэнли, не испугались слухов о бандитизме в Москве. У Сережки только-только пацан родился, за три недели до приезда. Благодаря их участию, а также замечательной компании ребят-легионеров, Кубок сразу получил признание. Сейчас меня чуть ли не каждый спрашивает: когда будет Кубок «Спартака», потому что появилась уникальная возможность приехать домой, заодно потренироваться в Москве накануне сезона в Лиге, никого не упрашивая: можно мне прийти на «Динамо» или в ЦСКА покататься? Обычно если и дают, то дают неудобное время, объясняя это тем, что лед занимает основная команда. Я же считаю, что ребята из НХЛ должны получать лучшее время, потому что у мальчишек, которые играют в российских клубах, нет никаких авторитетов. А когда они еще знают, что приедут Ковалев, Симак, Жамнов и будут тренироваться в неудобное время, то теряются любые ориентиры. Я понимаю, что такое тренировочный цикл, но думаю, что процесс воспитания игрока не менее важен. И та неделя, когда рядом с молодыми на льду будут лучшие легионеры, может только вызвать уважение к тем, кто играет в сильнейшей на сегодня лиге. Ни для кого не секрет, что каждый хоккеист старается обратить на себя внимание селекционеров НХЛ. Я не думаю, что пропагандирую какие-то аморальные принципы, то, что происходит, — естественный процесс, и лучше идти с ним в ногу, чем закрывать на него глаза, или еще хуже — препятствовать ему...

В Нью-Джерси я тоже ходил на футбол. Вячеслав Иванович Колосков отвечал за играющую у нас подгруппу (норвежцы, итальянцы, мексиканцы) как вице-президент ФИФА. Он мне выдал билеты в ложу, где сидели знаменитости, такие как Генри Киссинджер. Итальянский премьер-министр появился на полуфинале, который тоже проходил в Нью-Джерси. Один раз со мной пошел на футбол и Гарри Каспаров. Люди в этой ложе сидели серьезные, все в галстуках, а я, по-американски, в шортах (жарища была страшная), в летних сандалиях, в маечке. Иногда снимал майку, загорал. И чувствовал себя довольно-таки неплохо. Целый ряд, который отводился Вячеславу Ивановичу, пустовал наполовину, там можно было даже разлечься. Одно дело — лететь через всю страну, потом плеваться, совсем другое — находясь дома, иметь возможность подъезжать на машине к стадиону, потому что в Америке это большая проблема — парковаться около 80-тысячного стадиона.

Я побывал на настоящем празднике: тут и футбол был классный, и вокруг творилось что-то невообразимое. Норвежцы ходили по асфальту на лыжах, в шлемах викингов с рогами. Мексиканцы отплясывали в сомбреро народные танцы. Люди представляли по полной программе свою нацию. Самые приятные впечатления оставил этот отрезок чемпионата мира по футболу.

Жизнь после горечи поражения в полуфинале Кубка Стэнли стала налаживаться. В августе состоялся первый Кубок «Спартака», которым я горжусь — все же создал традицию, в Москву приезжают профессионалы и не рвется связь между лучшими игроками родного хоккея и его поклонниками. А главное — мальчишки в России могут видеть живьем своих кумиров.

Сезон 1994 года начался с локаута.

1982 год, лето, конец отпуска. Еще в конце прошлого года узнал, что Вагиз Хидиатуллин с женой переехали в наш дом и мы оказались соседями. Жили рядом, но я никогда не встречал ни его, ни ее, потому что все время торчал на сборах. Дом наш заселялся как спортивно-армейский, и жили в нем и гандболисты, и волейболисты, и хоккеисты, и футболисты. Все друг с другом как-то, но были знакомы, многие дружили, и когда какое-то событие происходило — день рождения или кто-то выиграл турнир, —победитель или именинник обзванивал соседей по телефону, и все, кто оказывался дома, собирались вместе и отмечали праздник.

Дом этот стоял и сейчас стоит на Фестивальной улице. Однажды, когда я сидел у себя в однокомнатной квартире, Женя Чернышов, известный гандболист, пригласил меня на какое-то семейное торжество. Там я впервые и увидел Ладу. Нас познакомили, сказали мне, что это жена Хидиатуллина. Когда вечер у Чернышовых кончился, полкомпании спустились вниз, попить кофе, к Ладе. Спустился и я, поговорил с ней о чем-то, ничего не значащем, сидя со всеми вместе за столом.

Такой красивой девушки, как Лада, я прежде не встречал. Возможно, это была любовь с первого взгляда, трудно сказать, но я таких чувств никогда не испытывал. Случались до того вечера всякие знакомства и встречи, но тут я впервые сразу понял, что без этой девушки жить не смогу. Сидел я у Лады допоздна, потом все разошлись, и я ушел к себе. Через пару недель случайно встретились на лестнице, я куда-то шел на свидание, мы о чем-то поговорили. Лада сказала, что вечером к ней приедут друзья и подружки, и пригласила заходить в гости, если скучно. Я вернулся, посидел немного дома, а потом позвонил в ее дверь...

Мы стали встречаться, наверное, это судьба. Вагиз уехал на чемпионат мира в Испанию, поэтому мы виделись часто, и я влюбился по уши. Мне весной исполнилось 24, подобных отношений у меня еще не было ни с кем, любовь для меня существовала как абстрактное понятие. С шестнадцати лет я жил на сборах, полностью оторванный от мира. Были влюбленности в каких-то школьных подруг, но это теперь казалось далеким и смешным. Сборы, разъезды, все время хоккей, мимолетные встречи, но без настоящих чувств, во всяком случае таких, какие я вдруг в себе обнаружил. Конечно, наши встречи с Ладой выглядели некрасиво, но я никогда не был не то что другом, но даже близко не был знаком с Вагизом, только здоровались, когда сталкивались в клубе, и, конечно, я знал, что он великолепный футболист.

Ситуация складывалась с каждым днем все сложнее и сложнее, но никакого жизненного опыта, тем более такого рода, у меня, понятно, не имелось. А с собой я ничего поделать не мог. Тем более понимая, что Лада тоже испытывает ко мне ответное чувство.

Времена были непростые, и что тогда означало общественное мнение, сформулированное парткомом, многие еще помнят. Меня только-только выбрали капитаном ЦСКА и сборной. Это огромная честь, я понимал, что наша история может зачеркнуть не только мою капитанскую карьеру, а, возможно, и хоккейную тоже, но человеческое начало во мне победило советское и армейское воспитание.

Я не знал, как складывались отношения между Вагизом и Ладой, мы об этом с ней никогда не говорили, но когда

Хидиатуллин вернулся с чемпионата мира, Лада ему сказала, что уходит, и попросила развод. Она ушла от Вагиза ко мне. А я к этому времени уже жил на сборах, поэтому их семейное выяснение отношений меня никак не коснулось. Но сплетни, разговоры, взгляды, понятное дело, в моей жизни присутствовали.

Пару раз меня вызывали на беседу в политотдел. Рука направляющая не могла пропустить такого поворота в жизни, не только хоккейной, но и личной. Армейские комиссары предлагали мне тихо закончить встречи с чужой женой. Но я сказал, что люблю Ладу, и отказался подчиняться. Ситуация становилась все напряженнее, но гораздо тяжелее, чем мне, приходилось Ладе, потому что она невольно встречалась с их общими друзьями, и эти встречи влияли на нее очень тяжело. Плюс ее родители, мои родители, которые от нашего решения жить вместе, мягко говоря, оказались не в восторге. Мои родители прожили как крепкая семья достаточно долго и на мой и Ладин поступок смотрели со своей точки зрения. И наконец, Вагиз просил Ладу вернуться, но ее чувство ко мне оказалось намного сильнее всех разумных доводов. Вагиз жил куда лучше, чем я. Там — двухкомнатная квартира, выше зарплата, больше возможностей. К тому же много общих знакомых, правда, те же люди и мои приятели, в общем, какой-то кошмар. И конечно, все друзья и приятели старались как-то поучаствовать в наших отношениях. Вагиз долго не давал Ладе развода, но в конце концов они развелись.

ЛАДА: Меня долго друзья мучили вопросом: как тебе взбрело в голову уйти от хорошего, да еще знаменитого мужа? Но все вышло мгновенно. Да и как можно ответить на вопрос, который касается судьбы? Впрочем, время подумать я могла бы и найти, развод тянулся очень долго, потому что Игорь не пришел в ЗАГС на развод после трех месяцев со дня заявления.

Сейчас его все Вагизом зовут, а раньше его звали Игорем. Он сам, когда мы познакомились, так представился, а не Вагизом. Мы попали в один поток на приемных экзаменах, в Малаховке, в областной институт физкультуры. Я поступала на отделение художественной гимнастики. Мы поженились в восемнадцать и прожили вместе четыре года. Но что-то в наших отношениях разладилось, думаю, по моей вине. Хидиатуллин играл в юношеской сборной России, а мой папа был одним из тренеров этой команды. Поэтому папа очень хорошо его знал до нашего знакомства и развод переживал тяжело, а мама даже к Тихонову ходила за помощью.

Женя Чернышов и не думал, что все так обернется, он не собирался устраивать встречу нам со Славой. У меня есть подружка — тогда она была одинокой девушкой — Иришка, вот мы и думали как-то устроить ее семейную жизнь. Хотели познакомить ее с молодым человеком, неженатым и одного с нею возраста. Но получилось все иначе и намного сложнее.

Очень смешным оказалось знакомство. Женя привел Славу, когда мы уже ужинали, и посадил напротив меня. За вечер Слава не произнес ни одного слова. Только сидел и на меня смотрел, причем как только он это умеет — исподлобья. И когда мы с Ирой вышли пошептаться, я спросила ее, ну как, понравился? Она мне говорит: «Да он какой-то мишка олимпийский».

Потом Слава начал приезжать почти каждый день ко мне на работу (я работала в шоу «Союз»). Оказалось, что он сбегал со сборов, чтобы встретиться со мной. Он после тренировки перелезал через забор, садился в машину, приезжал, сидел и смотрел. Сначала Слава предлагал подвезти меня домой, но мой знакомый Гена, работающий в такси, специально приезжал к концу программы за мной. (С Геной и его семьей мы дружим до сих пор, хотя уже прошло столько лет.) Но Слава все равно приезжал и ждал. Цветы на капоте раскладывал веером и стоял около машины. У него тогда были красные «Жигули». Я выходила, он спрашивал: «Вас не подвезти?» Я отвечала, нет, спасибо, меня ждут. Гена вез меня домой, Слава ехал сзади. Я заходила в дом, он оставался у подъезда. Пару раз ночевал под моими окнами, засыпал в машине. Утром я выхожу с собакой гулять, а он — в машине, глаза продирает. Но добился своего, начал подвозить меня на репетицию под предлогом того, что ему по дороге на тренировку. Славе — в ЦСКА на Ленинградский проспект, а мне дальше к Белорусскому вокзалу, где репетиционный зал в Доме культуры имени Чкалова. Как-то он уговорил меня встретиться днем после репетиции. Спросил, во сколько я заканчиваю, заехал за мной и пригласил на обед в ресторан «Центральный» на улице Горького. У него знакомый работал там шеф-поваром. Нам накрыли стол в кабинете, никого рядом нет, шторы, цветы в вазе... и влюбленные глаза Славы.

К этому времени я и сама в Славу влюбилась. Не скажу, что это любовь с первого взгляда: как увидела, так и сразило. Нет, сразило, конечно, но позже. Меня волновало его внимание ко мне. Слава может сказать нужные слова, причем если он их сказал, то звучат они серьезно, значимо. Он не похож на птичку, которая устроилась на плечике и воркует около ушка. Он относится к категории основательных мужчин. В нем все настоящее, нет никакой напыщенности. Мне иногда казалось, будто я рядом с ним маленькая девочка, а он меня закрывает всю, ветерочек не коснется, не долетит до меня. Слава не суетится, никуда не торопится, лишнего слова не скажет, лишний раз не улыбнется. Зато рядом с ним всегда спокойно и всегда все ясно. Прожив с ним шестнадцать лет, я до сих пор его прошу: «Ты хоть иногда выскажись». Мой муж все переживает внутри, в себе. Может, из-за того, что он много эмоций отдает игре, может, из-за того, что много энергии расходуется на льду, дома Слава хочет тишины и покоя. Объяснить, что это или как это — невозможно. Точно так же, как ответить на вопрос: «За что ты любишь его или ее?» Разве можно сказать: я люблю его, потому что у него глаза такие, волосы такие, а походка такая? Сложно все складывалось, но у нас никогда и не было просто. Мы пережили тяжелые, порой даже очень тяжелые времена. Вместо романтических отношений первых месяцев приходит проза жизни. Впрочем, а разве так бывает, чтобы встретились два идеально подходящих друг другу характера? Но с каждым совместно прожитым днем мы все лучше узнавали друг друга. Радовались и огорчались, ссорились и мирились, учились прощать друг друга. Со временем объяснились и с родителями, прошел не один год, пока они поняли и приняли нас. Обиды на них мы не держали — родители пусть по-своему, но всегда правы.

Были люди, которые старались вначале вмешиваться в наши отношения — зачем они это делали, мне до сих пор непонятно. Непонятно потому, что сама я никогда не пыталась выступать судьей в чьей-либо судьбе.

Наверно, семейное счастье — это те лучшие дни моей жизни, когда муж рядом со мной. Знаю твердо одно: мы всегда нужны друг другу, как шестнадцать лет назад, так и сейчас. Мы не только муж и жена, но и самые близкие друзья — это мне представляется самым важным в семейной жизни.

А главная черта характера моего мужа — его порядочность и то, что он необыкновенно добрый человек. Он до сих пор ребенок, большой ребенок.

Кутерьма с нашим желанием жить вместе продолжалась почти два года. Я подолгу разговаривал с ее родителями: мама Лады старалась, чтобы мы расстались, и отец возражал довольно резко, хотя уже давно не жил вместе с мамой Лады. Сам он бывший футболист, известный тренер, естественно, вращался в футбольном мире, и для него развод дочки с Хидиатуллиным был ударом. Я уже говорил, что мои родители были шокированы, как же — замужняя женщина... Почему-то всем хотелось, что бы мы расстались. Тем более что продолжались сезоны, мои игры, мои переезды. Встречаться нам удавалось редко, Лада чаще всего выдерживала всеобщий напор одна. Единственная подруга, кто ее поддерживал, — Ира Саликова. Но, как ни странно, наши чувства укреплялись с каждым днем, хотя, по сути дела, любовь была на расстоянии.

Через два года после нашего знакомства у сборной началась подготовка к Олимпийским играм, а в доме стали возникать конфликты из-за моего постоянного отсутствия, все-таки запасы терпения не беспредельны. Я понимал Ладу: жуткая нервотрепка, а конца ей не видно. Когда муж дома — это одно, есть какая-то поддержка. Но когда мужа почти не видишь — совсем другое. Тем более что вокруг нас клубились бесконечные сплетни и слухи. Чего только не рассказывали мне о ней, а ей обо мне! Так все и тянулось примерно до 1985 года, когда пришло время определяться. Жили-то мы вместе, а официально расписаны не были. Времена для таких отношений шли самые неподходящие, если простые люди такое себе позволяли, то их осуждали бабушки на лавке около подъезда. А тут достаточно известные люди вовлечены в скандал, скрыть его невозможно.

Но в 1985 году во время отпуска произошла катастрофа, которая перечеркнула все наши планы на неопределенное время: погиб мой брат Толик. Сам не знаю, как мне это удалось пережить.

Много тогда носилось слухов, есть они и сейчас. Тот же Тихонов намекает, что вытаскивал меня почти из тюрьмы. Даже сейчас мне кажется, что правильно было бы, если б я оказался на месте Толика и он, а не я, остался бы жив. Никогда я не верил ни в каких черных кошек, но тут...

В тот день Толик с утра приехал к нам, и целый день мы провели вместе. Я собирался за город к знакомому в гараж, чтобы подкрасить машину. Спросил у Толика, поедет ли он со мной. Он согласился. Поехали, наговорились по дороге обо всем на свете, а на обратном пути я предложил ему вернуться к нам домой: «Лада приготовит ужин, посидим, а потом поедешь домой. Только мы сейчас заедем к Борису Зосимову, возьмем у него какой-нибудь фильм, заодно и кино посмотрим». Восемь или девять вечера. Заехали, Толик остался внизу, я быстро поднялся к Борису, взял фильм, а когда садился в машину, Толик берет кассету: «Слушай, мы смотрели это неделю назад». — «Точно?» — «Точно». Вернулся я назад, поменял кассету, спускаюсь — черная кошка перебежала мне дорогу. Но я не обратил на нее внимания, только отъехал, милиционер остановил, кажется, я повернул неправильно.

И пока я разбирался с гаишником, начался сильный ливень. На Ленинградке машин почти нет, я ехал во втором ряду, болтал с братом. Смотрю: сзади «мигает» кто-то, требует пропустить. Ну, думаю, давай, обстановку я контролировал. Перед нами шел грузовик, впереди на дороге большая лужа. Машина, которая меня обгоняла, на полной скорости стукнулась о бордюр, разделяющий Ленинградку, и своим задним крылом ударила в левое переднее крыло моих «Жигулей». Ту машину выбросило на разделительный газон, но — чудо — она попала между столбов, в ней лихач какой-то несся, там все остались живы-здоровы. А меня крутануло, и правой стороной, где Толик, — прямо в столб. Он сидел пристегнутым, а может, если бы не пристегнулся, его бы выкинуло из машины?..

Мы собирались в отпуск, хотели Толика взять с собой. А вместо этого — ЦИТО, Центральный институт травматологии и ортопедии, у меня голова разбита, весь в осколках от стекла. Куда-то звонил, просил, чтобы нашли кровь для Толика, в ЦИТО крови не было. Потом мою кровь проверили, хотели уже положить на стол, готовить к переливанию напрямую. Но тут жизнь Толика остановилась, как раз в тот момент, когда отец в больницу приехал. Меня кололи какими-то препаратами, потому что я еле стоял на ногах, положили в палату, и я услышал рядом рыдания отца. Приехал Гена Цыганков, Ладу домой отвезли, а меня хотели оставить в ЦИТО. Но я сказал, что поеду с отцом к маме. Принести маме такое известие — страшнее ничего придумать нельзя... Мама долго не могла поверить, что Толика больше нет.

ЛАДА: 11 июня, 1985 год. Мы собрались в этот день заняться машиной и должны были поехать в Подмосковье, договориться о ее покраске. Уже стояли на пороге, когда приехал Толик, Славин 17-летний брат, молодой нападающий ЦСКА, будущая, как все говорили, хоккейная суперзвезда. Он к нам приезжал частенько, нередко ночевал. Хотели оставить Толика дома, включили ему телевизор, а в это время пришла моя подружка: «Ой, а я думала, что мы вечером посмотрим кино». Слава отзывает меня в коридор: «Давай я Толика возьму с собой и заодно проведу с ним воспитательную беседу, а ты посиди дома». Я только и успела ему сказать: «Ты на него сильно не дави». Слава мне: «Не буду. Мне надо с ним больше по игре поговорить». Толик уже выходил на лед несколько раз в чемпионате страны с основным составом ЦСКА.

Они уехали, через какое-то время появился Славин товарищ, Вадим. Мы втроем и ждали, когда братья вернутся.

Часов в девять вечера Слава звонит: «Мы уже приехали в Москву. Мы у трех вокзалов. Сейчас зайду к Зосимову, возьму пару хороших фильмов». От Бори до нашего дома вечером, когда нет машин, минут тридцать ходу. Прошло полчаса, их нет. Половина одиннадцатого — нет, без четверти — нет. Я уже дергаться начала. Без двадцати двенадцать — звонок, я поднимаю трубку. Слава: «Лада, позвони, пожалуйста, всем врачам, скажи, чтобы приехали в ЦИТО, мы разбились на машине, Толик в тяжелом состоянии». Я только спросила: где? Он ответил, что на Ленинградском, недалеко от дома. Я стала звонить Белаковскому, Сельцовскому, Силину — всем врачам, кого знала. Потом мы с Вадимом поехали к месту аварии. Зрелище ужасное.

У меня началась истерика, рыдания с причитаниями. Кругом полно милицейских машин, две «скорые помощи». Слава идет мне навстречу, а меня Вадим за руку схватил и говорит: «Замолчи сейчас же. Успокойся и замолчи. Возьми себя в руки». Слава идет, у него растопырены руки, они в крови, вся куртка разодрана, весь бок в крови. Подошел: «Мы разбились, мы разбились, с Толиком плохо». А я его трогаю: целый или нет? Он меня просит: «Останься документы оформить и чтобы машину убрали отсюда». Его врачи уже отводят к «скорой помощи», я за ним иду. Спрашиваю: «А Толик?» Он говорит: «Толика увезли». Но Толик, оказывается, лежал в этой машине, Слава просто не хотел, чтобы я его видела в таком состоянии. Мне потом уже рассказали, что Толику сделали укол в сердце и он четыре часа еще жил.

Мы приехали в больницу, а у Славы начался нервный приступ, его привязали к кровати ремнями. Он отделался сломанными ребрами и ушибом головы. Его выбросило из машины креслом Толика. К нам вышли врачи, сказали, что для Толика нужна первая группа крови. Я — сразу звонить Гене Цыганкову, ребятам-хоккеистам, друзьям. Вадим сразу проверил свою кровь, она подошла. Славину стали проверять. Толик лежал в операционной, весь перевязанный.

Приехал из «Склифосовского» профессор, специалист по черепно-мозговым травмам. Зашел и вышел через десять минут, сказав, что травма такая, что даже если Толик и останется жить, то будет полным инвалидом. На Вадима уже надели рубашку, бахилы, чтобы вести на переливание; приехал Гена Цыганков, другие ребята... Но из операционной вышли врачи, и кто-то Вадима остановил, мол, уже ничего не надо. Я потеряла сознание.

Пришла в себя уже дома. В комнату Гена заходит и спрашивает, есть ли у меня водка. Я показала, где взять, а сил нет, чтобы пойти, какую-то закуску предложить. Но взяла себя в руки, надо что-то на стол поставить, ребят собралось человек шесть. Зашла на кухню и слышу, как они говорят: «Ну что, помянем?» И я поняла — это конец. Больше нет никакой надежды.

Наверное, часов в шесть утра вернулся Слава. Ужасно, когда не знаешь, что сказать в такой страшный момент самому близкому человеку. Слава после той ночи не спал месяца три, лежал с открытыми глазами и смотрел в потолок. Иногда на балкон выходил, я за ним следом, держала его за рубашку или за джинсы, боялась. Он смотрел вниз с таким лицом...

После смерти брата Слава ни разу не улыбнулся за два года. С ним до сих пор так бывает: сидит, что-то рассказывает, смеется, потом вдруг замкнется, глаза опустит. А как он смотрит на ребят: Федорова, Константинова, Могильного... Они же с Толиком играли, они его ровесники... Слава к ним относится, как относился бы к Толику. Толик в семнадцать лет был здоровее и крупнее Славы. Брюки мужа я ему отдавала, а они ему были внатяжку на бедрах, хотя у Славы будь здоров какие ножищи. Какие Толик подавал надежды! Слава считал, что младший брат будет играть лучше, чем он. Как Слава остался в хоккее — только одному ему известно. Мама ему говорила, что играть он должен за двоих. Я же твердила, что жить он должен для матери и отца. Единственный довод, который я находила, это то, что Толик ему спас жизнь. Значит, так суждено, это судьба. Они были очень близки.

Слава — человек с огромным сердцем. Он таким родился. В нем живет большая любовь к родителям и преклонение перед ними. И такое же отношение было к брату. Если к нему обратиться за помощью, он отдает себя полностью. Поэтому ему в тысячу раз больнее, когда потом возвращается в ответ не «спасибо», а полная неблагодарность, а в большинстве случаев именно так и бывает. Но он все равно не может иначе. Если Слава не в состоянии что-то сделать, он никогда не пообещает, что поможет. Но если что-то в его силах, он обещать не будет, а сделает. Уже приятели забыли о том, что просили, а он, пусть через месяц, но позвонит: ты знаешь, у меня получилось.

Была бы у меня волшебная палочка, я бы ее использовала только для одного — чтобы все были живы и здоровы!

Теперь, когда приезжаем в Москву, идем на Долгопрудненское кладбище, там похоронены и Толик, и мой папа, и Славина мама, и бабушка с дедушкой —

пятеро. Приехали с Настенькой, подошли к могиле Толика, Настенька смотрит на памятник, Слава взял ее на руки, подошел к бюсту, погладил брата по лицу, и дочка за ним гладит гранит. Он ей объясняет: вот, Настенька, здесь твой дядя, он погиб, когда был совсем молодым мальчиком. Она его спрашивает: «Если я положу цветочек, он будет знать, что я приходила к нему? Он вообще знает про меня?» Слава объясняет, что, наверное, знает. Он теперь ангел, смотрит за тобой и тебя оберегает.

В нем, в его душе, в его сердце смерть брата, и она не уйдет оттуда никогда.

Я думаю, что, когда он смотрел ночами в потолок, наверняка прокручивал в уме эту секунду: если б раньше проехал, если б раньше вывернул, если б поехал другой дорогой, если бы вообще никуда не поехал, бросил ко всем чертям эту машину, которую и чинить-то незачем — старая, вся сыпалась. Наверное, он обо всем этом думал. Наверное, он не обвинял себя, а просто прокручивал в голове без конца этот момент. Я знаю, что единственная его мечта — это вернуться назад и хотя бы на три секунды раньше проехать это проклятое место. А я все твердила и твержу, что это судьба, значит, так было предначертано, ты остался, а его к себе забрали. Значит, по-иному быть не могло, именно в это время и по этой улице вы должны были проехать.

Эта трагедия сильно отразилась на наших с Ладой отношениях. Потому что теперь мои родители категорически возражали, чтобы мы поженились. Ладины, может, уже и смирились, но мои... После поминок, похорон... Мама сказала на поминках: «Ты, сынок, должен жить теперь за двоих, спасибо Господу Богу, хоть одного мне оставил». Мамины слова придали мне силы, чтобы восстановиться после пережитого кошмара. Я долго чувствовал свою вину: почему погиб не я? Следствие, экспертизы — для меня все прошло в тумане. Спрашивали, расспрашивали — все как во сне. Дело не в следствии. Если бы я был виноват: скорость сумасшедшая, пьяный был — тогда понятно, отчего нет Толика. Но я мог честно смотреть в глаза родителям.

Когда Толик был маленький, три, может четыре года, ребята во дворе играли в «чеканку» — кто больше ударов набьет мячом, не давая ему опуститься на землю. Никого нет дома, меня оставили смотреть за братом, а он спал. Лето, окна открыты. Пацаны позвали снизу, ну что мне тогда, двенадцать лет, я спустился, мы стояли кружком прямо около подъезда. Наша квартира на пятом этаже. Я «чеканю», подбил мяч, наверх задрал голову и вижу: Толик сидит на подоконнике в кухне. Как он туда влез — не знаю. У меня сердце сразу ушло в пятки, мяч бросил, за секунду взлетел на пятый этаж. Не знаю как, но инстинктивно понял, что нельзя вбегать. Потихоньку открыл дверь, пополз по полу от порога до окна. Полз по-пластунски, чтобы его не спугнуть. А он сидел, свесив ноги наружу, пятый этаж! Все, кто торчали во дворе, рты пораскрывали и застыли.

Я схватил Толика, стащил вниз. И чувство одновременно и счастья, и злости. Стал кричать на него, а он, ничего не понимая, смотрел на меня. Отец, конечно, узнал, что произошло, и досталось мне прилично. На следующий день он прибил решетки на все окна. Решетки висели долго, пока Толику не исполнилось тринадцать, отец их не снимал. Все удивлялись, проходя мимо, зачем на пятом этаже решетки? Отец всегда за нас был готов оторвать голову кому угодно. Если бы он узнал, что кто-то поднял руку на одного из его сыновей, не важно кто, он бы разорвал на части...

Вот тогда, после похорон Толика, я сказал Ладе: «Не знаю, правильно это или нет, но сейчас жениться — это еще один удар для родителей». Так я был воспитан, так вырос, так понимал то, что произошло. Мы прошли с Ладой и так уже через многое, я сказал ей: «Я тебя люблю, если можешь — наберись терпения. Может, судьба нас еще раз испытывает?»

Тихо-тихо жизнь стала восстанавливаться: хоккей отвлекал от многого. Я часто оставался с родителями. Потом поменял им квартиру, увез с Коровинского шоссе, потому что тяжело им там было, все напоминало о Толике. Перевез в центр, на Большую Грузинскую, купил им новую мебель. Переезд, он тоже отвлекает. Это уже происходило через год, в 86-м, — в тот год чемпионат мира проходил в Москве. Мы выиграли, отец ходил на матчи, мама нет. Когда кончилась последняя игра, поехали сразу к маме. У меня день рождения — цветов море. Мы целую машину цветов ей привезли. Она говорит: «Сынок, ты молодец, ты хорошо играл, похоже, что летал, как за двоих». Она постоянно напоминала мне об этом.

Толик для меня не только младший брат, мы одним делом занимались, он шел мне вслед, как говорят: идет по стопам. Не брат даже, а сын. У нас же почти десять лет разницы. Я так хотел, чтобы он не повторял тех ошибок, которые наделал я, и в хоккее, и в жизни. Иногда жестко, если по-товарищески, по-братски не получалось, я кричал на него. И вдруг Толика не стало.

Когда мама умирала, она мне сказала: «Сынок, живи, у меня. Зла на тебя ни за что нет. Ты сильный».

Я понимал, что мне не удержать Ладу, такую красивую девушку, оказавшуюся в таком ужасе. Но я знал, что должен находиться рядом с родителями, и поэтому с Ладой я общался все реже и реже. Получалось, что как она сидела одна дома, так ничего и не изменилось. И тогда я сказал ей: «Если ты считаешь, что тебе нужно как-то поменять жизнь, ты имеешь на это полное право. Конечно, мне без тебя будет тяжело, но я по-другому поступить не могу».

Я могу только догадываться, что Лада пережила за эти годы — семь лет — до нашего отъезда в Америку. Но зато я узнал, насколько я счастливый человек, потому что судьба подарила мне женщину, которая понимает все, что происходит со мной, которая не предаст никогда, потому что мы прошли через столько мучений и остались вместе...

Однажды я пришел домой и сделал Ладе предложение. 15 марта 1989 года мы расписались. Я старался ускорить процедуру регистрации, потому что вдруг начал бояться, что ее потеряю или что-то может случиться. В ЗАГСе договорился, чтобы все устроили быстрее, чем было положено по закону. Пришли Сережа Макаров, Володя Крутов, Игорь Ларионов с женами, мой близкий друг Витя Гомельский. А Саша Розенбаум принес в подарок немыслимых размеров хохломскую ложку.

Наши отношения выдержали три тяжелейших испытания. Развод и одиночество Лады, гибель Толика и, наконец, эта история с отъездом, когда я мог отправиться совсем в другую, от Америки, сторону. Мы сыграли свадьбу 15 марта, а за два дня до нее — 13 марта — меня водили к министру обороны, когда он сказал, что может сделать со мной все что угодно. И Лада обо всем этом знала.

Наверное, как награда за все мучения, наша семья оказалась в совершенно сказочных условиях для советского человека: большой собственный дом, довольно приличная, даже для Америки, зарплата. Так у нас началась совершенно новая семейная жизнь, мы же за семь лет почти никогда не жили изо дня в день вместе больше трех недель отпуска. Даже не представляли, как это выглядит. Опыт был прежней жизни — это когда ты приезжаешь домой два раза в месяц на воскресенье или убегаешь со сборов, чтобы тайно повидаться. В последний год перед отъездом я сидел каждый день дома, но была иная ситуация: нервотрепка и страх.

Мы вместе учились новой жизни, учились новому общению с людьми в мире, совершенно другом, порой странном для нас. Вместе ходили по магазинам, покупали продукты, которые тоже были в новинку. Как первый месяц после свадьбы! Прекрасно, казалось бы, зная друг друга, мы неожиданно открывали друг в друге что-то новое. Я знал, что Лада может красиво накрыть стол, вкусно готовить, причем может это сделать буквально за пятнадцать минут. Но я не знал, как она любит дом: какие-то безделушки без конца расставляет, постоянно что-то украшает. Порой ворчишь: «Для чего?» Она объясняет, что полжизни прожили в однокомнатной квартире, спали на раздвижном диване, дай хоть здесь порадоваться. Действительно, наша единственная комната в Москве была у нас и гостиной, и комнатой отдыха, и спальней — одновременно. И вдруг все отдельно! Лада начала готовить просто сумасшедшие обеды. Любую кухню изучила: итальянскую, китайскую, мексиканскую. До Нью-Джерси, когда жила одна, в ожидании моего появления, кто-то зашел — порезала колбаски, вскипятила чайник, а теперь я каждый вечер дома, нужно всегда иметь обед.

До сих пор Лада никак не может смириться, почему я все обиды и переживания держу в себе и ими не делюсь. Но так сложилось в жизни. Я с малых лет с большим уважением относился к отцу, не только чисто по-мужски, а может, даже со звериным инстинктом подражания. Отец воспитал во мне и это уважение к себе, и эту замкнутость. Так получилось, что я не был приучен, как многие дети, открываться маме, делиться с ней детскими бедами. Даже совсем маленький я все неприятности переживал в себе. И когда произошла самая большая в моей жизни трагедия, я тоже переживал ее в себе, не умея делиться горем ни с кем. Лада мне говорила: «Я вижу, что тебе плохо, рассказывай, раскрывайся. Может быть, я тебе помогу или просто, когда выскажешься, легче станет». Но я не мог ничего из себя выдавить. Странно то, что уже здесь, в

Америке, я, действительно, стал с ней делиться, но пришла эта откровенность, когда мы стали жить как настоящая семья.

ЛАДА: Слава, когда его попросишь, поможет. Но я не злоупотребляю просьбами, потому что он безумно устает. Я знаю, что, если его попросить что-то купить по пути на тренировку, он сразу об этом забудет и надо еще 150 раз напомнить. У него мысли направлены совершенно в другую сторону, тем более во время сезона. Но дом пылесосит он, пакеты с мусором выносит он. Иногда Слава замечает, что я замоталась за день и с ребенком, и с готовкой, тогда сам убирает со стола, складывает посуду в машину. Но все, что касается ребенка, тут не надо и полслова говорить, это для него святое. Для ребенка — все что угодно. Надо елку поставить, он бросит все дела, даже если между играми один день, поедет, купит елку, привезет и будет сам наряжать. Правда, потом елка месяцами лежит в гараже, нет времени гирлянды с нее снять.

Я, наверное, очень счастливая женщина — никаких кулинарных капризов у мужа. Единственное, он может только пожелания свои высказать: «Давай картошечки сегодня пожарим». А так все, что дома приготовлено, он будет есть.

Я не покупаю ему вещи, я покупаю только подарки, когда Новый год, юбилей. Или вот в день Святого Валентина, как еще принято говорить, в «День влюбленных», я ему купила очень красивые ботинки. Слава вещи себе выбирает сам, когда мы вместе ходим по магазинам, но обязательно он должен спросить мое мнение. И когда одевается, перед тем как ехать на игру, всегда советуется, какой галстук лучше к какой рубашке подойдет.

Главное для него в семье, самое ценное, что есть в его жизни, — наша дочь. Рождение Настеньки перевернуло всю жизнь. Другое расписание дня, другой образ жизни. Если раньше мы были вдвоем и все исходило от наших желаний, то сейчас любое принятие решения связано с ребенком. То, что лучше для дочки, имеет решающее значение. У Славы с Настенькой вообще какая-то необыкновенная связь, которой я не перестаю удивляться. Они настолько друг друга чувствуют, что иногда теряешься. Когда он приезжает ночью, Настенька обязательно проснется — папа приехал. Счастье для нее самое большое, когда он ее с собой забирает на тренировку или погулять. Если в выходной он хочет дать мне немножко отдохнуть, он везет ее на каток или поедет что-то с ней лепить и красить, или в дискаверизон, по-нашему «Мир открытий». Как все папы, он трясется над дочкой, не дай Бог упадет или ударится. Мы собирались с ней на уроки балета, за нами днем заехала Лори, мама ее подружки Алисы. Февраль, скользко, Настенька вышла, шлепнулась и заплакала. Я пожалела ей коленочку, усаживаю ее в машину. Только отъехали, телефон в машине звонит: «Что с ребенком, почему упала?» Я говорю: «Слава, поскользнулся ребенок». — «Почему поскользнулся?» Я говорю: «Потому что скользко, лед, зима на улице». — «Почему она поскользнулась и упала?» — «Слава, дети иногда падают». Мальчиков отцы строже воспитывают, а девочки для них — принцессы. Конечно, Слава пытается быть с ней строгим, но эти ручки маленькие его обнимают: «Папочка, миленький», и все — он тает.

И еще одну сложнейшую проблему мы привезли в Америку с собой из Москвы. В 1983 году у Лады случилась внематочная беременность. После этого все наши врачи сказали в один голос, что детей у нее уже никогда не будет. Мы ходили от одного специалиста к другому, от медицинского светила до какого-то экстрасенса, но везде получали один и тот же ответ. Этот факт тоже давил на психику неслабо. Однажды Лада мне призналась, что одно время ей было больно видеть грудных детей и их счастливых мамаш, а когда видела беременных — плакала. Но я почему-то верил, что рано или поздно у нас будет ребенок. Правда, моя вера с годами немного потускнела, но когда мы поселились в Нью-Джерси, то стали искать пути решения этой проблемы, а они здесь оказались короткими. Наша учительница английского сделала огромное количество телефонных звонков, выясняя, кто в этой области лучший врач. В результате Элен нашла хороших специалистов. Счастье — вообще иметь детей, а в нашей с Ладой жизни — вдвойне, втройне. Лада забеременела, и, когда я приехал домой после серии игр, она уже знала об этом. Хитро посмотрела и сказала: «Знаешь, я беременна». Я не поверил, а потом смотрю: у нее от счастья слезы на глазах. Мы обнялись, долго так сидели, стали что-то фантазировать про ребенка. В общем, стали ждать Анастасию.

До шести месяцев никто не мог заметить, что Лада беременна, даже меня какие-то сомнения стали разбирать. Потом как начал у нее живот расти! Тут у меня отпуск начался, «Дэвилс» закончили сезон в конце апреля. Сначала Лада на все брюзжала, потом началась фантастическая активность. Мы куда-то все время ездили, она уже тянула под 90 килограммов, с огромным животом, но такая веселая. Весь последний месяц перед родами мы ездили по детским магазинам: одежда, коляски, разные приятные покупки. И тут случился такой казус...

Доктор наш, Томас Корени, работал в Нью-Йорке, а мы жили в Нью-Джерси. Дата рождения «запаздывала», и он назначил Ладе на 9 июля на час дня обычный осмотр. Восьмого по телефону мы с ним обстоятельно поговорили, все симптомы рассказали. Он объяснил, что все проходит нормально, завтра посмотрим, а где-то через недельку будете рожать.

В час или в два ночи Лада будит меня и говорит, что начались схватки. Я спросонья: «Какие схватки? Сказали — через неделю». — «Нет, — говорит, — это точно, уже все». У меня никакого опыта нет, да и Ладе рожать первый раз, ее мама на это время к нам приехала на подмогу. Я попросил ее позвонить в «Сервис 24 часа в сутки». Нам задали какие-то вопросы и отвечают, что ничего страшного, что у Лады не схватки, а нарушение психологического состояния. Но она — охает, ахает. Потом к пяти утра начались стоны. Я звоню доктору. Мне отвечают, что офис открывается в половине девятого, приезжайте. Ехать туда минут сорок, но утро, все едут на работу, и мы выехали за два часа. Посадил я в машину Ладу, набрал всяких клеенок, теща их надавала на случай, если воды будут отходить. У меня паника — какие воды, куда? Поехали. Движение сумасшедшее. Лада ахает, охает, сейчас рожу, кричит. Сплошные нервы. Я ей: «Куда рожать, терпи». Наконец в Нью-Йорк въехали, добрались до офиса нашего доктора. Я машину бросил в неположенном месте, помог Ладе выйти. Доктор с ночного дежурства, мы его попросили не уходить домой, нас дожидался. Доктор Ладу посмотрел, нет, говорит, процесс только начался, я пойду посплю, а вы не суетитесь, приходите в час. Лада сразу повеселела, и у меня гора с плеч.

Девятого июля 1991 года, накануне рождения дочки, мы пошли в Нью-Йорке в Центральный парк, он как раз рядом с госпиталем. Там внутри зоопарк, где мы и гуляли. Дошли до обезьянника, я думаю: вот такая же мартышка и у нас родится. Погода отличная, съели знаменитый нью-йоркский хот-дог. Потом снова пошли в госпиталь. Доктор осмотрел Ладу: «Сейчас возвращайтесь домой, а завтра утром приезжайте, будем делать стимуляцию, потому что сроки уже проходят». Лада должна была 4 июля родить — в национальный американский праздник — День независимости.

Выходим из госпиталя, я говорю: «Слушай, дорогая, я уже больше в Нью-Джерси не поеду. Маме позвони, чтобы не дергалась, и давай здесь в гостинице неподалеку переночуем». Заехали в магазин к знакомым, а они: «Зачем вам гостиницу снимать? Поедем к нам, в Квинс, квартира большая, а в случае чего — госпиталь рядом». Я отказываюсь. А Лада: «Что это мы будем одни в гостинице торчать, с друзьями веселее». Ребята закрыли свой магазин пораньше, гулять так гулять.

Когда едешь из Манхэттена часа в четыре или пять в сторону Квинса, движения нет никакого. Ребята уверяют, что его и по утрам не бывает. Но только мы пересекли туннель под Ист-Ривер, как у Лады начались серьезные схватки. У Иры — жены нашего приятеля — двое детей, она сразу все поняла, командует: «Разворачивайся». Я разворачиваюсь и попадаю в пробку. Одна полоса закрыта на ремонт. Остаются только две полосы на Манхэттен, но движения нет, стоим. Лада: «Ох, ах». Игорь — муж Иры — не выдержал: «Я с вами не поеду, я такие вещи не могу видеть». Вышел такси ловить на другой стороне. Мы стоим, никуда не двигаемся.

В свое время мы с Ладой прошли специальную подготовку, изучали предродовые симптомы, видеокассеты смотрели. Если схватки через определенные промежутки времени, значит, уже близко роды. Я засекаю время, судя по всему, началось. Ира не выдержала, выскочила из машины, побежала вперед. Подскакивает к водителям стоящих передо мной машин, кричит: «У нас женщина рожает!» Они стали разъезжаться в стороны, а она так и шла впереди меня, распихивая машины. Я думаю, самое главное — дотянуть обратно до туннеля, потому что там обычно стоит полицейская машина, они помогут.

Туннель выходит на 20-х улицах, а нужно ехать до 90-х. Это 70 светофоров! Но, если полицейская машина нас эскортирует, может, проскочим. Подползаем к туннелю, я у парня, которому за проезд деньги платят, спрашиваю: «Где полицейские?» — «Были, но сейчас поехали на обед». Я на этого парня наорал ни за что. Эмоциональный срыв, но я ему все сказал, что я в тот момент думаю и про Америку, и про полицейских. Поехал я на красный свет. Обычно, когда нарушаешь, полиция тут как тут. Сколько мы проехали красных светофоров, чуть ли не каждый второй, — ни одного полицейского. Добрались до офиса, доктора еще не разошлись. Я бросил машину прямо у пожарного гидранта, у которого стоять категорически запрещено — машину сразу утаскивают. Ира завела Ладу, врачи посмотрели: «Быстро в госпиталь!» Еще проехать минут пять до приемного отделения, но там нас уже ждали с каталкой.

Я немного расслабился, не каждый день приходится переживать такое. Поставил машину на стоянку, прихожу в больницу, Ладу уже в палату положили, подключили к ней разные датчики. В госпитале при родах разрешали мужу находиться в палате и еще одному человеку. Наша подруга, учительница английского, которая активно участвовала в поисках докторов, очень хотела присутствовать в решающий момент. Чувствую, говорит, свою ответственность за Ладу и бэби. А тут получилось, что и Ира оказалась рядом и помогла в самый трудный момент. Кино надо снимать, как женщина, по-русски плотной комплекции, бежала сквозь трафик, разгоняя машины и крича с русским акцентом, что сзади нее в «Мерседесе» рожают. Но Ира уехала домой, я ей пообещал сообщать, как все проходит, и мы позвонили Элен. Она примчалась через час и уже до конца была рядом. Теща тоже не знала, что Лада уже в больнице. Я ей позвонил, сообщил, что дочка рожает. Она хотела попасть в госпиталь, я извинился, но ехать за ней в Нью-Джерси у меня уже ни сил, ни времени не оставалось.

Я голодный, за весь день одну сосиску, этот хот-дог съел, весь на нервах. Ладу подключили к аппаратам, сделали обезболивающее, она опять повеселела, а я хожу из угла в угол.

В госпиталь мы попали около восьми вечера, а Настя родилась в два часа двадцать одну минуту ночи десятого июля. Но уже в половине одиннадцатого я не выдержал, говорю Ладе: «Пошел анестезию принимать». Зашел в ближайший бар, попросил сто граммов коньяку, сразу выпил, чем-то закусил, попросил еще один бокал. Расслабился, сижу, бармен меня спрашивает: «Приятель, у тебя какие-то неприятности?» — «Нет, — отвечаю, — никаких неприятностей, все классно, жена за углом рожает». Бармен объявляет: «Третью за счет заведения». Мне пришлось выпить еще и третью. Так что я тоже получил свою дозу обезболивающего. Возвращаюсь веселый в отделение, наш доктор тоже появился, не переодеваясь, прошел в брюках и в рубашке в палату к Ладе, посмотрел ее, заявил, что ждать еще часа два-три, а «я пойду домой, мне тут недалеко». Я прошу: «Никуда не уходи». Он меня успокаивает: «Биппер со мной, мне позвонят, и я буду здесь через пять минут». Через пару часов доктор вернулся: «Еще подождем минут сорок, и надо будет делать кесарево». Я — ругаться на Ладу: «Я целый день на нервах, а ты лежишь отдыхаешь!» Накричал на нее — и родилась Анастасия.

Когда сам присутствуешь при родах, ощущения такие сложные, что их невозможно описать. Видишь, как рождается новая жизнь. Через несколько минут мне дали подержать дочку, большего счастья я в жизни не испытывал. У нас не принято отцу находиться при родах, здесь — в порядке вещей. Наблюдение за рождением собственного ребенка, мне кажется, даже укрепляет семью. Совершенно иное и отношение к жене, когда ты видишь, с какими муками все происходит. В Москве — увезли за неделю, потом выходит жена, выносит тебе ребенка. А здесь ты не только переживаешь роды, в какой-то степени сам в них участвуешь. У американцев целая программа — за месяц до родов женщина ходит с мужем на курсы, их обучают: ее — как надо дышать, его — как надо помогать жене.

Из госпиталя я позвонил сначала теще, потом в Москву, маме, сказал, что у нее родилась внучка. И еще я сказал маме, как я ее люблю, зная теперь, чего ей стоило мое рождение, как женщине дается материнство. Мама расплакалась.

Анастасии бирочки разные повесили и увезли. Ладу перевели обратно в палату, а мне принесли туда раскладушку, была уже глубокая ночь. С утра я купил огромный букет цветов, притащил его в госпиталь. Потом друзья начали приезжать. Ребенка принесли, а в палате куча людей, полная антисанитария. Я старался их от дочки отгонять, а они обижаются, галдят, что это здесь нормальное явление. Целый день принимали гостей, друзей, хозяин команды и генеральный менеджер прислали по корзине цветов. Пришлось специально машину заказывать, чтобы все цветы перевезти домой.

Заехал в наше, тогда еще советское, консульство, в то время туда привозили крымское мускатное шампанское. Забрал весь их запас. Ездил по друзьям, поздравлялся. Рома Каплан подарил иконку, которая с того дня висит у дочки над кроваткой. А через два дня привезли Настюху домой, соседи уже про ее рождение знали, теща воздушные шары кругом повесила. Похоже, вся женская половина нашей «деревни» приходила с цветами по очереди приветствовать Ладу.

Наша жизнь круто поменялась: появился еще один человек в доме. Настя перевернула весь наш быт. Огромная ответственность перед маленьким существом. Куча вопросов сразу появилась, какие няни, какие детские сады? Какое расписание? Говорят, что были и крики по ночам, но, честно скажу, я спал и ничего не слышал. Мое дело — будущее ребенка, его финансовое обеспечение. Как ни странно, ответственность за судьбу дочки, за нашу семью придала мне жизненной уверенности.

Через три недели после рождения дочки мы решили лететь в Москву, показать ее моим родителям, и столкнулись с проблемой американского паспорта. Ребенок, который родился в Америке, автоматически получает американское гражданство до исполнения двадцати одного года, а если кто-то из родителей или оба неграждане США, то он имеет право на выбор. Свидетельство о рождении Анастасия получила американское, потом на основании этого свидетельства получила и паспорт. Три недели всего ребенку, а у нее уже фотография в паспорте. В советское посольство приехали, говорим, ребенок у нас американец, а мы собираемся в Москву. Там сразу шум, гам, скандал. «Надо советское свидетельство о рождении получить, иначе ты не можешь везти дочку в Россию. Нужно делать приглашение, если она поедет по американскому паспорту». Я спрашиваю, какие вопросы, дайте нам родное свидетельство о рождении. Выписали за 100 баксов, и с этим документом мы повезли Настю в Москву в августе 1991 года.

Девочка она хрупкая, но не капризная, хотя достаточно чувствительная. Летом 1996 года всей семьей, как обычно, часть отпуска провели в Москве. Я подписал новый контракт с «Детройтом», потом со сборной России уезжал на Кубок мира, после Кубка должен был возвращаться в Детройт искать новый дом, затем в него переезжать. Мы с Ладой решили отправить дочку прямо из Москвы к бабушке с дедом (к маме и отчиму Лады) в Австралию, они там прожили семь лет и только совсем недавно перебрались в Канаду. Бабушка с дедом известные тренеры по спортивной гимнастике, отчим Лады, Андрей Федорович Родионенко, не один год проработал старшим тренером сборной Союза. И в Австралии, и теперь в Канаде он возглавлял национальные сборные. Теща и Андрей плотно посадили внучку на тренировочный режим, водили каждый день в зал, но внучка-то единственная, чувствует, что может делать все что угодно, даже в зале сборной Австралии. Она когда хотела — занималась, когда хотела — дурака валяла.

Если Анастасии не уделяешь внимание, она становится упрямой, ее трудно заставить что-то сделать. Такая черта характера — к ней должно быть постоянное внимание. Настя оказалась самой маленькой в группе девочек, которые тренировались уже год. После двух месяцев занятий включили Настю в соревнования среди семилетних. Никто не думал, что она что-то способна выиграть, тем более что ни одной композиции она ни разу на тренировке не показала до конца, только фрагменты. Бабушка рассказывала, что Настя всегда, когда приходила в зал, первым делом кувыркалась, баловалась, со всеми шутила и обнималась...

Иногда мы с Ладой думаем, что надо как-то ее переделывать, потому что она уж слишком доверчивая, и в том мире, в котором мы живем, ей будет непросто. С другой стороны, жалко ломать ей характер, настолько она восприимчивая к другим и очень легко сходится с детьми.

В общем, Настенька пришла на соревнования, но с первого шага, как только вошла в зал, стала собранной, ни с кем не шутит, со всеми официально здоровается. Выполнила она упражнения на брусьях, бревне и вольные, показала все, что умела, и, к восторгу и удивлению бабушки с дедом, выиграла первое место. Конечно, не потому, что она их внучка. Позвонили они нам, рассказывают о победе, и это известие меня обрадовало. Хорошо, что она проявила характер именно в соревновательный момент, когда это необходимо. Значит, есть надежда, что с таким характером из нее что-то получится. Я не говорю о спорте, такой характер в жизни пригодится.

Анастасия прилетела из Австралии и привезла диплом,

где написано, что «Стеси Фетисов» выиграла соревнования по гимнастике в таком-то году в Австралии, в таком-то регионе.

ЛАДА: День у дочки загружен до предела. Она много и тяжело работает на протяжении всей недели. Мы решились на такое расписание, исходя их собственного опыта. Мы оба знали с детских лет нагрузку от постоянных тренировок, я тоже, с шести, серьезно занималась в гимнастическом зале. В будущем то, что она с детства знакома со спортом, ей не помешает. Ни в восемнадцать — в университете, ни в четырнадцать, когда ее позовут на дискотеку, а она должна будет помнить про утреннюю тренировку.

Вот обычная неделя нашей семилетней дочурки. С 9 утра до 16-ти — школа. В понедельник, один час с 18-ти — плавание, а во вторник два часа гимнастики. В среду один час тенниса с личным тренером, в четверг один час русского языка, благодаря этому она читает по-русски (в школе у них испанский), в пятницу — теннис, в субботу — час плавание, час — теннис и еще один час — гимнастика.

Спать Настюха ложится из-за больших нагрузок в восемь, потому что встает в семь утра. В субботу вечером к ней приходит обычно Алиса и играть они могут до десяти, порой до одиннадцати, так как в воскресенье — день отдыха и она отсыпается.

Мы стараемся, чтобы телевизор она смотрела поменьше, она и так нагружает себя компьютером, моделирует на нем одежду для Барби. Более или менее мы разрешаем ей сачковать на гимнастике. Наступят каникулы, Настенька поедет к дедушке и бабушке, и там в зале они научат ее за неделю всему тому, что в группе изучали четыре месяца.

И тем не менее Слава считает, что я дочку очень балую. Но я бы не сказала, что она избалованная девочка. Правда, был случай, когда ей купили игрушки и они были сломаны в тот же день. Тогда я собрала их в пакет и сказала, что мы отдадим его детям, у которых нет возможности иметь такие дорогие игрушки. Я посадила ее в машину и повезла в район, где живут бедные, где дома в плохом состоянии, где дети играют на улицах совсем не в таких нарядах, в каких она ходит. Сейчас у нас игрушки не ломаются и куклы не раздеваются. А то как новая кукла, так она в первый же день раздета, вся ее одежда неизвестно где, а голова уже с остриженными волосами. У детей рано или поздно такой вандализм проходит, но мне хотелось, чтобы она с малых лет умела сохранять вещи.

Недавно в школе им дали задание: они должны принести два доллара на данейшн — подарки бедным детям, чтобы им купить игрушки. Но эти два доллара они должны заработать сами. И предлагается: вынести мусор за 25 центов, убрать свою постель утром еще за 25 центов, помочь подмести пол тоже за 25 центов или посидеть с маленьким бэбичкой, поиграть с ним час за два доллара. У нас со Славой взгляд на жизнь другой. Ребенок должен убирать постель сам, а не за деньги, ребенок должен дома помогать без того, чтобы я ей за это платила, и не очень такому домашнему заданию мы были рады.

Я предупредила учительницу: «У нас в доме за работу, которую ребенок должен делать каждый день, деньги не платят». Мы нашли другой выход: так как здесь все борются за экологию, мы Настеньке объяснили, что когда она собирает баночки, конечно, не по улице, а те, из которых пьет дома — спрайт, джинджерел, — складывает их в пакет и несет сдавать в магазин, там есть специальные автоматы, а каждая баночка стоит пять центов, то она спасает землю от загрязнения и жизнь на нашей планете. Со своей подружкой они собрали все банки, какие у нас накопились, и пошли их сдавать. Так Настенька заработала два доллара тридцать центов. Обе были ужасно довольны и счастливы. Два доллара она принесла домой, потому что знала, что должна их взять в школу. А к тридцати центам папа ей что-то добавил, они вместе ездили сдавать банки в магазин, она купила себе жвачку, была необыкновенно горда и всем сообщала, что помогает очищать окружающую среду.

Нам с дочкой предстоит по программе еще и работа на кухне бесплатных обедов. Родители должны готовить и разливать супы, а дети разносить тарелки. Им полагается увидеть и другую сторону жизни.

Мне не очень нравится принятое здесь кляузничество. Мы росли — в школе ябед презирали. Я пытаюсь объяснить это Насте, но она меня не очень понимает, потому что для нас какие-то вещи кажутся неприемлемыми, а для американцев — норма жизни. Возможно, и им какие-то наши правила кажутся странными. Я пошла со своей приятельницей Айрин на хоккей. Есть правило, да и на билете написано, что зрители не имеют права снимать игру. Рядом с нами сидит парень с включенной камерой. Айрин встает посреди периода, зовет секьюрити, тот к нам спускается, забирает у парня камеру, вынимает из нее пленку, а его выгоняют с игры. Я ей говорю: «Зачем тебе это нужно? Откуда ты знаешь, какая ситуация у человека? Может быть, у него кто-то в больнице лежит. Представь себе, у него брат или отец — болельщик, лежит в больнице, может быть, он хочет, сняв игру, обрадовать родного человека». — «Нельзя, — мне отвечает Айрин, — это не положено, он не имеет права».

С нами однажды произошел интересный эпизод. Мы только год как приехали в Америку. Пришли к нам в гости Андрюша Чесноков, Саша Розенбаум, в общем, собралась такая разношерстная шумная русская компания: артисты, журналисты, спортсмены. Час ночи, гости начинают разъезжаться, все приехали на машинах, около дома их штук шесть. А как русские обычно уходят? Они прощаются, но сразу не расстаются. И прощание продолжается на каждой ступеньке, тем более что Андрей улетал куда-то на турнир, а Розенбаум обратно в Россию. Все хором говорят, целуются, рассаживаются по машинам. У нас в Вест-Орандже один из самых тихоньких, спокойненьких районов. Через пять минут и с одной стороны улицы, и с другой подкатывают две полицейские машины. Из них никто не выходит, просто стоят. Подождали, пока все расселись по машинам, разъехались, мы зашли в дом и закрыли дверь, и только после этого полицейские уехали. Видимо, кто-то из соседей позвонил и сказал, что здесь у нас шум какой-то.

А в Москве стальную дверь в квартиру к моей знакомой автогеном вырезали (она ключи потеряла), так никто из соседей на площадку не вышел. Так что еще не факт, чьи правила лучше. Правда, эти сомнения касаются только нас, родителей. Насте ведь не надо даже было адаптироваться к новому обществу. Она здесь родилась, она учится в американской школе, распевает их песенки и не задумывается: «Как у них, как у нас?» Много есть «мелочей», которые Настя из-за разницы жизни в двух странах не понимает. Здесь все детям улыбаются, все с ними здороваются. Если ты переходишь с коляской улицу, машины остановятся и тебя обязательно пропустят. Пока не перейдешь на другую сторону, машина не тронется — будет ждать. Люди, идущие навстречу, обязательно посюсюкают с ребенком, сделают ему комплимент, чем-то угостят. Я дочку учу: «Возьми конфету, скажи спасибо, но никогда ее не ешь» — потому что везде ненормальных хватает. Было несколько случаев, когда травили конфеты и дети попадали в больницу. Настенька со всеми здоровается, со всеми общается. Мы приехали в Москву, она так же идет со мной по улице, всем улыбается и говорит: «Хай». И ребенок через десять минут, глядя на меня большими глазами, спрашивает: «Мама, почему все такие недобрые? Почему мне никто не улыбается?»

Мы живем в центре Москвы, и пока Настенька всем около Пушкинской площади улыбалась, единственный, кто ей ответил, — девочка лет восемнадцати, которая остановилась и сказала: «Хай! А ты что, по-английски говоришь, такая маленькая?» Настенька так за нее и зацепилась, я ее еле оттащила. «А ты будешь моей подружкой? А ты будешь со мной играть? А ты будешь со мной разговаривать? А я здесь не живу, я вот только-только приехала».

Через пару дней мы с ней пошли гулять, и она взяла с собой Барни — игрушечного динозавра, который, если нажимаешь ему на лапку, поет песенку. Мы гуляли в скверике, а рядом играла девочка Настиного возраста, может, на полгодика старше. Она не могла оторвать завороженного взгляда от этой игрушки. Настенька ко мне подходит: «Мама, этой девочке очень нравится Барни». Я ей говорю: «Вот и подари его девочке». — «А у меня тогда не будет Барни, если я его подарю». — «Зато теперь Барни будет жить в Москве». Настя подходит и отдает игрушку со словами: «Это мой тебе подарок». Девочка подхватила динозавра, но надо было видеть ее маму. Она дернула за руку дочку так, что та подлетела. Там, в полете, ребенка развернула на 180 градусов и ушла с детской площадки. Я в шоке, а у Насти истерика: «Почему она мне не сказала спасибо? Почему она ушла?»

Но, с другой стороны, у нас дети более развиты. Даже не то что развиты, наверное, образование более обширное. Я бы с удовольствием учила дочку в Москве. Спорт, балет — все это на несравнимо высоком уровне. И в то же время я хочу, чтобы она вышла на улицу и спокойно играла. Мы спустились погулять в нашем московском дворе — огромные занозы в качелях. Или железная труба на детской перекладине торчит. Труба оторванная, отломанная, и никто ее не приварит, никто не починит. Никого не волнует, что на нее может напороться ребенок.

Я имею право так резко высказываться потому, что тридцать лет прожила в Москве. Там выросла, там все мое, там все родное, там мои корни, и деревья там мои, и улица моя, все мое, даже пыль.

Ребенок тяжело нам достался. Друзья считают, что мама и бабушка ее балуют, на что Лада отвечает: «Ну а кто же ее тогда будет баловать?» Я стараюсь насколько могу выглядеть строгим отцом, но Настенька такая очаровательная девочка, и когда она смотрит тебе в глаза, кажется, ты готов отдать ей все, что она попросит. В глубине души я, конечно, осознаю, что нельзя этого делать, поэтому стараюсь не расслабляться, но в то же время стараюсь понапрасну не докучать ей наставлениями. Я совершенно уверен, что ребенок с самого начала должен воспитываться с правильным пониманием жизни. То, что у нее сейчас много всего, вовсе не значит, что это есть у всех, и она должна это ценить и понимать, что ей повезло.

К счастью, я имею достаточно времени, а не раз в месяц — сел, поговорил, все объяснил, — чтобы общаться с дочкой. У Лады даже какая-то ревность появляется, она стирает, готовит, всюду Настю возит, а дочка больше привязана ко мне. Впрочем, мы заметили (не знаю, хорошая это черта или нет), что она внешне никак не показывает свои привязанности. Меня очень удивило, когда это проявилось в первый раз. Анастасии было не больше трех, и теща предложила взять ее к себе, чтобы мы на пару недель куда-нибудь съездили отдохнуть. Я долго не соглашался, но меня уговорили. Отвезли их в аэропорт. Настя нас поцеловала, потом пошла в самолет, не обернувшись ни разу. То же самое случилось, когда она улетала от бабушки и деда из Австралии. А здесь, в Детройте, вроде бы забыла про бабушку, не интересуется, как дед. Нам кажется, она все переживает внутри. Может, это моя черта характера, она все держит в себе и не проявляет никаких эмоций. Из-за этого Лада частенько расстраивается.

Или другой пример...

Когда Анастасии исполнилось пять лет, у нее образовались большие гланды, это тоже наследственное, тоже от меня. Гланды уже мешали ей и дышать, и спать, и есть. Доктора нам посоветовали их удалить. Один раз я разбудил Ладу ночью — зашел в комнату дочки, слышу, у нее дыхание такое, будто она захлебывается. Утром я позвонил доктору и попросил назначить день операции. Некоторые говорят, что дети подрастут, гланды пройдут сами, вроде бы организму они нужны. Но мысль, что Настя может задохнуться в любую ночь, испугала меня. Мы приехали втроем в больницу на операцию. Сидим в предоперационной, болтаем, шутим. Но когда Насте нужно было сделать местный наркоз, она не далась, и мне пришлось ее держать. Как рассказать о том, что ты испытываешь, когда перед тобой глаза твоего ребенка, он смотрит на тебя, взглядом спрашивая: «Папа, зачем ты это делаешь?» Начинаешь объяснять, что так надо, что дальше легче будет дышать. Но она смотрит на тебя, и получается, что ты ее предаешь, ты помогаешь врачам сделать то, что ей не нравится. Она ожидала, что я буду защищать ее в этой ситуации, а получилось наоборот...

По законам Соединенных Штатов, Анастасия — американка. Но она имеет и русское свидетельство о рождении. У нее будет выбор в жизни. А может, в новом тысячелетии можно будет иметь двойное гражданство? Во всяком случае, нет ничего важнее, чем выбор в жизни. Настя говорит по-русски, но ходит в американскую школу, читает все русские буквы и, конечно, английские. Слушает русские сказки и очень их любит. Любит Москву. Для нее все просто и привычно, чему я, выросший в СССР, не перестаю удивляться. Многие ребята-легионеры привозят детей в Москву, и дети больше не хотят сюда попадать. Что на них так действует, не знаю. Но каждый год Настя приезжает с нами на родину, и зимой с нетерпением ждет, когда придет пора отправляться в Москву. Сложно сказать, где я буду через пару лет, что буду делать. Но ребенок должен жить вместе с родителями. Поэтому вопрос о ее будущем пока открытый. Что касается образования дочки, то я постараюсь, чтобы она его получила в одной из лучших школ, где учат не только хорошим манерам, но и существует дисциплина. Мне беспокойно за подростков в Америке, слишком уж много свободы, поэтому, скорее всего, мы выберем европейскую школу. А может, к тому времени в России будут такие же школы, как, например, в Англии.

ЛАДА: В Детройте в первый полный сезон Славы в «Ред Уингз» Настя пошла в детский сад для пятилетних детей. Ее взяли в четыре с половиной, взяли из-за того, что там уже занималась Анна, дочка Дагги и Моурин Браун. Разница в полгода — большая разница между детьми, и Настеньку поначалу не хотели записывать в класс к Анне. Я попросила сделать исключение и долго уговаривала директора, объясняя, что мы с ребенком занимаемся дома, ребенок развит хотя бы потому, что говорит на двух языках. Я очень хотела, чтобы Настенька попала в ту же группу, где и Анна, потому что ребенку легче привыкнуть к новому месту, когда рядом есть товарищ. А они с Анной настоящие подружки, при встрече и расставании очень смешно обнимаются, дружат они, что называется, с пеленок, точнее, с памперсов.

Мы едем в школу, где-то на площади, по дороге, висит «звездно-полосатый», и она с гордостью говорит: «Мой флаг» и, прикладывая руку к сердцу, поет американский гимн. Первый раз мы даже вздрогнули. Она сидела в машине на заднем сиденье, увидела «свой флаг» и начала вдруг петь о стране Америке. Потом у нас спрашивает: «Папа, мама, а ваш флаг какой?» Значит, разделяет, кто где. Мама с папой из России, а про себя говорит, что она американская девочка. «Я — американка, а мои мама и папа — русские. Я русская американка». Она очень любит Австралию, спрашивает: «Я, может быть, еще и австралийка?» Я ее успокаиваю, нет, ты не австралийка.

Первое время она не хотела идти в школу, крик поднимала, когда я ее подвозила и учительница забирала ее из машины. Моурин сказала, что у Патрика — ее второго сына — такого не было, а у Анны все то же самое. Причем они приехали в Детройт из Питсбурга, потому что Дагги поменяли из «Дэвилс» в «Питсбург», а уже из «Питсбурга» в «Детройт». В Питсбурге Анна нормально отреагировала на новую школу, а когда приехали в Детройт — не хотела в школу ходить. И Настенька цеплялась за меня, кричала: «Мамочка, не оставляй меня, ты что, меня не любишь? Не оставляй меня одну в школе!» Кричала по-русски, хорошо, что люди вокруг не понимали. Это прошло через неделю.

Чем старше она становится, тем все сложнее с языком, потому что она начинает смешивать русские и английские слова. Но если она видит, что человек не понимает по-английски, будет говорить по-русски. Иногда у дочки получаются смешные предложения: окончания не те, может перепутать «он» и «она», но говорит хорошо. Обожает наши сказки, я их ей читаю с четырех месяцев. Когда родилась Настенька, моя мама привезла полное собрание сочинений Пушкина, которое еще я читала ребенком, маленькие синие книжечки. Сейчас дочка принялась за русские мультфильмы. Совсем недавно не хотела их смотреть ни в какую, хотя наши друзья ей привозили из России все самые лучшие мультяшки. Нет, не нравится. Ей надо «Красавицу и Чудовище», «Алладина», «Русалку». Может, краски, костюмы, музыка потрясающие — это привлекает. Но теперь она смотрит и наши. «Малыш и Карлсон» ей очень нравится, «Ну, погоди!» — посмотрела мультик и бегала, трясла кулаком.

С удовольствием смотрит «Королевство кривых зеркал», «Золушку». Поет: «Встаньте, дети, встаньте в круг...» Нас заставляет петь и кружить с ней хоровод. Я рада, что дочке нравятся эти фильмы, они добрые, они о верной дружбе, но что интересно, значит, они вполне конкурентны с Диснеем, на котором вырос наш ребенок. Единственное, чего она понять не может, почему «Золушка» черно-белое кино.

Удивительно для меня то, что, становясь старше, Настя все больше и больше скучает по папе, переживает, когда он уезжает, возмущается: «Ты мне еще год назад обещал, что больше в хоккей играть не будешь».

Пятнадцать лет подряд я участвовал в различных турнирах в Северной Америке. Выступал там и за сборную СССР, и за свой клуб ЦСКА, но с канадскими и американскими игроками поговорить мне не удавалось. Во-первых, потому что не знал языка, а во-вторых, даже если бы и знал, не хотелось общаться с ними, выслушав инструктаж перед каждой поездкой, где гарантированно обещали неприятности из-за несанкционированного контакта. Но если бы и захотел, то сделать это было бы сложно из-за человека, все время находившегося при нас. Его докладная записка о твоей самовольной беседе — это пятно в биографии, которое тяжело смывалось. Да и о чем нам было разговаривать? Мы жили в самой лучшей в мире социальной системе и играли в самой лучшей в мире команде — и в это свято верили. Почти все эти пятнадцать лет меня не посещали никакие посторонние мысли. Тем более нас обеспечивали материальными благами, сказочными по меркам советской жизни. Я, молодой парень, уже в 20 лет ездил на собственной «Волге». Другое дело, что «Волга», как потом выяснилось, мягко говоря, не совсем престижная машина, да и блага казались благами на фоне нищего, по американским меркам, населения.

Но «Волга» для нашей страны тогда выглядела так же, как собственный реактивный самолет в Штатах. При этом многие мои сограждане искренне считали, что мы получаем слишком большие дары за «гоняние шайбы». Как сказал отец заместителя министра спорта Николая Ивановича Русака: «Какие же вы деньги этим дармоедам платите!»

А наш тренер Виктор Васильевич говорил: «Ты что — академик? Ты что — токарь высокого разряда? Ты хоккеист, тебе говорят: живи на сборах, значит, езжай и живи на сборах». Зарплату мы имели все одинаковую, около 250 рублей, плюс доплата за офицерское звание и 20 рублей за звание заслуженного мастера спорта. Еще полагалось получать за выслугу лет. Не знаю, какая средняя зарплата была в те годы в стране. Но официант, директор магазина или продавец-мясник в то время имели заработки, наверное, побольше, чем хоккеист сборной страны. Однако не с ними мне бы хотелось сравниваться.

Я всю жизнь преклонялся перед спортсменами в индивидуальных видах спорта. Он один, а соперников, чтобы попасть в сборную, — огромное количество, и у всех надо выиграть! Конечно, по сравнению с одиночками мы, командные игроки, жили прекрасно. У них выделялась только узкая прослойка людей, конечно, уникальных, но не надо забывать, что и нам и им платили премии только за победы. Валюта определяла в социалистическом государстве благосостояние спортсмена. Разница колоссальная, что ты получаешь: суточные или премиальные. Но если ты не выступаешь за сборную (даже те ребята, которые с нами играли в ЦСКА), ты имеешь свои 250—300 рублей в месяц.

Я не знаю, как с точки зрения сегодняшнего дня оценивать те наши премии, например в тысячу долларов, которые делали нас богачами? Конечно, с деньгами тех, кто пахали в поле или спускались за углем в шахты, наши заработки сравнивать нельзя, но тогда уже существовало достаточное число людей, которые жили так же, как мы, а порой гораздо лучше. Различными способами они прекрасно вписались в ту коммунистическую систему, которая сейчас многим старикам кажется справедливой, и откровенно смелись над остальными. Когда я уезжал в отпуск отдыхать, мне денег хватало только заплатить за хороший номер и посидеть в ресторанах, а вокруг меня на дорогих курортах эти люди широко гуляли. У них денег хватало на все.

Я тринадцать лет играл за сборную страны, пятнадцать — за ЦСКА. В итоге: однокомнатная квартира недалеко от метро «Речной вокзал», старая машина «Мерседес» (я купил битый «Мерседес», потом его с огромным трудом восстанавливал, нажив себе головную боль). И все. Гаража не смог себе построить, дачу мне никто не выделил. Новую «Вольво-740» я купил уже на деньги, которые мне мой будущий менеджер Ламарелло выдал как аванс из контракта. Великий игрок Игорь Ларионов закончил в СССР карьеру, имея двухкомнатную квартиру, дачи у него тоже не было. Правда, Ларионов владел «Волгой» и находился в стадии пробивания гаража. Сергей Макаров с женой и сыном — двухкомнатная 30-метровая квартира, сам где-то участок раздобыл и с превеликим трудом строил на нем дачу. Вова Крутов — у него трехкомнатная квартира на «Речном»! Он тоже дачу строил: отец его жены получил на работе участок. Я говорю о людях, которые считались гордостью советского спорта. Я даже не хочу вспоминать, как жили лучшие спортсмены на Украине, в других союзных республиках. Как правильно говорит Гарик Каспаров: «Мы выросли в королевстве кривых зеркал».

Однажды нам объявили: спорткомитет Министерства обороны организовывает дачный кооператив и будет туда записывать известных хоккеистов. Записали, но в итоге, выбив земельный надел в приличном районе Подмосковья, ни одному хоккеисту участок не дали. Имена наши использовали, землю под нас получили и поделили ее между начальниками.

В конце концов любой игрок и тренер сборной, я говорю не только о хоккее, старался в зарубежных поездках сделать нехитрый бизнес. Сводился он к формуле 1:10 — то есть на один вложенный в покупку доллар полагалось продать привезенного барахла на десять рублей. Чистый маразм. Хоккеистам выдавали валюту только по окончании последней игры. Обычно нас увозили на следующий день вечером, если турнир проходил в Европе, или через день утром, если играли в Америке. Сколько же за день предстояло всего купить?! И подарки родным, и вещи на продажу. Дурдом, как вспомнишь: люди, отыграв суперсерию, неслись по заснеженному Монреалю с двумя хоккейными мешками за плечами. Бегали, распаренные, в родных ондатровых шапках-ушанках, в дубленках, с огромными красными баулами, чтобы успеть за несколько часов купить то, что здесь семья покупает в течение года. Нам не разрешалось даже ходить прицениваться во время турнира.

Допустим, за две недели мы должны сыграть пять игр и выпадало два-три дня свободных, когда можно спокойно походить по магазинам. Но если тебя тренеры заставали около витрины или видели, что ты идешь с покупкой, тебя ожидали неприятности, могли даже лишить и премиальных. А сами тренеры и руководство спортивной делегации все время ходили по магазинам. Советская система: я начальник, ты говно... Тренировка, за ней обед, и они все — дружно в торговые ряды. Но если тебя там увидят — ты враг народа. Но так хочется купить домой не сразу, выбирая, аппаратуру: усилитель, проигрыватель, кассетник, колонки.

Представьте себе центр, предположим, Гамбурга. У магазина аппаратуры остановился автобус, и в отведенное время вся сборная Советского Союза бежит от автобуса к прилавку и обратно. Это все выглядело как какое-то издевательство. Но жизнь была такая, что сделаешь? Мы ездили по миру, но ничего не видели, кроме стадиона и гостиницы. Запрещалось пойти погулять. Нарветесь на провокацию. Ходить по улице не меньше чем втроем, чтобы третий мог «стучать». Со стороны казалось, хоккеисты все время на Запад ездили, много денег получали, но сколько из них сейчас нуждаются! А если бы действительно хорошо зарабатывали, наверное, так не бедствовали бы.

Мне повезло: благодаря стечению обстоятельств, хотя я и сам себе помог, я сейчас зарабатываю деньги, позволяющие вести достойную жизнь. Я не зависим ни от кого, мне не надо, чтобы мне выдавали дачу или разрешали купить машину. Многие люди после десятилетий распределителя не умеют сами распоряжаться своей судьбой, наверное, поэтому они в мечтах возвращаются обратно, возвращаются к тем прежним временам. Сознательно в нас воспитали убогость. Но даже в те времена были настоящие люди, такие, как Константин Борисович Локтев. Один только раз Локтев сказал, что нигде не будет работать, кроме как в ЦСКА, и действительно нигде не работал.

Много в родном хоккее трагедий, много ребят, которые заканчивали, хотя могли и дальше играть. Это в НХЛ если ты не ладишь с тренером и выступил против него, то тебя завтра поменяют в другую команду, но ты не теряешь работу, не опускаешь планку своего материального уровня. А в той жизни ты не мог себе позволить иметь свое мнение. Тем более, ЦСКА — это армия, и если ты выступил против тренера, ты выступил против старшего по званию офицера. Куда могут направить? В лучшем случае в СКА Ленинград, все же высшая лига. Но вряд ли тебя туда отдадут, потому что они вроде бы конкуренты для ЦСКА. Остается СКА Калинин, СКА Хабаровск, СКА Новосибирск — команды первой лиги. Другими словами, из большого хоккея ты вычеркнут. Ты же считаешься призванным в армию, аттестован как офицер, и ты должен в этой армии находиться до окончания выслуги.

Я ничего против армейского спорта не имею, люблю ЦСКА, потому что половина моей жизни прошла в этом клубе. Я получал свои 100 рублей за офицерские звездочки и ни на секунду не сомневался, что так оно и должно быть. Но на самом деле эта система совершенно кабальная, потому что выхода из нее нормального нет. Ты обязан «отслужить» 25 лет. Но вдруг у тебя не пошла игра, а может, ты тренеру перестал нравиться, вообще решил со спортом попрощаться, а уйти не можешь. И получается, что надо ехать в Хабаровск, как Гена Цыганков ездил, или — в лучшем случае — в Ленинград, как Борис Михайлов, куда угодно, но из системы уже не выкарабкаться.

Стояла весна 1977 года. Мой первый чемпионат мира, Вена. Тогда у нас собралась очень сильная команда по опыту и мастерству. И начали мы турнир прекрасно, а потом игра прямо на глазах развалилась. Не знаю, что случилось, да и трудно мне судить, я же был самым молодым в сборной — всего восемнадцать лет. Константин Борисович рекомендовал меня в первую команду страны, Борис Павлович Кулагин взял меня в Вену седьмым защитником. У Кулагина был выбор: или я, или Биллялетдинов, но удача улыбнулась мне, и я отыграл на чемпионате пять матчей. В состав сборной СССР входили: великолепная «тройка Петрова», «тройка Жлуктова», «тройка Якушева», а еще Мальцев, братья Голиковы, Васильев, Лутченко. В 1977-м им всем было по 28—30 лет, отличный для хоккеиста возраст. Плюс их выдающийся класс, позволяющий сделать из команды идеальную машину. Счастье — попасть в такой коллектив. Этой суперсборной суждено было фантастически выиграть чемпионат мира 1978 года и нелепо проиграть Олимпиаду в Лейк-Плэсиде в 1980-м. Мне кажется, что в истории нашего хоккея это сильнейшая сборная, во всяком случае на моей памяти.

Сразу после чемпионата мира я узнал, что отныне тренером в ЦСКА и сборной будет Виктор Васильевич Тихонов. Не могу сказать, что меня эта новость обрадовала, ведь именно Локтев привел меня в первую команду. Правда, я уже выступал за юношескую сборную, выиграл в ее составе два чемпионата мира среди молодежных команд, собирался играть в третьем, другими словами, открытием меня назвать было трудно. Не помню, боялся ли я за свое место в ЦСКА, думаю, что не очень.

Виктор Васильевич пришел в команду поджарым, подтянутым, кроссы бегал с нами и бегал прилично. Он привел в ЦСКА Балдериса и Капустина. А меня вместе с Сергеем Бабиновым (его как раз привезли из Челябинска) решили перевести из первой «пятерки» в звено Жлуктова. Идея Тихонова заключалась в том, что он начал строить команду по «пятеркам». Я пришел к Виктору Васильевичу: «Почему вы меня убираете из звена Петрова?» Он мне объясняет — Петрову, Михайлову, Харламову пора заканчивать, надо создавать новое первое звено: «И я рассчитываю на то, что вы с Сережей Бабиновым составите в нем пару защитников». Я лезу в бутылку: «Не хочу в другом звене играть, а хочу с людьми, которым я многим обязан. Если вы считаете, что я справляюсь со своими задачами, то оставьте меня с ними». Весь мой запал выглядел по-юношески наивно, и Тихонов быстро прекратил разговор: «Вообще, я не собираюсь с тобой дискутировать. Будешь играть там, где тебе сказали». А я майку первого звена не стал переодевать, и меня выгнали с тренировки. Потом провели собрание, созвали на него всех армейских тренеров, и меня убедили, что так лучше для команды. И я начал играть в паре с Сережей Бабиновым с «тройкой» Жлуктова.

Что изменилось в армейском клубе? В корни заглянуть не могу, я был только на двух предсезонных подготовках в ЦСКА перед приходом в команду Тихонова. Стало много легкой атлетики, кроссов, поменялась вся система подготовки на льду. Но все же я прошел школу ЦСКА, которую создал Тарасов, поэтому кое-что я тоже мог заметить, помимо увлечения нового главного тренера бегом. Намного меньше стало силовых упражнений: со штангой, с блинами, прыжки с утяжелением. Новая система подготовки через кроссы давалась с трудом: игроки тяжелые, ноги у всех огромные, накачанные. Ветераны начали ворчать, тогда их потихоньку начали убирать. Мне шел девятнадцатый год, и открывающиеся перспективы, амбиции, желание играть хорошо и много, а главное — выигрывать, не давали повода обращать внимание на сложности взаимоотношений Тихонова со звездами. Тихонов провел собрание команды, сообщил, что надо перестраиваться, менять тактику, что будем отныне играть в четыре звена и в быстром темпе.

Весной 1978 года начался чемпионат мира в Праге. Пока еще в команде оставались старые кумиры. До Праги два года подряд сборная СССР проигрывала мировое первенство: в 1976 году — в Польше и в 1977 году — в Австрии. Что, собственно говоря, и послужило толчком к тем изменениям, в результате которых Тихонов стал главным тренером сборной страны и ее базовой команды — ЦСКА.

Последняя игра в Праге никогда не забудется, самая драматичная из всех, в которых мне пришлось участвовать. Играть в Праге решающий матч за первое место, да еще с чехословацкой сборной! При этом необходимо, чтобы стать чемпионами, выиграть с разницей в две шайбы! После матча Евгений Павлович Леонов, которого мы встретили на стадионе, сказал: «Можно все что угодно прочитать, написать, но придумать такой сюжет — невозможно». Валерий Васильев в том матче получил микроинфаркт. Володя Лутченко лег под шайбу, а она ему попала в глаз — он так и не смог закончить игру. Сергей Капустин вышел на лед с температурой, зашкаливающей за 40°, и играл через смену. Его попросили появиться, потому что он отлично выглядел во всех предыдущих матчах и надо было показать противнику, что мы здоровы и в полном составе. Тот год, по-моему, был юбилейным для чешского хоккея, да и команда собралась сильная, как никогда. Мы выиграли 3:1. Как раз с разницей в две шайбы. Голы забили: и петровская «тройка», и жлуктовская, и мальцевская. И Третьяк отыграл фантастически. В общем, выиграли самый трудный чемпионат мира.

Я думаю, с этого пражского чемпионата Тихонов и получил карт-бланш в советском хоккее. Виктор Васильевич не раз потом повторял: «Мне даны все полномочия, и я, в интересах сборной, сделаю все, что сочту нужным. Потому что интересы сборной — это интересы государства». После Праги он провел несколько акций устрашения, пару человек выгнал сразу. Хоккей в СССР вступил в завершающую тоталитарную фазу.

Понимаю, что бы я ни говорил о Тихонове, все будет восприниматься через призму моего с ним конфликта. Но если отвлечься от него, то надо помнить, что команда ЦСКА и до прихода Виктора Васильевича была в стране лучшей, и сборная (Чернышов, Тарасов) уже всех приучила к постоянному чемпионству. Спору нет — человек пришел квалифицированный, но не первооткрыватель. Меня не раз в Америке спрашивали: «Как ты оцениваешь Тихонова?» Я отвечал так: «Результаты у него отличные, но если бы тренер в Лиге имел такие возможности, как он в СССР, — брать любого игрока в любое время в свою команду... то вряд ли Тихонов был бы заметен по сравнению с другими. Плюс еще полная государственная поддержка. На сборную научные институты работали. Все экспериментальные лаборатории базировались на ЦСКА. Армейский клуб походил на полигон, где спортивная наука проводила испытания. Люди работали, защищали диссертации, кстати, как они говорили, заодно писали диссертацию и сыну Виктора Васильевича, и ему самому. Я не собираюсь отрицать заслуги Тихонова, результаты же налицо. Но мне кажется, что почти десяток ведущих тренеров в бывшем Советском Союзе с такими, как у него, правами и возможностями показали бы результат не хуже...

В январе 1979 года я получил травму спины и провалялся три месяца в госпитале. В субботу вечером, накануне старого Нового года, меня привезли на носилках из Голландии и бросили в коридоре, так как свободных мест в палатах госпиталя имени Бурденко не оказалось. Кровать попалась слишком высокая, и, доставая из-под нее «утку», я чуть не разбился. А подать было некому: девочки-медсестры и санитарки отмечали праздник.

Двигаться я не мог, ниже пояса ничего не чувствовал. Пришел дежурный врач-полковник, сел ко мне на кровать. А рядом мои кроссовки «Адидас» стояли, нам их в сборной только-только выдали, зеленые такие, необычные, со светящимися отражателями. Я ими так и не успел попользоваться. Они всем бросались в глаза, тогда хорошая спортивная обувь была чем-то особым, для избранных, как и фирменный спортивный костюм, который я тоже привез из Голландии. Полковник смотрит на кроссовки: «Да-а-а, хоккеист. Да-а-а. Дела твои плохи, парень, похоже, о хоккее забудешь. Играть больше не сможешь. Не то что играть, тебе хозяйственную сумку нельзя будет носить в одной руке». Я его матом обложил, выгнал. Прибежал персонал меня успокаивать.

У меня произошло выпадение межпозвоночного диска, он защемил нервы, поэтому я не мог ходить и не чувствовал ног. Но операцию я делать не разрешил, а мне хотели диски из позвоночника вырезать. Я уперся: «Нет, не дам резать». А потом профессор Яков Михайлович Коц занялся моим восстановлением. Он придумал электроды, которые стимулировали мышцы, закачивал их, наращивая мышечный корсет вокруг позвоночника, для того чтобы сами мышцы могли поставить диск на место. Короче, занимался мною Яков Михайлович неустанно и здорово помог.

Травму я получил в январе, но обещал всем, и прежде всего себе, что подготовлюсь к чемпионату мира и буду в нем участвовать. Чемпионат начинался в апреле, и мне не хватило одного или двух месяцев. Но в 1980 году, к Олимпийским играм, я уже был в полной форме. Команда олимпийская собралась, как я говорил, сильнейшая за всю историю советского хоккея. Приехали в Лейк-Плэсид, и выяснилось, что жить будем в только что построенной тюрьме. Все как положено: нары, в камере двоим не разойтись, один сначала садился или ложился, потом второй заходил; общий туалет — в коридоре. Месяц назад советские войска вошли в Афганистан, нам сложно было понять, что же на самом деле происходит. С трибун кричат: «Захватчики», и на нас это, конечно, действует, тем более хоккеисты одними из первых поселились в Лейк-Плэсиде. Вокруг Олимпийской деревни вышки с автоматчиками, собаки постоянно лают, спать невозможно. Обстановка почти боевая или, точнее, лагерная. Нас в ЦК КПСС перед поездкой сурово напутствовали: «Ждите провокаций». Сказали, что они, конечно, хотят, чтобы мы выиграли, но если проиграем, то только не американцам. Вроде шутка такая, поскольку опасались мы чехословацкой сборной и на игру с ней настраивались. Принимали хоккеистов секретарь ЦК КПСС и еще какой-то высокий чин из идеологического отдела. А команда ЧССР в итоге не попала даже в полуфинал. Мы всех громили, громили... и проиграли американцам решающую игру.

Владика сняли с игры, заменили на Мышкина, который великолепно отстоял решающий матч в 1979 году, когда сборная выиграла у канадцев 6:0. Думаю, что слава Третьяка не давала покоя Виктору Васильевичу, и он решил одним махом с ней покончить — это мое твердое убеждение. Тихонов до этого дня никогда Третьяка с игры не снимал, всегда говорил, что Владик в трех периодах может ошибиться лишь один раз. Я до сих пор считаю, и у меня есть на то причины, что Владика «закончили» рано не без «помощи» Тихонова.

Продули мы американцам, и оставалась последняя надежда, что финны их обыграют или хотя бы сведут матч вничью. Нам было достаточно их ничьей, чтобы стать олимпийскими чемпионами. Но чуда не произошло, мы проиграли Олимпиаду. Договорились на общем собрании с тренерами — на обратном пути не пить, матом не ругаться, в Москве держаться одного мнения, что проиграла вся команда, а не кто-то один виноват.

Летим на «Ил-62» обратно на Родину. Валера Васильев послал меня как молодого за багажом, он обещал летчикам подарить клюшки. Стюардесса показала, как попасть в багажное отделение, я вытащил клюшки из хоккейного баула, полез из люка наверх и вижу: Васильев трясет Виктора Васильевича за шкирку: «Я тебя сейчас выкину из самолета». Скандал, все бросились их разнимать. Оказалось, Васильев сидел у летчиков и услышал, что в первом классе Тихонов стал обвинять Харламова и Михайлова, других опытных игроков, мол, они старые, зачем мы их взяли, из-за них проиграли. Васильев это услышал и вылетел как пробка от летчиков: «Мы же договорились, что вся команда проиграла».

Знаменитые армейские сборы существовали и раньше, но с приходом Тихонова хоккейная команда ЦСКА перешла на полное казарменное положение. Отпуск — ровно тридцать дней в году. Даже после сезона мы были обязаны ходить на тренировки по три раза в день, бегали и прыгали. Отдохнуть за такой короткий отрезок времени сложно, к тому же почти все учились в институтах и приходилось в отпуск еще и сдавать экзамены. Многие учились в военном институте физкультуры в Ленинграде. Полагалось ездить в Ленинград на сессию, а после нее не только отдохнуть, но заниматься семейными делами, обычно довольно запущенными, не было времени. На все отводился срок с 30 мая по 5 июля.

В 1981 году образовалась наша знаменитая «пятерка», Сергей Макаров пришел в ЦСКА в 1978-м, одновременно с Касатоновым. Крутов, как и я, уже входил в сборную, играл на Олимпийских играх. «Пятерке» не хватало только хорошего центрального нападающего. Взяли Игоря Ларионова из Воскресенска. В тот год чемпионат мира в Швеции мы выиграли легко, всех буквально разгромили.

Тогда же начала распадаться великолепная «тройка» Михайлов—Петров—Харламов. Закончил играть Борис Михайлов. Конец карьеры ему устроили некрасивым, после Олимпийских игр он выводил команду на лед, а сам садился на скамейку запасных. По-моему, в декабре, перед призом «Известий», Михайлов сам не выдержал, подал заявление, и его торжественно проводили на пенсию. Володя Петров в этом же году с большим шумом перешел в СКА Ленинград. В ЦСКА остались Валерий Борисович Харламов, «тройка» Жлуктова и молодое поколение.

Предстоял Кубок Канады-81, к нему шла интенсивная подготовка. Нас назвали экспериментальной сборной, так как в нее уже не вошли «тройка» Петрова и еще несколько известных игроков.

Могли ли Петров, Харламов, Михайлов играть еще или действительно пришло время им уходить? Не знаю. По тем временам они и так задержались в спорте. Что касается Харламова, то он серьезно готовился и находился в приличной форме, я это сам видел. Мы с ним сблизились. Касатонова, Крутова и меня Харламов опекал, потом опека перешла в хорошую, добрую дружбу. С Харламовым меня всегда связывали какие-то невидимые нити: во дворе, где я рос, жил в соседнем подъезде его дед — дед Сергей. Увидев меня в цеэсковской форме, дед Сергей сказал, что у него внук играет в ЦСКА. Кто? Харламов. Я не поверил, что у нас вот так, запросто, во дворе вдруг живет дедушка легенды.

Однажды Харламов сам приехал к нам на Коровинское

шоссе после какого-то чемпионата мира: белая «Волга», номер 0017. Все выбежали во двор, я в числе первых, мне было лет двенадцать. Я уже ходил в армейскую хоккейную школу и смотрел на Харламова как на божество, сошедшее с небес на землю и стоящее рядом. Пока Харламов сидел у деда, около его «Волги» пацаны бегали и прыгали, как ненормальные. Потом дед Сергей вышел внука провожать. Стоят они у подъезда, и дед говорит: «Слушай, Валера, вот видишь — мальчишка, мой сосед, он тоже в ЦСКА играет». Харламов — мне: «Парень, иди сюда». Поздоровался за руку, по волосам потрепал: «Парень, может, когда-нибудь удастся сыграть вместе». И засмеялся заразительно, как он всегда смеялся. Они с дедом обнялись, поцеловались, Харламов уехал, а я еще какое-то время стоял у подъезда, пошевелиться не мог.

Когда я в первый раз попал на сборы с основной командой ЦСКА, я напомнил Харламову о давней встрече во дворе. Он про нее, конечно, забыл, но я напомнил со всеми подробностями, так и так, на Коровинском. «Ну да, точно, дед у меня там жил». Дед Сергей к тому времени уже умер, но я для Харламова стал вроде мальчишки с одного двора. Харламов — мой проводник в настоящей хоккейной жизни. Он рассказывал мне разные истории, многое объяснял. Когда Валерия Борисовича поставили в «тройку» к Крутову и Макарову, он их подбадривал, учил, воспитывал. Невероятный оптимист и жизнь любил необыкновенно. Лучше не придумаешь наставника. Харламов был великим игроком, легендой советского хоккея и в то же время добрейшей души человек. У него не водилось врагов, их и не могло быть по складу его характера.

Последнее его лето мы отдыхали вместе, ездили в Ялту. Харламов очень хотел сыграть на Кубке Канады, готовился, держал форму. Накануне вылета в Америку ЦСКА сыграл турнир за европейский кубок в Италии. Там Харламов получил приз как «лучший нападающий».

Оставались последние две недели до Кубка Канады. Вечером мы приехали из Италии, на следующее утро — сбор, на который, естественно, был приглашен и Харламов. Перед отлетом в Канаду, за день или за два, Виктор Васильевич отпустил нас домой. Но сразу после тренировки он вызвал Харламова: «Ты пришел на сбор плохой, ты не в форме». Харламову — 33 года. Даже если в этом возрасте спортсмен и вышел из формы, до турнира еще было в запасе две недели. И Харламов все же Харламов, а не пацан какой-то. Не буду гадать, какие расчеты были у Тихонова, что заставило его сказать Харламову, что его оставляют дома, поскольку он выпил. Зная Харламова и постоянно с ним общаясь, я понимал, какой это был для Валерия удар. В те времена не могло такое случиться, чтобы кто-то в сборной встал и сказал: «Человек столько лет играл за страну, он так хотел поехать на турнир, и, если его не берут, мы тоже не поедем». Такого даже в мыслях не было, дух коммунистической морали, точнее, ханжества, из нас еще не выветрился. Не взяли, значит, так и надо. А он на следующий день перед отъездом сборной пришел к автобусу, попрощался и пожелал всем удачи. Может, каждый и жалел про себя, что не заступился за старшего друга, когда мы узнали в Виннипеге страшную новость.

Как сейчас стоит перед глазами картинка. Самолет из Москвы приземлился в Монреале, потом нас перевезли в Виннипег. Наутро во всех теленовостях портрет Валерки в черной рамке, никто из нас не понимает по-английски, что говорит диктор. Но что произошло — поняли все.

Он разбился, когда мы летели из Монреаля в Виннипег.

Потом на улицах Виннипега люди нам выражали сочувствие, подходили: «Харламов, Харламов». Но все еще никто не знал, как это произошло, пока кто-то не позвонил домой. Теперь и мы услышали, что же случилось неподалеку от нашей базы в Новогорске.

Первая реакция — Валерий Васильев и все ветераны собрались: «Полетели обратно домой, на похороны». Потом, к вечеру, в Виннипеге появился Сыч, тогда заместитель председателя Спорткомитета, собрал «стариков», молодежь не присутствовала, и каким-то образом смог успокоить ветеранов. На следующий день — общее собрание. «Мы должны посвятить этот турнир памяти Валеры, должны играть, должны выиграть». Мы действительно выиграли тот турнир, единственная на сегодняшний день наша победа в Кубке Канады. Вернулись в Москву поздно вечером, а на следующее утро все собрались на кладбище.

Жизнь продолжалась, команда ЦСКА продолжала всех побеждать, выигрывала чемпионаты мира и сборная. Наступил високосный 1984 год. Зимние Игры в Сараево.

Проиграв в 1980-м в Лейк-Плэсиде, мы готовились к Сараево, как умалишенные. Полагалось привезти олимпийское золото обратно в страну. Ужасно нервозная обстановка в команде. Третьяк весь турнир отстоял великолепно. Мы победили, я получил свою первую золотую медаль олимпийского чемпиона. Но ощущения счастья не было, потому что все четыре года в голове было только одно — как дожить до следующей Олимпиады и взять реванш.

Может, действительно необходимо держать команду в тюремном режиме? Неважно, есть там жены, дети, семьи... Может, если бы не было такой тирании, мы бы мало что выиграли? Руководство команды так журналистам все и объясняло — если, допустим, нас отпускать по домам, то хоккеисты начнут пить. А если начнут пить, значит, не будет побед. Что спать мы не будем ложиться вовремя, что добираться до тренировочных залов в Москве тяжело и игроки начнут ездить все время на машинах, рискуя получить травму. Было еще одно, не подлежащее огласке объяснение: на сборах нас правильно кормили, потому что в то время нельзя было купить в магазине нормальные продукты.

Мы разговаривали с хоккеистами сборной Чехословакии и знали, что они никогда не жили на сборах, только перед чемпионатом мира их собирали в каком-нибудь городе, где они готовились две-три недели. Шведы никогда не жили на сборах, не говоря уже об американцах, канадцах. Они даже не слышали о таком варианте, чтобы команда жила весь сезон вместе, в одной гостинице. Все на свете можно оправдать, и, возможно, слова «правильное питание» больше означали специальный постоянный медицинский контроль. Как еще объяснял Виктор Васильевич, сборы — это экономия бюджета. Попробуй, поживи дома, сколько ты израсходуешь денег, а тут о вас заботится государство, клуб. Конечно, для спорта это идеальная ситуация: запереть людей и их тренировать. Держать все время руку на пульсе команды. Может, оно и правильно, но цена-то какая огромная. И дети без отца, и жены без мужей, и оторванность от мира. А постоянное общение в одном кругу приводило к определенной деградации. Спортсмен мог быть классный, но как человек — нередко с недостаточным развитием. А потом тебя отправляют в обычную жизнь, которую ты не знаешь, к которой не приспособлен. А если еще хоккеист рано женился, то его детям уже лет по десять, но они плохо представляют, что у них за отец. Да и он не ведает, как с ними общаться.

Вроде ты и герой, но в то же время даже если ты имел какие-то деньги, то не мог себе купить ни дачу, ни машину, ни квартиру без разрешения. Куда ветеран ни обращается, ему вежливо отвечают: «У нас проблема с молодыми, а лимит на год маленький». Может, кто-то и понимал, что все это бред, но никто вслух никогда ничего не говорил. Большинство спортсменов, отыгравших много лет в советском хоккее, мало к чему приспособлены и ничего не знают. Отсюда житейские трагедии, люди начинают спиваться.

Насколько я знаю, такая система в СССР была только

в хоккее. В футболе, например, ребята сыграют матч, потом пару-тройку дней живут дома. И тренироваться ездят из дома. Но не только ЦСКА — весь советский хоккей жил на сборах, даже те, кто не попадали в сборную, тоже жили на базах круглый год. Если старший тренер сборной страны вводит такую систему для главной команды, то и для остальных рекомендовался тот же план. Система, которая подразумевает полный контроль. Знать, чем ты дышишь, что делаешь. Даже если пьешь, то пей здесь, на базе. Это уже выходит за те рамки, когда можно что-то объяснить. Это — иррационально. И в то же время — власть над людьми, тем более над звездами, над теми, которых знает весь Союз, весь мир.

Характерен пример с Третьяком. Владислав выиграл три Олимпиады, играл почти в каждом матче и за ЦСКА, и за сборную на протяжении пятнадцати лет. И вдруг понимает, что теряет семью: дети большие, жена с ними одна не справляется, и он сделал выбор. Владик любил хоккей, я знаю это. Когда я подписал контракт с «Дэвилс», он уже не играл пять лет. Осенью, когда начался чемпионат НХЛ, он звонит мне в Нью-Джерси: «Слава, «Чикаго» мне предлагает контракт, хочется играть, как ты думаешь, соглашаться?» — «Конечно, Владик, играй. Даже не думай! Потренируешься, форму наберешь уже к середине сезона. Если нет, то к следующему сезону точно. Здесь люди играют долго». Третьяк хотел вернуться в хоккей, но, наверное, победил естественный страх за свою репутацию, что он не сыграет как раньше и его реноме может упасть или пошатнуться. Но даже это дерганье говорит о том, что он рано ушел, что он хотел играть. Владик просил у Тихонова: «Разрешите мне пожить дома». Третьяк никогда не нарушал режим, за пятнадцать лет — никаких замечаний. Третьяк — человек сверхответственный. Но ему не разрешили, потому что если бы был создан прецедент, то и другим, глядишь, не захотелось бы жить в казарме. Как нас воспитывали: если после побывки дома кто-то вернулся на базу со следами вчерашней выпивки, то наказывалась на следующие выходные вся команда. Доходило до смешного, все уже взрослые дяди, но перед игрой никто не знал, что на себя надеть, поскольку не был уверен, отпустят домой или обратно привезут на базу. У многих уже были машины, но самим не разрешали ехать на игру. Значит, как-то надо было машину отгонять ко Дворцу ЦСКА или в Лужники. Виктор Васильевич говорил: «Выиграете, поедете домой». В крайнем случае можно на своей машине приехать в ЦСКА, но там ее полагалось оставить (мы просили солдатиков, чтобы они пригнали машину в Лужники). От ЦСКА до Лужников, если матч проходил там, полагалось ехать всем вместе. Это, по мнению руководства, поднимало командный дух, мы должны чувствовать плечо друг друга (в автобусе) перед матчем. Правда, некоторые смельчаки выпрыгивали, когда автобус трогался, из задней двери. Обычно это делали те, кто не нашел желающего отогнать машину до Лужников, и приходилось сматываться, чтобы после игры не возвращаться обратно к ЦСКА. Выскакивать на ходу из автобуса — это полдела, надо еще подъехать к Лужникам, так запарковать машину, чтобы никто тебя не увидел, а потом как ни в чем не бывало оказаться в раздевалке.

ЛАДА: Нормальной семейной жизни у нас не было и быть не могло. Ребята все время на сборах. Жена Сергея Бабинова, Алла, как-то подсчитала, что ее муж за год ночевал дома 36 раз. Мы смеялись сквозь слезы, когда она занималась этим подсчетом. Зато какие у нас были интересные встречи в Архангельском! Мужья, как воришки, к нам через забор перелезают, а мы их в такси ждем — и в ресторан. Вниз, в бар, тихонечко — все официанты знали наши муки, ставили нам отдельный столик, — в темноте, в уголочке сидим разговариваем. Если лето — то на улице, там тоже у них столики были. Просто встреча Штирлица с женой из «Семнадцати мгновений весны».

Пару раз Виктор Васильевич разрешал, чтобы на базу в воскресенье приехали жены с детьми. Ребятам даже отменили вторую тренировку. Я помню, что нас покормили (конечно, повара это сделали по собственной инициативе). Родители погуляли вместе с детьми часа три у озера. Событие, которое осталось в памяти навсегда. А так вся семейная жизнь разделена забором. Перелезут через него наши мужья, часик-другой с женами посидят, на такси потом посадят, и — на отбой. Встречались мы больше на хоккее, точнее, после хоккея. Автобус ЦСКА за железными ограждениями, да еще кордон милиции стоит. Правда, милиционеры к нам уже привыкли, наши лица примелькались, и они хорошо к нам относились, чуть-чуть раздвинутся, пропустят нас к автобусу. Стоишь у окошка автобуса, машешь ручкой, а если Виктор Васильевич еще не вышел, можно поцеловаться, обняться. Правда, когда мужья играли за сборную, нас иногда брали с собой в автобус... Считалось праздником, когда сборную вывозили посмотреть спектакль. Ребята звонили домой, просили, чтобы к семи часам жены подъезжали к такому-то театру. Мы со Славой пару раз сбегали сразу после первого акта. Как правило, я спектакль уже видела, содержание могла ему пересказать, и мы гуляли по вечерним переулочкам два-три часа. Молодые же, хотелось и поцеловаться, и пообниматься, а не сидеть на спектакле со всей командой и ее руководством. Потом все — в автобус. И вот тогда женам тоже разрешалось в автобус сесть. Мы с Ниной Крутовой и Наташей Гимаевой считались самыми счастливыми, потому что нас довозили почти до метро «Речной вокзал», а это еще полчаса вместе с мужьями. Автобус останавливался, нас прямо на Ленинградском шоссе высаживали. Они дальше ехали, а мы бежали к ближайшей автобусной остановке.

Незабываемые встречи проходили в Шереметьево, когда мужья прилетали после турнира, шло обсуждение, отпустят мужей домой на ночь, а может, даже еще и на полдня. Не удивительно, что порой у многих игроков возникали проблемы с семьей, они же толком своих детей не видели, не воспитывали их и совершенно не понимали. Но и между супругами часто возникали обиды, потому что каждый жил своей жизнью. Мужья где-то на базе, жены — с детьми в Москве. Семейные вопросы решались после того, как хозяин дома отсидит в очереди, в общем холле, чтобы поговорить по единственному телефону. А рядом еще человек десять, которые невольно слушают, о чем ты с женой разговариваешь. Обсуждения типа: Заболел? Температура? К какому врачу? Куда? Двойку принес? — совместные, так как остальные десять подсказывают, что делать. Но когда ребята приезжали домой, естественно, им еще и с друзьями хотелось встретиться. Начинаются звонки, приходит народ, где-то до полуночи, до часу ночи сидят. Пока все разошлись, не успели супруги остаться вдвоем, уже утро — до свидания, дорогая.

Зато отпуск у нас отнять не могли. Ездили мы большими компаниями — так было веселее — в Сочи, в Ялту. Человек шесть-восемь из сборной обязательно отдыхали вместе. Потом Виктор Васильевич разрешил, и два года жены приезжали на майский сбор команды после чемпионатов мира. Там мужья тренировались, бегали кроссы по утрам. А вечером хочется куда-то пойти, отдохнуть. Но если из ресторана возвращались поздно, в семь утра на тренировочку всех мужей построят — неважно, кто во сколько вернулся, — беги! Потом — плавать. Температура воды в мае — градусов 12. Наверное, пока пробежишь в горы и обратно — разгорячишься. И вода вроде бы ничего, не очень холодная.

Все остальные месяцы мы общались с мужем большей частью по телефону: бывало, Слава звонил домой раз шесть за день. Один раз он позвонил ночью из Риги, мы болтали с ним часа три, я с трубкой и уснула. Проснулась совершенно случайно часов в шесть, смотрю — у меня трубка рядом с подушкой лежит, слушаю: там тишина. Я: «Алло, алло». И вдруг он: «Алло». Я говорю: «Я уснула». Он отвечает: «И я уснул». Тогда, к счастью, не было таких космических счетов, как сейчас, по-моему, 15 копеек стоила минута. Мы платили совершенно смешные суммы по сравнению с теперешними.

Когда Слава в январе 1989 года сидел дома без работы, мы первый раз с ним вместе поехали на рынок. К нам должны были прийти гости, и мы отправились за продуктами. Истратили, наверное, рублей 120, тогда это было много. Всего накупили: мяса, фруктов, овощей. Гостей пришло человек восемь. Через три дня я ему говорю: «Слава, нужно поехать на рынок». Он на меня удивленно смотрит и говорит: «Мы же с тобой 120 рублей истратили, все же купили?» Я ему: «Миленький мой, все уже съели». Он впервые столкнулся с семейным бюджетом. Обычно зарплату получит, принесет, положит и все, а тут раз на рынок съездили, в магазин сходили, в ресторане поужинали, а денег уже нет. Зарплата же офицерская. Хорошо, хоть как члену сборной команды платили дополнительные деньги.

Взрослые мужики канючили: «Виктор Васильевич, отпустите домой». — «Ты помнишь, как такой-то напился в прошлый раз? Никто теперь не едет домой». Тихонов противопоставлял кого-то одного всему коллективу. Но в следующий раз срывался кто-то другой. Во всяком случае, искать причины, чтобы не отпускать ребят со сборов, долго не приходилось. И мы ходили к нему, вымаливали побывку: «Отпустите, пожалуйста, домой, Виктор Васильевич». После игры жены и подруги стояли и махали из-за загородки, иногда милиция их к автобусу не пускала, тогда ты постоишь с девушкой или с женой так романтично, за углом, там пообнимаешься и бежишь в автобус.

Но если у «царя» хорошее настроение, вдруг может и разрешить переночевать дома. Супругу Тихонова привозили на матч на служебной «Волге», наши жены к ней подбегали: «Татьяна Васильевна, скажите Виктору Васильевичу, чтобы ребят отпустил, все будет нормально, никто пить не будет». А многим уже под тридцать лет! Сейчас это смешно вспоминать. Но так и делали из нас уродов, и подозреваю, что не только в хоккее стонали: «Отпустите. Пожалуйста, отпустите домой». И Великий Третьяк просил: «Я буду перед игрой на сборы приезжать, но не держите меня на них все время». Тогда начали сплавлять и его. В никому не нужном Кубке Швеции Владика ставили на каждую игру. Мы с большим счетом проиграли шведам. В прессе началась кампания, что Третьяк уже не тот. Не присудили Владику приз как лучшему игроку года, хотя он и был лучшим, дали приз мне. Что я мог сделать? Выйти на Красную площадь и кричать: «Не давайте мне этот приз»? Все время Тихонов в команде то давил кого-то, то стравливал одного с другим. Он не мог жить без конфликтной ситуации. Третьяк плюнул, закончил выступать. Так сборная потеряла вратаря, причем лучшего в мире. С тех пор так и не нашелся не то что равный, даже близко стоящий по мастерству к Владику вратарь. Сборная кувыркалась. Проиграли в 1985 году чемпионат мира в Праге, в Москве выиграли в 1986-м, в 1987 году — опять проиграли.

Крах советского хоккея был предрешен и без общего катаклизма всей страны — они лишь совпали. Те, кто играли в ЦСКА и сборной, одиннадцать месяцев подряд видели большей частью каток и друг друга. Мы приезжали из Архангельского (база ЦСКА) в Новогорск (база сборной) и обратно из Новогорска в Архангельское. Все время одни и те же лица. Куда мы ни приедем, это всегда три «пятерки» ЦСКА, и надо у всех все время выигрывать. Наше место только первое, любая игра — стресс. Этот постоянный напряг рождал какое-то легкое помешательство.

Все тренеры равнялись на Тихонова, потому что хоккей стал политическим видом спорта, так как в нем мы могли успешно соревноваться с кем угодно: хотите — с американскими профессионалами, хотите — с европейскими любителями, как и нас, впрочем, называли. Хотя скорее мы были бóльшими профессионалами, чем любой из игроков НХЛ, потому что никто в мире больше нас хоккеем не занимался. Но в то же время Тихонов не ходил и ничего не просил для своих игроков, я говорю о тех материальных благах, которые в Союзе выдавали за заслуги: квартиры, место для дачи, очередь на машину. Виктор Васильевич свое бескорыстие объяснял так: «Я дам ему квартиру, а он возьмет и бросит играть». Держать человека на крючке — это была его философия: держать до конца, чтобы потом, когда игрок станет заканчивать карьеру, сказать: «Зачем ему что-то давать, когда он уже готов закончить?»

Никогда я никому не завидовал, но всегда чувствовал себя ущемленным. Правда, пойти к Тихонову и что-то попросить — такого я себе даже представить не мог. Я просил за Крутова, у него росли двое детей, а он жил в коммуналке с тещей. «Вот, Слава, сам посуди: дашь ему квартиру, а он опять напьется...» Сейчас это звучит смешно и неправдоподобно, но так оно все и было. В самом знаменитом советском хоккейном звене нас было пятеро. Трое уже имели по одному ребенку и жили в двухкомнатных квартирах, я — в однокомнатной, а один имел трехкомнатную, огромную — 120 квадратных метров. Почему такое неравноправие?

Сам Виктор Васильевич внешне казался таким простачком и альтруистом. Он как-то говорит: «Представляете, дали мне ордер на квартиру, мы с Татьяной отправились на Тишинскую площадь, знаете, там дом построили совминовский? Так вот, приходим, смотрим: на двоих — шикарная двухкомнатная квартира. Потом какую-то дверь открываем, думаем, в чулан, а там еще одна комната — третья. Надо же, дали ордер на трехкомнатную квартиру. Вот какой сюрприз!» В те годы получить на двоих трехкомнатную квартиру — выдающиеся заслуги полагалось иметь перед Родиной.

Мы уехали в Америку, а идиотская система сборов продолжала существовать. Ребята мне рассказывали, что Тихонов вызвал к себе Хомутова и Каменского: «Вы тут за них выступали, они-то уехали, а вы-то здесь остаетесь». И ребята сидели на сборах, так же как сейчас, наверное, молодые сидят. Их собрали по провинции, у них нет жилья, а крышу над головой иметь надо? Но для Виктора Васильевича тренировочный сбор — дом родной. Ему на служебной машине привозили в Архангельское собачку выгуливать. Привозили жену, друзья заезжали. Всегда накрыт (не за свой счет) стол, всегда баня, можешь гулять по княжескому парку на прекрасной природе (Архангельское — имение князей Голицыных). Хозяин. На кухне — все самое лучшее, собачке всегда косточки сахарные откладывали. Ну чем не жизнь? В Новогорске — номер «люкс». Рядом конференц-зал, собрания можно проводить хоть три раза в день, опять же все при пригляде. Подобный образ жизни, наверное, тяжело менять, как менять самого себя, пересматривать свои взгляды. Возможно, Виктор Васильевич по-своему прав — ему такая система принесла успех. Зачем ее менять, для чего?

Команда все выигрывала — ничего не просила за это, только домой бы отпустили. Мы же были нормальные парни — по тем временам, недоделанные — по нынешним. Могли бы пару чемпионатов «слить», может, нам бы и поменяли тренера. Но даже мысли такой не возникало, мы выходили на лед и «пахали» по-черному. Все возмущения системой Тихонова дальше кухонных разговоров не шли, впрочем, как и все политические разговоры в СССР. Поговорили, повозмущались, а потом за честь Родины и флага, за родных и близких — вперед!

Между двумя Олимпиадами — в Сараево в 1984 году и в Калгари в 1988-м — мы проиграли, как я уже писал, два чемпионата мира из трех. В 1987 году команда, не уступив ни одной игры, проиграла чемпионат. Такую в международной федерации придумали схему проведения первенства, чтобы как-то остановить советских. Но дома обвинили в поражении нас — первую «пятерку». Потому что, когда мы были на льду, шведы забили гол и сравняли счет. Тренеры пришли к выводу, что мы неправильно сыграли. Большая проходила разборка, два дня подряд крутили на видео этот момент: кто что сделал, кто куда побежал, кто не выбросил шайбу из зоны. Сразу на всех наложили типовое наказание — кросс по Венскому парку. Команда выстроилась, посчиталась — и побежала. И это уже — когда чемпионат закончился! Игроки из других сборных обалдели, когда увидели наш утренний бег. А мы, по задумке Тихонова, демонстрировали, что уже работаем, уже готовимся к следующему сражению. Для нас хоккей превратился из игры в боевые действия с водружением своего флага над поверженной вражеской столицей.

# Глава 9
# ЛИГА

Из года в год меня в Москве спрашивают: «Система тренировочных упражнений в НХЛ сильно отличается от системы упражнений, проводимых нашими лучшими тренерами? Что-то в НХЛ есть новенькое или просто наши старые известные упражнения?» Я всегда удивляюсь: «Почему наши?» В Северной Америке в хоккей играют куда дольше, чем у нас. Для специалистов давно не секрет, что тренировки примерно везде одинаковы. Единственное, в Америке они намного интенсивнее, потому что игр в сезоне много и нет смысла развозить их по времени. От пятидесяти минут до часа десяти — тренировка, а потом остаются те, кто хотят, и те, кто работают над исправлением недостатков.

В ЦСКА у Виктора Васильевича Тихонова за игроками проводился тотальный контроль. Но зачем это сравнивать? Мы жили вообще в разных системах, как на разных планетах. Я пришел сегодня на тренировку пораньше, потому что болит плечо, необходимо подлечиться. Приготовился к тренировке, оттренировался, а кто-то остался потаскать тяжести в зале, кто-то остался на льду. Помылся, побрился, поехал домой — никакого контроля. И теперь я не понимаю, а зачем он нужен — контроль? Я сам за себя отвечаю, потому что, если я хочу играть хорошо, я должен сам себя и контролировать. От тренера не зависит контракт, какой ты подписываешь, это работа менеджера. От тренера в НХЛ зависит твое игровое время. Если ты играешь хорошо, значит, на лед выходишь часто. Личные симпатии и антипатии решающей роли не играют. Если видят, что ты отдаешься игре, что ты стараешься, когда тренируешься, — будешь играть. Если ты полезен команде, будешь играть столько, сколько тебе позволят сила и здоровье. Поэтому единственный показатель твоего уровня — игровое время. Собрания в команде бывают, но они непродолжительные. Лекции о международном положении на них не читают, ни одно персональное дело не разбирается.

Индивидуальные занятия тренера с игроками — это обязанность второго и третьего тренеров. Они остаются после тренировки с молодыми ребятами, гоняют их. Правда, в НХЛ, мне кажется, молодых меньше гоняют, чем старых, не знаю почему. Конкретные вопросы, связанные с подготовкой игрока, — это прямая обязанность вторых тренеров.

Что в «Детройте», что в «Нью-Джерси» (а там у меня было пять тренеров) примерно одна и та же схема. Приезжаешь перед игрой часа за два, тренер собирает сначала защитников, объясняет им, какие сильные стороны у соперников, какие приемы они обычно используют, потом беседует с двумя «тройками» нападающих, потом еще с двумя. Бывает и по «пятеркам» вызывает, в зависимости от того, какой у тренера план игры. Но все эти собрания длятся минимум пять минут, максимум — пятнадцать. Иногда созывают общее собрание команды — пять-десять минут для эмоционального спича. По-разному проходят «установки» на матч в Лиге, многое зависит от того, какая обстановка в команде, каково ее положение в чемпионате.

Сомневаюсь, что приличный российский, прежде советский, старший тренер из команды высшей лиги мог бы работать в той же должности с командой НХЛ. Конечно, хоккей — везде хоккей, но тренерская работа очень специфичная. В НХЛ другие принципы в руководстве «лавочкой», то есть скамейкой игроков, во время матча. Здесь полагается владеть навыками постоянной перестройки звеньев, а в родном хоккее принято их равномерно чередовать. Наши хорошие тренеры начали работать за границей, даже не в НХЛ, и не все у них получается. Прежде всего надо знать язык страны, куда ты приехал. Без языка трудно объяснить, что ты хочешь от игрока или команды. Через переводчика не так эффективно. Далее, предположим, наш тренер видит, что для его команды не хватает одной тренировки в день, он без проблем может добавить вторую. Здесь подобное исключено. Никаких вторых тренировок. Режим в команде совсем другой, тренировочной работы в российском понимании здесь практически нет. В Европе еще как-то похоже на Россию: две игры в неделю, перерывы на совместные континентальные турниры, такие как, например, на Приз «Известий». В НХЛ расписание совершенно иное, здесь постоянные разъезды, переезды, аванс во времени никто тренеру не дает, мол, покажете результат через год. Ни шведов в НХЛ нет, ни финнов, европейцы работают иногда в Лиге, но только помощниками. Хотя игроков из Европы в Северной Америке много. А кто будет первым европейским тренером в Лиге и будет ли вообще — неизвестно.

Есть разница в игре на американской площадке и на европейской, и эту разницу мы хорошо ощущали, когда приезжали играть в Америку. На американской площадке любое действие происходит намного быстрее, особенно когда играешь в защите. Нужно постоянно держать «в фокусе» всю площадку, так как голевой момент возникает в любую секунду, «коробка» маленькая, зона меньше, нет привычного большого пространства за воротами и в углах, ты всегда должен быть начеку. Поэтому в американско-канадском хоккее идет постоянная борьба на льду. Необходимо принимать верные решения в короткий промежуток времени. Это европейцам совсем не просто, особенно когда играешь в защите и какие-то навыки уже выработались. Что же говорить обо мне, когда эти навыки складывались годами.

И вдруг нужно любой маневр резко ускорить чисто механически, каждое действие совершается намного быстрее, чем ты это делал раньше.

Стремительно растут размеры игроков, а площадка маленькая, столкновения постоянные, активность игроков огромная. Но поэтому игра интересная. Правда, не знаю, насколько она будет интересной в дальнейшем, если размеры и масса игроков будут продолжать расти. Почти все защитные схемы, капканы сейчас действуют надежно. Особенно это видно на примере «Нью-Джерси», когда команда предложила такую схему защиты, которую прорвать почти невозможно. Поэтому Лемье и Ягер — ребята очень техничные, играющие за счет великолепного мастерства, — выступая в прессе (хотя Лига их штрафует, так как игрок не имеет права ее критиковать), все время твердят, что, если вы хотите, чтобы хоккей был красивым, нужно избавляться от задержек, захватов клюшками, иначе станет невозможно забивать голы. Слишком много сейчас даже не борьбы, а возни в зонах. Хоккей начал терять свою своеобразность — быстрое катание, моментальные перемещения игроков, постоянную смену ситуации.

За что штрафуют в Лиге? За выпитую бутылку пива не штрафуют, это сразу можно сказать. Сама Лига может оштрафовать, о чем я уже говорил, если игрок начинает ее критиковать. Считают, что это неэтично, и могут оштрафовать на тысячу долларов. А так, в каждом клубе есть свои правила: в галстуке не пришел или опоздал на благотворительный прием — всему соответствует система штрафов. Но если игрок не пришел или опоздал на тренировку, это наказуемо в любом клубе. Если не пришел на тренировку, то за пропущенный день вычитается из суммы контракта. Если ты опоздал на самолет — полетишь за свой счет. Если пропустил какое-то командное мероприятие — будешь оштрафован как за пропущенный рабочий день. Если пропустил игру, такого, правда, я сам за девять лет в Лиге ни разу не видел, но слышал, что раз кто-то проспал игру, — так с него вычли 1/82 от контракта, к тому же он был еще и дисквалифицирован на какое-то количество игр без права зарплаты. Полагается платить штраф, если, предположим, я дисквалифицирован. «Посадили» на три игры, и я должен платить за каждую пропущенную игру, плюс Лига еще штрафует минимум на тысячу долларов. Штраф растет в зависимости от того, как долог срок дисквалификации. Если ты получаешь, предположим, 820 тысяч в год, то три игры тебе будут стоить 30 тысяч. Если получаешь два с половиной миллиона, то сумма утроится, следовательно, 90 тысяч за три пропущенные игры. Недавно я узнал, что штрафы, которые с игроков собирает Лига, она себе не оставляет, а передает нуждающимся ветеранам.

Правда, существуют не только штрафы, есть и премиальные. Официальную премию платят за первое место в Лиге. Обычно для команды выделяют на этот случай не очень много — 300—400 тысяч. Премии полагаются и за участие в плейоффе. Если прошли первый раунд, дополнительная премия — за второй, и так до конца. Я слышал, что в «Колорадо» — победитель 1996 года — каждый игрок получил по 75 тысяч за победу в Кубке Стэнли. Каждый клуб имеет стандартный план: набрать за пять игр одиннадцать очков — выполнили план, все получают премию. У каждой команды свои индивидуальные бонусы, премии, ты сам о них договариваешься, когда подписываешь контракт. В командном бонусе все получают одинаковые деньги, а индивидуальный бонус обычно конфиденциален, твой партнер может получить одну сумму, а ты — в два-три раза больше. Существует программа бонусов за голы. Кстати, в последнее время многие команды стараются уходить от этого бонуса, потому что если человек будет помнить о премии за гол, то иногда станет забывать о командных действиях. Потому клубы стараются использовать другие бонусные планы. Допустим, премии за систему «плюс-минус». В этом случае игрок, стремящийся набрать высокий показатель, не станет все время кататься под красной линией и ждать шайбы, чтобы рвануть к воротам, а должен забивать исходя из игровой ситуации, не забывая об обороне своей зоны.

Какие еще есть бонусы? Вообще, их собирается приличное количество... Если игрок хорошо сыграл сезон, есть такие бонусы, которые «переходят» на следующий год. Игрок заработал в сезоне бонусов на полмиллиона, он их получает, но они тянут за собой увеличение зарплаты на следующий год. Есть бонусы за участие в Оллстарзе, есть бонусы за то, что тебя выбрали в первую «шестерку» игроков Лиги, во вторую «шестерку», за любой приз из шести главных отличий Лиги: лучший защитник, лучший вратарь, лучший игрок, лучшая оборона, «плюс-минус» и лучший бомбардир.

При удачном стечении обстоятельств бонусы могут составить половину контракта, но если сезон выдался очень хороший, то получается иногда, что бонусы равняются сумме контракта. Я знаю хоккеиста, который заработал на бонусах даже больше, чем дал ему контракт. Но это, увы, редкое явление. Обычно хоккеисты стараются подписать контракт с как можно большей суммой гарантированных денег. Тем более в такой ситуации, как моя, когда игрок уже в возрасте, он старается подстраховаться, а вдруг ты получишь травму или не сможешь выдерживать нагрузки. Для возрастных игроков делается специальная бонусная программа, по которой, если ветеран будет играть успешно, он получит намного больше, чем сумма гарантированного контракта.

Премии в Лиге большей частью, конечно, индивидуальны. Молодому игроку порой тоже дают большую бонусную программу, для того чтобы он старался заработать побольше денег. Поскольку неизвестно, что от него следует ожидать, ему дают всевозможные бонусы, для того чтобы он мог себя проявить в той или иной плоскости. Я бы сказал, что большие бонусы — прерогатива и молодых, и старых игроков.

ЛАДА: Главное в нашем отъезде из СССР было не стремление заработать побольше денег, а желание Славы испытать себя в НХЛ, доказать себе, что он и там будет одним из лучших. Для Славы деньги никогда не были главным в жизни. Скорее, цель в жизни — это утром проснуться, посмотреть в зеркало и знать, что уважение ты к себе не потерял. Чтобы тебе не было стыдно за то, как ты себя повел и что ты сделал вчера. Деньги всегда придут, если есть руки, ноги и голова. А голова у моего мужа хорошая. И все же я считаю, что нам невероятно повезло. Большинство ребят, с кем Слава играл в Союзе, не имеют возможности жить так, как мы сейчас живем. Слава с друзьями из знаменитой «пятерки» заскочили в последний вагон уходящего поезда, еще бы чуть-чуть — и двери бы захлопнулись. И жили бы мы сейчас не знаю где, и работал бы Слава, в лучшем случае, тренером в Европе. Я благодарна судьбе, но он молодец, боролся до конца за эту нашу нынешнюю жизнь.

Не зря говорят, что деньги и власть меняют людей. Большие деньги и большая власть меняют людей еще больше. Любой, у кого есть состояние, скажет о нем, наверное, по-своему, но все в один голос сообщат, что у них всегда не хватает денег. Мне приходилось встречаться с людьми, которые имеют сотни миллионов долларов, но в семь утра приходят в офис и работают допоздна. Для них возможность иметь такие деньги, а главное, их увеличивать, стало смыслом жизни. Хозяину «Нью-Джерси Дэвилс» семьдесят лет, но он каждый Божий день приходит в офис раньше всех. Его взрослые дети сами уже занимаются бизнесом, он мог бы отдыхать. Но у него одна цель — зарабатывать, хотя он не носит дорогих вещей, ему не нужны шикарные машины, он не меняет домов. Он делает деньги не для того, чтобы улучшить свою жизнь, она у него давно сложилась, он делает деньги, потому что это для него — стиль жизни. Моурин Браун — жена Дагги Брауна — родилась в состоятельной семье, в настоящем богатстве. Ее семья владеет футбольной командой «Джайнтс» — самой известной в Америке за последние сто лет. Владеть командой всегда престижно, но на последние деньги ее не покупают. Когда видишь отношение к деньгам у таких людей, которым состояние переходило из поколения в поколение, — это одно. Но когда человек вырос на ферме и вдруг подписывает огромный контракт — это другое. У него сразу начинаются большие проблемы. По ментальности он все еще остается фермером, а в жизни — уже богатый человек.

Наверное, все быстрые и большие деньги меняют человека, но мне так просто никто ничего не давал, все, что я имею, зарабатывалось мною тяжело. Со стороны все выглядит так просто и красиво, но у каждого, кто имеет деньги, свои проблемы. Чем богаче ты становишься, тем выше у тебя запросы. Естественно, уже не будешь ездить на дешевой машине, не будешь жить там, где дешевые дома. Но если ты покупаешь дорогой дом и дорогую машину, то и затраты большие. Однако каждый надеется на то, что у него в дальнейшем будет только улучшаться жизнь, поэтому потеря денег в богатой стране — ужасная трагедия. Все разговоры о чужом состоянии, подсчеты денег в чужом кармане — в Америке довольно обычное явление.

Одна из проблем, когда имеешь серьезные деньги, как их сохранить? Есть люди, которые советуют, это их работа, куда вложить деньги, как своим состоянием распорядиться. И при этом случается, что очень богатые люди теряют миллионы, имея огромную армию советчиков. Разоряются колоссальные компании.

Тяжело смириться с налогами. Я до сих пор не могу привыкнуть, что половину моих денег у меня забирают, но таковы правила. Деньги в клубе выдают уже с вычтенным налогом, так что можно не напрягаться с декларацией. Налоговые ошибки, даже невольные, сильно наказуемы. Лучше с государством в такие игры не играть. Это у нас человек должен миллион долларов налоговой инспекции, а он ходит на работу и еще что-то доказывает. В Америке, если за тобой 50 тысяч, то в тюрьме окажешься сразу. Поэтому, наверное, и принимаешь налоги как должное.

Новый сезон в Лиге начинается с кемпа (тренировочного лагеря): неделя для тренировок, а во вторую уже проходят товарищеские игры. Тренер может что-то проверить в линиях, даже проводить какой-то тренировочный план, но через три недели он уже должен выводить команду на лед в регулярном чемпионате и выигрывать матчи, потому что если команда не будет выигрывать, то тренера уволят. В Америке тренеры прямо не влияют на подбор и на приобретение игроков — это компетенция генерального менеджера. Все зависит от того, насколько он знает свое дело, насколько у него широки финансовые возможности для приобретения того или иного игрока.

В НХЛ никто не даст тренеру пять лет для того, чтобы поставить команду на ноги. Требуется сразу давать результат. И случаются те же конфликты, что и у нас, с ведущими игроками, когда хозяину или руководству клуба приходится выбирать: или тренер, или игроки, которые им недовольны. Подобная ситуация всегда крайне сложная и многомерная. Дело в том, что НХЛ — это огромный бизнес, в который вовлечены громадные деньги, причем с каждым годом их потолок все выше и выше. Суммы контрактов с игроками за пять последних лет взлетели больше чем в пять раз. Если в 1989 году, когда я пришел в Лигу, средней зарплатой считалось чуть меньше 200 тысяч, то сейчас она уже около миллиона. Кстати, зарплата у тренеров значительно меньше. Хотя сейчас и им стали платить неплохо, но все же миллион в год у тренеров — единичные случаи. Раньше я читал в советских газетах, что будто бы каким-то нашим тренерам предлагали в НХЛ миллионные контракты, теперь знаю, что такого просто быть не могло, тренер никогда не получал в Лиге больше игроков. Даже такой знаменитый тренер, как Боумен, на счету которого больше, чем у кого-либо, побед в Кубке Стэнли, в среднем за всю свою карьеру получал в год не больше 100—150 тысяч. Я до сих пор с удивлением наблюдаю, что, например, в «Харфорде», да и в других командах, назначают старшими тренерами ребят, которые моложе меня. У них, казалось, и опыта нет работы с командами высшей лиги, но их ставят и они работают, порой даже добиваясь каких-то результатов. Это тоже в последнее время некая тенденция.

Разница между тренером в Лиге и советским тренером — даже в манере ведения игры. Тихонов, как и все советские тренеры, стоял впереди скамейки игроков, постоянно что-то показывая и объясняя. А Скатти спокойно стоит за скамейкой игроков, впрочем, как и все тренеры НХЛ. Я редко его слышу во время игры. Может, он что-то и говорит, но не нам, защитникам, он отвечает за нападающих. В «Детройте» за игрой защитников следит второй тренер. Нет ни крика, ни шума, тем более оскорблений. Нет и быть не может. Рабочий момент, я понимаю, конечно, многое извиняет у нас, у русских: оскорбления и ругань нередко можно услышать, когда садишься на лавку. В НХЛ у тренера даже мысли такой не возникает, чтобы оскорбить игрока за то, что он сделал какую-то ошибку. Я шесть тренеров здесь поменял, разные были: и умные, и грамотные, и не очень грамотные, и не очень умные. Но ни разу я не слышал оскорблений ни на лавке, ни в раздевалке, ни в перерыве. Этого нет. Это система. Сейчас в НХЛ тренеры проводят дополнительные занятия по тактике, просматривают с командой видеоматериалы, чего раньше никогда не было. Но по-прежнему установка всего лишь за пять минут до матча, никаких накачек. Все вмешательство в игру, если тренер заметит, что команда не катит, сводится только к словам: «Давайте, ребята, проснемся».

Ни про какую систему помощи особо талантливым детям я в Америке не слышал. Наверное, гранты какие-то есть, но, скорее всего, когда ребенок уже добрался до какого-то серьезного уровня. Теперь, когда Лига «питается» юношами не только из Канады и Америки, но и из Европы, и прежде всего Восточной Европы, уровень игры в НХЛ за последнее время значительно возрос. Все лучшие хоккеисты здесь.

Каждая команда имеет скаутов (разведчиков), которые работают: одни — в колледжах Америки, другие — в юниорской лиге в Канаде, а третьи — мотаются по Европе. Они составляют полную картину о каждом более или менее заметном молодом хоккеисте: как он себя проявляет в соревнованиях; высчитывают, каковы его потенциальные возможности. Скауты — в основном бывшие игроки Лиги, так что их знания и прогнозы на достаточно высоком уровне. Так создается «легенда» восемнадцатилетнего игрока, который должен выйти на драфт, то есть попасть на отбор. Команда, занявшая последнее место в Лиге, выбирает первой из предложенного списка молодых хоккеистов. В Лиге строго следят, чтобы силы были уравнены.

Когда все команды выбрали по одному игроку, заканчивается первый раунд. Начинается второй раунд, опять с команды-аутсайдера. Каждый клуб имеет девять или десять выборов. На драфте не только юноши, но и игроки из любительских лиг, например Швеции, которым уже за двадцать. Иногда хорошая команда в конце сезона, видя, что у «звезды» год не сложился, отдает его слабому клубу для того, чтобы иметь первый раунд при отборе, то есть получить возможность взять игрока молодого и перспективного. Бывает, что команда видит, что выходит в плейофф, и ей позарез нужен игрок определенного амплуа, тогда она может пожертвовать принадлежащим ей первым раундом в драфте из-за этого игрока. Эти торги и обмены — чисто бизнесменские обряды, поэтому всем, кто связан с хоккеем, интересна последняя неделя за месяц до начала плейоффа. По ее окончании объявляется дедлайн (последний срок), после которого нельзя менять игроков. И в эту неделю, если команда считает, что ей нужен для усиления какой-то конкретный игрок, начинает серию обменов.

Всякие интересные события происходят при обмене драфтами, допустим, с третьего на второй, со второго на первый. Предположим, что нынешний драфт должен быть богатым на таланты, поэтому каждая команда старается получить как можно больше возможностей выбирать в первом раунде. Команда, имеющая право первого выбора, начинает его продавать или менять на опытного игрока. Следовательно, другая команда уже имеет два первых выбора. Так, очень сложно, как разбор трудного карточного пасьянса, комплектуются команды в Лиге.

Что такое «драфтпик»? Это право команды выбирать игроков из группы новичков. Первый драфтпик уступается более слабым командам, те, что посильнее, выбирают после них.

Как возникает раунд? Раунд — это круг из 26 команд, играющих в Лиге. Когда каждая подобрала для себя по одному игроку, закончился раунд. Обычно самых лучших забирают в первом раунде. Поскольку раундов десять, следовательно, в каждом раунде 26 пиков, так как каждая команда имеет по одному пику в раунде, которые она может продать или обменять. Каждый раунд обязан иметь 26 игроков на выбор, независимо от того, сколько команд в этом раунде участвуют. Может, будет только двадцать, так как шесть клубов свои драфтпики, предположим, в этом раунде продали или обменяли. Как я говорил, драфтпик начинается с команды, которая заняла в предыдущем сезоне последнее место. Допустим, последнее место заняла «Оттава», тогда говорят: «Первый пик за командой «Оттава», но, так как она обменяла его на игрока из команды «Вашингтон», приглашаем представителей команды «Вашингтон», для того чтобы они сделали свой выбор нового игрока».

Какие интересы преследуются, когда уступают или продают свое право выбора молодых игроков? Тут огромное число вариантов. Если владелец клуба хочет получить юного игрока, который ему нужен, то совершает такую комбинацию: он может передать другому клубу хоккеиста, у которого контракт на два миллиона, и те, кто берут этого игрока, должны отдать за него пять первых раундов. Это значит, пять лет подряд команда будет без первого раунда. Но редко кто идет на такие варианты, потому что выбор из молодежи — будущее команды. Обязательно из первых пяти раундов два-три человека в будущем составят костяк какой-нибудь команды.

Скауты тоже включаются в комбинирование, делают некие проекты на будущее. Предположим, они нашли шестнадцатилетнего парня, который, по их мнению, через два года, когда получит возможность быть выбранным одной из команд НХЛ, будет высоко котироваться. И уже сейчас умные генеральные менеджеры стараются как-то получить право на этого парня. Если команда стоит высоко, естественно, она не станет опускаться на последнее место, для того чтобы иметь право первого выбора. Она действует по-другому. Она старается за эти два года сделать выгодный обмен с клубом, у которого все шансы занять последнее место в регулярном чемпионате, чтобы в итоге претендовать на выбранного новичка. Так произошло с Линдросом. В свое время «Дэвилс» поменялись с «Торонто», отдали им игрока за первый раунд, когда Линдрос выбирался. Они уже знали, что из него получится сильный игрок, но «Дэвилс» пролетели, потому что «Торонто» неожиданно оказалась второй от конца, и Линдрос попал в «Квебек».

Показатели на драфт — это целая система. Скауты со всей Лиги суммируют свои показатели и наблюдения, после чего делают раскладку. Составляют некий рейтинг по юниорам. Раньше он касался только канадцев, потом появились американцы и наконец европейцы. Система идеально отлажена, и практически скауты никогда не промахиваются. Я, например, первый раз попал на драфт, по-моему, в 1978 году. Еще в полной, казалось, мощи гремел танками Советский Союз, вечной казалась советская система, а скауты все равно ставили нас, советских игроков, на драфт. Правда, было тринадцать раундов, и нас поставили в последний, тринадцатый. Его использовали для того, чтобы забрать какого-то канадского не очень перспективного парня. Но поскольку по правилам нельзя пропускать раунды, то для того, чтобы не брать канадца, который никогда не заиграет, хозяева и менеджеры стали выбирать лучших восточных европейцев, которых они знали и которые, естественно, никуда приехать не могли. Так я «попал» с драфта в клуб НХЛ почти двадцать лет назад, то есть больше чем за десять лет до своего приезда в Америку. Меня забрал «Монреаль», я считался какое-то время его собственностью. Но если клуб четыре года не подписывает с игроком, взятым с драфта, контракт, то, по правилам, игрок опять возвращается на драфт. Естественно, никаких контрактов у меня с НХЛ не то что не было, быть не могло, а раз тебя не приглашали в тренировочный лагерь, то автоматически ты становишься «свободным агентом». Впрочем, сейчас, когда нет уже правила четырех лет, как и нет «условных игроков из соцлагеря», повторный драфт дает какой-то шанс игроку сыграть в НХЛ.

Бывает, что игрок попал в клуб и ему не подошел, а это

часто случается, профсоюз игроков старается сделать так, чтобы появилась возможность игроку снова вернуться на драфт.

Когда я опять оказался на драфте, а случилось это году в 1983-м, «Нью-Джерси» забрал меня к себе. Похоже, что проницательные скауты НХЛ раньше других почувствовали распад коммунистической системы.

В моем случае хозяин вызвал к себе скаута: «Кто там из русских хорошо играет, я хочу, чтобы он был для меня задрафтован...» Напомню, шел 1983 год. Менеджеры «Нью-Джерси» выбрали на одном из драфтов меня. Я уже стоял в шестом круге, достаточно высоком. Потом и Касатонова забрали, то ли из восьмого, то ли из девятого. Но ближе к 1986 году стали выбирать русских, опуская их все ниже и ниже. Владимир Константинов был выбран в одиннадцатом раунде. Когда в итоге те, кто были в первых раундах, не играют, а чудак приходит в команду из одиннадцатого и играет как суперстар, для клуба это чудо. Снятие банка в рулетку. Теперь можно поменять новичка на отличного игрока и запросить у той команды, с кем меняешься, еще и первый раунд плюс к тому игроку, который поменян. Обычно стараются дорожить первым раундом, но если игрок очень нужен, то иногда им жертвуют. Надеются на то, что новичок, которого они отдали, не будет у других так хорош, как показался, а тот опытный, которого взяли, поможет прямо сейчас.

В свое время Скатти Стивенс играл в «Вашингтон кэпиталс», контракт у него закончился, и он оказался в двадцать шесть лет «свободным агентом» второй группы. Свободные агенты разбиты на четыре группы. Четвертая группа — без компенсации за тебя твоей бывшей командой, это когда тебе больше тридцати двух лет. «Вашингтон» не смог ему дать столько денег, сколько он просил, и Скатти забрал «Сент-Луис», подписав с ним такой контракт, на который он рассчитывал. Но тем самым «Сент-Луис» проиг-

три первых раунда на следующих трех драфтах, так как он должен был их отдать как компенсацию за Скатти Стивенса. Сейчас, допустим, если Сергей Федоров не подпишет контракт с «Детройтом», то после сезона он станет «свободным агентом» второй группы, за которого положена компенсация в размере пяти первых раундов.

Когда молодой игрок впервые попадает в команду НХЛ, он должен пройти через своеобразную «дедовщину», которая называется «рукки динер» — другими словами, устроить ужин для ветеранов. Обычно это происходит на выезде, и «старики» очень серьезно к этому относятся: долго выбирают ресторан, еще дольше — меню. Все только самое изысканное и дорогое. Порой такой ужин может стоить и пару десятков тысяч. Отвертеться от этого ритуала невозможно, и я через него проходил. Единственное относительное спасение — если в этот год в команде есть еще пара новобранцев помимо тебя.

Откуда в Америке появляются хоккеисты? Там тоже есть хоккей дворового уровня, особенно у самых маленьких, как у нас «Золотая шайба», но здесь родители за все выкладывают деньги. Детские тренеры большей частью непрофессионалы, энтузиасты, занимающиеся с детьми в свободное время. Может, кто-то из них в детстве развлекался, гоняя по льду шайбу, но не более того. Нет необходимости, как, допустим, у нас или в Европе, иметь специальное образование, для того чтобы называть себя детским или юношеским тренером. Но многие в Америке понимают, что время самоучек ушло, и все чаще говорят: «Мы платим немалые деньги, но видим, что на тренировках ребенок ничего не получает». Родители, конечно, предпочли бы отдавать детей в те команды, где тренеры профессионалы, где детей могут чему-то научить, но, насколько я знаю, в Северной Америке, начиная с детского возраста, хоккеисты набираются ума-разума прежде всего за счет огромного количества игр.

Если в моем детстве мы играли за сезон 10—15 игр, раз в неделю, по субботам или воскресеньям, то здесь дети играют в несколько раз больше. С одной стороны, конечно, здорово, тем более в детстве, когда соревнование в радость, но, с другой стороны, того, что называется скучными словами «тренировочный процесс», у американско-канадских детей практически нет. Обучение происходит только за счет таланта самих детей. Не знаю, есть ли у местных ребят специальные занятия по физической подготовке, как это было у нас, не на льду, а в зале. Но здесь огромное число детских лагерей, в которых летом неделю или две известные хоккеисты проводят занятия по хоккею. Чаще всего просто используются их имена для привлечения клиентов. Некоторые родители, у кого хватает денег, поскольку удовольствие это недешевое, могут записать своего ребенка на три-четыре кемпа подряд. Таким образом, почти все лето мальчишка может тренироваться.

Кемп — это не пионерский лагерь в нашем понятии, а обычно гостиница или мотель рядом с катком, где и живут дети, а если каток недалеко от их дома, то мама каждый день привозит и увозит своего ребенка, который сперва катается, потом у него небольшая физподготовка, как правило, прямо на льду.

Подобные занятия хоккеем проходят в школьные каникулы, чаще всего в летние. Зимой трудно найти для детского кемпа свободный лед. Я сужу по Америке, но, наверное, в Канаде точно так же. Правда, сейчас в школах введена программа по хоккею, особенно в тех регионах — Миннесоте, Бостоне, Детройте, Чикаго и, по-моему, сейчас в Нью-Йорке и Нью-Джерси, — где настоящий хоккейный бум. Программы не только в средней, но и в высшей школе (не путать с нашим институтом, это выпускные классы) и в колледжах.

Проводятся среди школьников и чемпионаты, там собирается много зрителей. Болельщики — это родители, ученики представленных на соревнованиях школ, а большая часть зрителей — патриоты своих городов, пользующиеся случаем проявить свой патриотизм. Из этих турниров американцы и черпают хоккеистов для Лиги. В Канаде подготовка серьезнее, там есть юниорская лига, с разъездами. Дети в сезон играют 70—80 матчей. Ребята с малых лет уезжают из дома в ту команду, куда их пригласят. По сути дела, с юношеских лет ребята держат свою судьбу в собственных руках: если парень станет хоккеистом, если попадет на драфт и будет играть в НХЛ, то в восемнадцать лет он получит в год 200—250 тысяч, что для Штатов и Канады — огромная зарплата. В Америке парень, если из него не получился хоккеист-профессионал, как правило, имеет возможность продолжить образование (он играет за университет и не платит за учебу), чтобы получить престижную профессию.

В последние годы интерес к хоккею резко возрос, из разряда развлечений он становится высокооплачиваемой профессией. Но хоккей далеко не дешевое увлечение: форма, плата за лед, плата и за разъезды на соревнования. С возрастом издержки увеличиваются, потому что играется все больше матчей. В общем, в Америке бедные семьи не могут себе позволить учить ребенка хоккею. Правда, бедных семей, наверное, не больше десяти процентов.

В Канаде, в Квебеке, в зимние каникулы уже почти сорок лет проводится турнир Pee-Wee — сотни детских команд около десяти возрастных групп. Большая часть американо-канадских игроков НХЛ прошли через Pee-Wee. Ездил на него и Тема, сын массажиста «Детройта» Сергея Мнацаканова. Тема увлекается хоккеем, и Сергей говорил, что в месяц это обходится ему почти в тысячу долларов. Впрочем, легко посчитать, из чего складываются эти расходы. 180 долларов в месяц родители платят за аренду льда. Форму — ребенок растет — каждый год надо менять. Коньки, перчатки, разные причиндалы вместе с клюшками и изоляцией — более 1000 долларов. И главное — поездки, уезжают ребята обычно в уик-энд на две ночи. Гостиница, питание — это не меньше 100 долларов. Умножим на четыре — еще 400 в месяц. Стоимость летних кемпов: две недели могут обойтись в 600 долларов. По самому минимуму на ребенка надо потратить тысяч семь в год.

Следующая тема как лирическое отступление. Любимая, родная тема. Почему-то многих, после того как я начал здесь играть, очень волновало, где игроки выпивают больше, в Лиге или в нашем хоккее? Странный вопрос. Кто может русского перепить? Но все же подход к этой теме достаточно субъективен. Я знал в России таких хоккеистов, которые могли выпить за один присест две бутылки коньяка и спокойно разъехаться на машинах. За рулем, конечно. А здесь есть игроки, которым достаточно трех банок пива, чтобы до машины не дойти. Сложно измерить, где больше пьют, потому как пьют по-разному. Пиво в Лиге употребляется постоянно.

В Москве мы деньги собирали, и за плату человек проносил бутылки на базу. Если сам после игры успел в буфет забежать, то схватишь что-нибудь и, как партизан гранату, в кармане — в автобус. Дни рождения в команде отмечались традиционно — шампанским, оно каким-то образом на базе не переводилось. Выпивать и напиваться — разные вещи, но когда тебя держат месяц на сборах, как в тюрьме, и вдруг ты попадаешь домой, нередко наступает такое лихое настроение, что можно и сорваться. Я видел здесь людей, которых выносили на руках из гостиницы в автобус, но также знаю и других, которые вообще не пьют.

В первый год переводчик Дима Лопухин поехал с нами на матч в Ванкувер. Дмитрий, естественно, со мной все время рядом. Передает мне просьбу тренера: «Слава, зайди ко мне в номер. Хотелось бы поговорить». Приходим в номер (а у старшего тренера всегда номер-«люкс»), ящик пива на столе стоит, пакеты с орешками. Открывает тренер банки, дает мне, Диме: «Давай поговорим по душам, я хочу знать, что ты думаешь о команде?» Представить такую сценку с Тихоновым — фантазии не хватит.

В самолетах тоже пиво есть и, возвращаясь домой после игры, ребята его пьют. В некоторых командах в раздевалках пиво выставляют, в некоторых нет. Дома после игры ребята идут в бар посидеть, поболтать с рюмкой или бокалом в руках. Хотя есть и те, кому нужно добиться хорошего контракта, — они вообще не пьют, серьезно готовятся к каждому матчу, чтобы сыграть хорошо. Все, включая выпивку, в этой стране абсолютно индивидуально. Получается парадокс: за мои 15 лет в советском хоккее под неустанным вниманием комсомола, политотделов, выдающихся педагогов-тренеров мы потеряли десятки восходящих звезд из-за их пристрастия к алкоголю. А здесь, в свободной стране, когда каждый предоставлен самому себе, я не слышал ни об одном подобном случае.

Я видел людей, которых приносили домой, наутро они никакие выходили на лед, но тренировались, и никто им слова не говорил. Партсобраний нет, игрок и сам знает, что не прав, что его может вызвать генеральный менеджер, спросить: «Чего ты добиваешься?» Но если сравнивать мой первый год в Лиге с тем, что происходит сейчас, количество выпиваемого игроками алкоголя заметно идет на убыль. Раньше легионеры в среднем получали тысяч 150 минус налоги, и надо было платить за дом, за машину, в школу за детей, и от лета до лета эти деньги уходили. Люди жили на уровне немного выше среднего класса. А сейчас игроки получают огромные деньги. А большие деньги сразу меняют жизнь. Кстати, насколько мне известно, если в России человек бросил пить и курить не по причине обширного инфаркта, значит, он разбогател. Это состояние везде одинаковое, сразу появляются другие цели в жизни.

Когда-то я выходил на матч, перед которым меня настраивали, произнося разные слова о чувстве долга. Здесь дух команды зависит от ее лидеров. Игроки, которые приходят в новый клуб, попадают в точно такую же среду, что была в их прежней команде. От них требуется только одно — они должны хорошо делать свою работу. Это и есть патриотизм. Быть профессионалом — это значит защищать честь клуба, за который ты играешь, который тебе платит зарплату. Но еще каждый работает и на себя. Каждый думает о том, как бы улучшить свои индивидуальные показатели. Поэтому профессионал может играть в любой команде. Он сражается за себя, но получается, что и за команду. А вот сплоченность команды зависит от лидеров. Хоккеист не может выиграть Кубок Стэнли или чемпионат в одиночку. Нужна команда, нужны коллективные действия. Поэтому, если в коллективе есть лидеры-ветераны, они будут отслеживать, чтобы все в команде играли друг на друга. У них не проходит вариант, когда яркая и талантливая индивидуальность старается играть только на себя. Они заставят кого угодно играть на команду. Но все, абсолютно все в НХЛ работает на бизнес, на получение прибыли.

То, что хоккей — это бизнес, доказывает присутствие в НХЛ профсоюза игроков, а также комиссионера Лиги, который в ней занимает пост, равный директорскому. У комиссионера есть помощники, огромный офис, заместитель, который отвечает за спортивную часть, заместитель, который отвечает за бизнес, за рекламу, есть группа юристов, короче, есть все то, что присуще директорату большой компании.

Хозяева, владельцы клубов не подчиняются комиссионеру Лиги, они его выбирают, чтобы он вел их бизнес, продавал матчи правильно, делал хорошую рекламу. Хозяева платят комиссионеру очень большую зарплату. Но если он их перестал устраивать, они его завтра выгонят. Часть хозяев составляют совет директоров. Они собираются и постоянно решают, как сделать Лигу более успешной, то есть как свой товар продать получше.

Штаб-квартира НХЛ раньше находилась только в Торонто, сейчас — и в Торонто, и в Нью-Йорке. Почти равная роль с советом директоров принадлежит в Лиге профсоюзу игроков — это те две силы, которые регулируют весь бизнес. Профсоюз организовывал не одну забастовку даже на моем веку. Был и локаут со стороны хозяев, когда они закрыли свой бизнес (отменили матчи) и не платили игрокам зарплату. Иногда только так выясняются отношения, и это, возможно, правильно в нормальном обществе. Если одна сторона считает, что другая ее в чем-то ущемляет, то она и таким образом может проявлять свое несогласие. Существует в Лиге комитет судей, им платят зарплату хозяева. Тренеры и люди, которые считаются обслуживающим персоналом, находятся на той же стороне, что и хозяева. В футболе и баскетболе тренеры, врачи и массажисты относятся к профсоюзу игроков. В хоккее, когда был локаут, хоккеистам не платили деньги, а эти люди получали свою зарплату.

Профсоюз игроков в НХЛ достоин отдельных слов. В нем по два представителя от каждой команды, которые находятся на связи с главным профсоюзным офисом Лиги, получают из него информацию, летают туда на собрания. Игроки не отчисляют деньги в свой профсоюз, он их сам зарабатывает, причем немалые. Мы отчисляем с каждого чека деньги, но только в пенсионный и страховой фонды. Профсоюз использует для своих заработков имена игроков. Например, выпускает маленькие открытки с нашими портретами, которые отлично продаются. Раньше доход с этих карточек принадлежал клубу. Сейчас этот неплохой бизнес принадлежит профсоюзу игроков и Лиге. Но продаются не только снимки, а всевозможные плакаты, майки... Что только не выпускается для фанов!

В 1996 году, когда популярность русской «пятерки» достигла пика, сразу напечатали несколько видов плакатов с нашими изображениями и хорошо их продали. Даже если продаются значки команды, то и тут профсоюз в доле с клубом. Все перечисленное — огромный бизнес, отчисления от которого идут в пенсионный фонд для игроков, и с каждым годом денег в нем накапливается все больше и больше. Деньги фонда не лежат в банке, а постоянно крутятся в государственных облигациях, и сумма их увеличивается. И хозяева обязаны отчислять какую-то часть своих доходов в наш пенсионный фонд.

Пенсия игрока — это сумма минимум в 250 тысяч, если он сыграл 400 игр в регулярных чемпионатах. Матчи плейоффа в их число не входят, а кто отыграл больше — у того и пенсия выше. Можно взять деньги раньше 55 лет, но в этом случае получишь намного меньше, потому что так все рассчитано, чтобы иметь хорошие выплаты именно к этому возрасту. Чем раньше игрок начал выступать в Лиге, тем раньше он сыграет 400 матчей, тем быстрей на его счету накопится необходимый минимум, и деньги будут продолжать расти. Я уже перешагнул рубеж необходимых 400 матчей, то есть я уже заработал в НХЛ пенсию.

Я знаю, что такие великие игроки, как Горди Хоу и Бобби Халл, судились в свое время с профсоюзом и Лигой из-за того, что, когда у них подошел пенсионный возраст, денег для выплат не оказалось. Они считали, что Алан Иглсон, знакомый советским болельщикам 70-х годов, исполнительный директор и профсоюзный босс, все деньги Лиги куда-то неправильно вложил. С тех пор за пенсионным фондом установлен постоянный контроль, от него все, кто хотят, получают полную отчетность. До меня доходила информация, что Иглсон оказался тесно связан с хозяевами, вместо того чтобы отстаивать интересы игроков. Поэтому и зарплаты держались на низком уровне.

Нынешний профсоюзный босс Боб Гуденоу, игравший в хоккей на уровне колледжа, постоянно мотается из города в город, смотрит игры и встречается с игроками. Если возникает какой-то вопрос, игрок имеет право в любое время позвонить в профсоюз или даже к Бобу домой.

В профсоюз входят не только игроки НХЛ. Если игрок перешел в низшую лигу, то он не вылетает из профсоюза. Например, «Ред Уингз» платит зарплату 50—60 игрокам. Включая и тех, которые играют в майнер-лиге.

Совсем неглупые люди собрались сейчас у руля управления Лигой. Они, на мой взгляд, на правильном пути, они стараются профессиональный хоккей хорошо продать во всем мире, они существенно расширили Лигу. Появились команды во Флориде, еще прибавится три-четыре команды в Калифорнии — а это те районы, где есть мощное региональное телевидение, а именно оно привлекает внимание к любому событию. Самое главное, Лига старается выйти на каналы общенационального телевидения, где уже есть баскетбол, бейсбол и бокс. Там деньги от рекламы — фантастические. Пока только игры плейоффа показывают по общенациональному телевидению, матчи чемпионата идут в основном по местным спортивным каналам, Детройт имеет свой, Чикаго — свой, но деньги за рекламу на них меньше на порядок, а может, даже и не на один.

Руководители НХЛ анализируют, почему хоккей десять лет назад был по популярности в конце первой двадцатки, а сейчас продвинулся значительно вперед. Они делают вывод, что часть американцев не хотят видеть грубость на льду, потому что приводят на стадион детей. И получается, что драки, которыми всегда была знаменита Лига, большинство зрителей не приемлет. Руководство Лиги старается сделать так, чтобы было больше комбинаций, меньше задержек, забивалось много голов. Ради того, чтобы игра красиво смотрелась, идут на все, даже если для этого надо поменять правила: ведь в случае успеха ее можно «хорошо продавать».

Олимпийские игры вызвали в Лиге большие споры. Участвовать или не участвовать? Нужно это или не нужно?

Даже профсоюз игроков не горел желанием дать согласие на участие легионеров в Играх. Дело в том, что Кубок Канады контролируется профсоюзом игроков, и, если он в конце концов станет основным соревнованием мирового хоккея, профсоюз имеет шанс заработать огромные деньги. Но ехать на Олимпиаду — это значит, во-первых, помогать турниру-конкуренту, во-вторых, там хоккейный турнир полностью подчиняется Международному Олимпийскому комитету. Но, с другой стороны, Лига получит всемирную рекламу. И в конце концов это, наверное, и перетянуло чашу весов. Профсоюз создал окно в чемпионате НХЛ, и канадцы и американцы серьезно готовились к выступлению на первых открытых для профессионалов Олимпийских играх.

Умное руководство — это то, которое постоянно ищет новые варианты, делает все для того, чтобы игра становилась зрелищнее. В конце концов, в бизнес Лиги вовлечены такие суперкомпании, как «Дисней» с их командой «Майти Дакс». В последнее время строятся огромные красивые стадионы. Стоят они от 150 до 200 миллионов — это весомые деньги. Но если люди, ворочающие огромными капиталами, чувствуют хоть какой-нибудь риск в бизнесе, вряд ли они будут строить новые стадионы. Более того, местные корпорации покупают на этих стадионах ложи, платят деньги вперед, и немалые деньги, ради того, чтобы приходить посмотреть игру, окружив себя комфортом. «Джо Луис Арена» в Детройте и вместительная и красивая, но даже у команды «Ред Уингз», у которой посещаемость сто процентов, уже есть необходимость в новом стадионе.

Кстати, долгое отсутствие европейцев в Лиге было связано с тем, что прежнее руководство считало, что игрокам из Европы в НХЛ делать нечего. Если бы такой подход сохранился, то, возможно, хоккейный бизнес настолько бы не вырос. Европейские игроки привнесли с собой специфическую добавку в игру: это и скорость, и мастерство паса, и необычные комбинации. Кроме того, появление европейцев, и в частности русских, дало возможность расшириться Лиге. С 1989 года в ней появилось восемь новых команд. За счет своих резервов — только канадцев и американцев — Лига смогла бы так расшириться, только включив ребят, которые играют в фарм-клубах, но тогда уровень хоккея, конечно, заметно бы упал. А приток европейцев дал возможность расширить Лигу, при этом качество хоккея не потерялось, а я думаю, что оно даже повысилось.

Как правило, у хозяев клубов хоккей не основной бизнес, они увеличивают свое состояние помимо него. Для многих бизнесменов своя спортивная команда — это престиж. А собственная профессиональная команда НХЛ — это очень большой престиж. Не каждого пускают в этот бизнес, и когда кто-то хочет вступить во владение командой, то собирается комитет Лиги, рассматривает новую кандидатуру. Если она по каким-то причинам комитету не нравится, то они не примут этого человека ни за какие деньги к себе в семью.

Отношения у игроков и хозяев самые разные. У меня, допустим, были прекрасные отношения с моим прежним хозяином, владельцем «Нью-Джерси». Впрочем, они до сих пор такими и остались. Зовут его Джон Макмален, или, как еще говорят, доктор Макмален. Человек он очень интересный. В прошлом закончил военно-морскую академию, служил во флоте. Умный, деловой, он в свое время сделал пару военных изобретений, которые ему дали огромные деньги. Потом доктор Макмален открыл свой бизнес. Интересно, что куда бы он ни вкладывал деньги, везде у него будто росло золотое дерево, настолько развито чутье на бизнес. И хотя Макмалену крепко за 70, он человек совершенно ясного ума: каждый день в офисе, каждый день работает, каждый день в спортивном зале, много плавает. Перед такими людьми нужно преклоняться.

Я не был исключением в «Дэвилс», у доктора Макмалена всегда складывались отличные отношения с ребятами из

«Русская пятерка» – плакат, выпущенныйв Детройте.

«Русская пятерка» в боевом построении. Сзади – защитники
В.Константинов и В.Фетисов. Впереди – нападающие:
И.Ларионов, С.Федоров, В.Козлов.
Шестым мы взяли журналиста В.Мелик-Карамова.

Игроки «Детройт Ред Уингз» на Оллстарзгейм.
Я с капитаном Стивом Айзерманом
и нападающим Брэдом Шенэхенном.

Моя жена Лада.

До отъезда в США Лада работала
моделью, много снималась.

У родителей на фоне моих многочисленных наград.

На банкете с Ладой,
папой Александром Максимовичем
и мамой Натальей Николаевной.

С дочкой Настей.

Так дочка выглядит в путешествии.    А так – на конкурсе красоты.

С Александром Могильным, звездой НХЛ,
беглецом "номер один" из Советского Союза...

...и с Сергеем Федоровым, беглецом "номер два",
одним из лучших нападающих в НХЛ.

Что-то очень важное
говорит мне один
из лучших тренеров Лиги –
Скатти Боумен.

Мой американский друг
Дагги Браун.

Лада с Ириной Константиновой,
Еленой и Сергеем Мнацакановыми.

В озере Мичиган все еще водится хорошая рыба.

Лето 1997 года.
Мы в России.
Чествуют наших отцов –
моего и Игоря Ларионова.

Слева – мой адвокат Владимир Злобинский,
справа – моя теща Валентина Александровна.
Финансовая и моральная опоры.

С Владимиром Константиновым у Кубка Стэнли. 1997 год.

Какой-то хохмач на параде в Детройте выставил транспарант: «Всех своих детей я назову Вячеславами!»

Кубок Стэнли на Красной площади.
Слева – Игорь Ларионов, справа – Вячеслав Козлов.

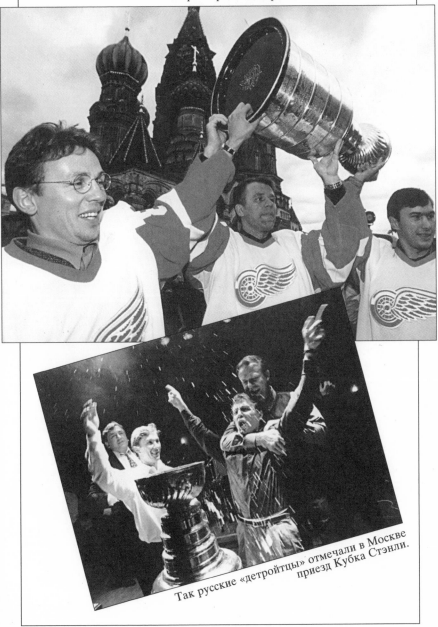

Так русские «детройтцы» отмечали в Москве приезд Кубка Стэнли.

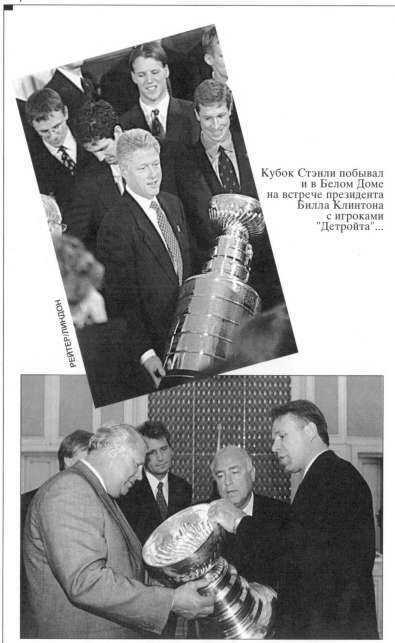

РЕЙТЕР/ЛИНДОН

Кубок Стэнли побывал
и в Белом Доме
на встрече президента
Билла Клинтона
с игроками
"Детройта"...

... и в Кремле на приеме у премьер-министра
Российской Федерации Виктора Степановича Черномырдина.

Мэр Москвы Юрий Михайлович Лужков не только налил
в Кубок шампанское, но и выпил его...

..а потом, потребовав майку «Детройта», тут же ее надел.
Когда я уезжал из страны, начальники были другие

его команды. Хотя многие толком даже не знают, что он единоличный владелец «Дэвилс». Он обычно не вмешивается в дела тренеров и менеджера. Поэтому есть игроки, которые никогда не разговаривали с ним, только «привет-привет» — и все. Макмален еще владел «Хьюстон Астрос» — профессиональной бейсбольной командой, плюс к ней и закрытым стадионом — «Астродом», который вмещает 60 тысяч человек. Но как раз перед тем, как начались проблемы с бейсболом, доктор Макмален вдруг продал «Астрос». Буквально на следующий день забастовки начались у бейсболистов, цены пошли вниз. Потери у других получились огромные. А Джон Макмален успел выскочить из бейсбольного бизнеса, но стадион оставил себе.

Доктор Макмален давал мне по бизнесу постоянно много полезных советов. Все же некоторое нетрадиционное отношение было у него именно к нам с Ладой. Может, потому что я оказался сбывшейся его мечтой, он же пробивал советский «железный занавес», чтобы взять русского игрока в команду, в течение многих лет, задолго до перестройки.

Рождество — для американцев исключительно семейный праздник. Потом, уже на Кристмасдей, на следующий день, приглашаются близкие друзья. Когда доктор Макмален пригласил меня с Ладой в первый раз, мы думали, что это будет совместный ужин всей команды. Приходим, смотрим — только мы вдвоем с Ладой имеем отношение к команде, а так людей совсем немного, только его близкие. Три или четыре года подряд Джон Макмален приглашал нас к себе домой в самый знаменательный для американцев день.

Но надо помнить всегда, что хозяин — это человек, который платит тебе зарплату. Хочешь или не хочешь, но относишься к нему с уважением.

# Глава 10
# ДЕТРОЙТ

В 1994 году у меня закончился пятилетний договор с «Нью-Джерси Дэвилс», и все лето перед началом сезона велись переговоры насчет нового контракта. Но никак не удавалось договориться, а когда дело сдвинулось, хозяева клубов объявили локаут. Но сперва забастовку провели хоккеисты.

Профсоюзный босс Боб Гуденоу подготавливал ребят к локауту, наверное, целый год. Ездил по городам, встречался с игроками, проводил собрания. Боб считал, что хоккеисты получают маленькую зарплату и это несправедливо. Хозяева везде плакались, что они не зарабатывают денег, а Боб имел информацию, что на самом деле к ним приходят деньги, и к тому же большие. Хозяева показывали, что некоторые команды приносят им убытки, но это, считал Гуденоу, неправда и пришла пора показать, что мы вместе, что мы собираемся добиться лучших условий в контрактах. В конце концов Боб сумел убедить игроков. Сразу после сезона 1993—94 годов, получив последние чеки, прямо перед плейоффом хоккеисты начали забастовку.

Время было выбрано не случайно. Основной заработок хозяев — это плейофф, потому что зарплаты все выплачены, а чем дольше команда играет в Кубке Стэнли, тем больше у ее хозяина доход. Каждая игра в Кубке, говорят, приносит чуть ли не миллион чистой прибыли.

Итак, получив последние чеки, мы начали забастовку, требуя пересмотра контрактов. Между профсоюзом игроков и Лигой есть коллективный договор. Соблюдение правил, порядок выплаты страховки и еще множество пунктов, определяющих жизнь Лиги, — все в нем оговорено. Но как раз кончался срок договора, и для того, чтобы подписать новый, устраивающий игроков, профсоюз пошел на забастовку. По-моему, через пару недель стороны пришли к согласию, однако долгосрочный договор подписан не был, хотя игры в розыгрыше Кубка возобновились. А перед началом следующего сезона хозяева сделали ответный шаг. Накануне открытия тренингкемпа, когда нужно платить первые деньги игрокам, они взяли и закрыли Лигу. Деньги не платились, матчи не проводились, игроки сидели без зарплаты. Хозяева, наверное, считали, что чем дольше Лига будет закрыта, тем скорее произойдет внутренний раскол в профсоюзе игроков, люди начнут к ним перебегать. И тогда они заставят их подписать контракты на своих условиях. Но никто не предполагал, что этот локаут затянется так надолго. Лига оказалась закрытой до середины января. В конце концов после всех этих акций средняя стоимость контракта резко поднялась.

Как я уже говорил, средняя зарплата в НХЛ равнялась 200 тысячам всего пять лет назад, до всех этих забастовок. Тогда я и попал в Лигу, кстати, одновременно с новым руководством профсоюза. Тогда же впервые были открыто опубликованы цифры контрактов игроков. До этого дня никто не ведал, как распределяются суммы, трудно было что-то реальное узнать из частных разговоров, хотя все точно знали — лишь один человек в Лиге получал больше миллиона — это Грецки. Самым высокооплачиваемым защитником считался Рей Бург, говорят, он получал 500 тысяч в год. Но буквально через год или два, с появлением молодых ребят и опытных хоккейных звезд из Старого Света, резко взлетела зарплата. Большие контракты теперь подписывали, естественно, и те, кто играл в Лиге давно, имел в ней имя. И общая картина с контрактами резко поменялась. Все это связывали с приходом нового профсоюзного босса, потому что стратегия и тактика в трудовых конфликтах, считалось, выбраны им правильно.

В договоре между хозяевами клубов и профсоюзом появились такие важные для игрока пункты, что он может быть «свободным агентом», то есть имеет право подписывать контракт с любым клубом, начиная с тридцати двух лет. Чем раньше ты становишься свободным агентом, тем выше у тебя шансы заработать больше денег. Потому что ты выходишь сам на рынок, и клубу, который тебя покупает, не нужно платить компенсацию либо игроками, либо деньгами твоей бывшей команде. А когда ты выходишь «на продажу» и три-четыре команды хотят тебя забрать к себе, значит, кто больше тебе даст, тому ты и достанешься.

Не все игроки были довольны действиями Боба, особенно те, которым перевалило уже за тридцать, которым осталось играть уже недолго. Они теряли в локаут большие деньги без надежд, в отличие от молодежи, их вернуть. Боб же работал на перспективу. Конечно, возникали разговоры, что мы, игроки, согласны заканчивать противостояние, давайте вернемся к тому, как жили раньше, но чтобы хоть один пришел и начал тренироваться в клубе — такого не было. У 95 процентов игроков сработало чувство солидарности. Мы много раз слетались вместе на общие собрания, приезжали к командам авторитетные в Лиге люди, которые объясняли смысл забастовки. В действительности, после забастовки даже те ребята-ветераны, которые против нее возражали, получили огромное преимущество, становясь «свободными агентами».

В общем, ситуация оказалась выигрышной для игроков, но самое интересное: как только был подписан долгосрочный договор, оказалось, что и для хозяев он тоже не так-то плох. Потому что бизнес резко пошел в гору. НХЛ подписала договор с европейскими федерациями о компенсациях, подписала договор с игроками, что в ближайшие шесть лет не будет никаких забастовок. А это уже гарантии стабильности. Началось строительство новых стадионов, но самое главное то, что в Лигу высказали желание вступить новые команды из больших городов. Если бы бизнес шел вниз, наверное, никто бы не захотел тратить 75 миллионов долларов на вступительный взнос в Лигу, тем более что пять лет назад он составлял только 50 миллионов. И нет гарантии, что через три года не вырастет до 100 миллионов. А средняя зарплата на команду в Лиге сейчас больше 20 миллионов.

Вступительный взнос нового члена распределяется между хозяевами клуба. Если, допустим, рядом с «Детройтом» появляется новичок, то, естественно, компенсация должна достаться в большей степени «Ред Уингз», потому что у нас невольно отбирают какое-то количество зрителей. Команда «Нью-Джерси», когда я туда приехал, десять лет выплачивала часть денег, полученных за проданные билеты, «Филадельфии», «Нью-Йорк Рейнджерс» и «Нью-Йорк Айлендерз», потому что они близлежащие соседи.

Поскольку локаут начался прямо перед сезоном, естественно, все переговоры прекратились, никто не знал, когда и как возобновится чемпионат НХЛ. Даже те, кто имели на руках подписанные контракты, денег по ним не получили, тренироваться на катках не имели права. Комитет игроков регулярно совещался с профсоюзным боссом Бобом Гуденоу. Боб выдавал им информацию, по-моему, еженедельно. Прошел месяц. Все решили, что локаут будет долгим, хозяева не собираются сдавать позиции. И у меня в разговоре с Валерой Зелепукиным возникла идея собрать русских легионеров и поехать всей компанией в Россию сыграть несколько матчей в разных городах. Мы стали обзванивать игроков. Реакция на наше предложение была самая разная, но в основном идея всем понравилась. Нашлись и такие, кто первым делом спросил: а сколько мне заплатят? Конечно, у каждого возникали свои требования, у всех же разное финансовое положение, но всегда есть люди, которые хотят только зарабатывать и ничего не отдавать.

Я связался с Гелани Товбулатовым и мы позвонили Виталию Георгиевичу Смирнову — президенту Олимпийского комитета России. Он поддержал мою инициативу, я спросил: «У нас здесь некоторые без российских паспортов, можно будет что-нибудь сделать?» Смирнов предложил обсудить эту проблему в Москве. Одной из любимых тем американской прессы была такая, что в НХЛ весь предыдущий сезон русская мафия угрожала игрокам из бывшего СССР, требуя от них денег. Пресса уверяла, что большинство русских хоккеистов никогда не поедут обратно домой. Я попросил Виталия Георгиевича вывести переговоры о Суперсерии на уровень правительства, чтобы полностью подстраховаться от любых неожиданностей.

Я прилетел в Москву и сразу из Шереметьева поехал к Смирнову, где мы долго обсуждали разные вопросы. Виталий Георгиевич связался с правительством, с администрацией президента, с Андреем Козыревым — в то время министром иностранных дел. Я выяснил, что «дело Могильного» давно закрыто, и отправил Саше факс, чтобы прилетал, не боялся. Он потом рассказывал, что на подлете к Москве его всего трясло, но когда он увидел, какая встреча и сколько журналистов в VIPe, то был на седьмом небе. Для Саши это возвращение оказалось знаменательным. Он познакомился в Москве с девушкой Наташей, которая позже стала его женой. А я никогда не забуду, как были счастливы родители Могильного. Сколько же им пришлось пережить! Вчера еще сын был предателем Родины, а теперь ее герой.

Нас приглашали многие провинциальные города, где развит хоккей. Такая возможность поглядеть «вживую» на игроков высочайшего класса! Предложили одну игру провести в Санкт-Петербурге для рекламы Олимпийских игр, на которые северная столица тогда претендовала. Но оказалось, что в Питере льда нет, и даже тогдашний мэр Собчак не мог организовать во Дворце «Юбилейный» его заливку.

Нам казалось символичным собраться той прежней великолепной «пятеркой». Пригласили Касатонова, Володю Крутова с трудом выдернули из Швеции, где он благополучно играл в шведском чемпионате. Уговаривали Третьяка, однако убедить так и не смогли. Но перед первой игрой вручили ему майку с его именем. Выглядело все это, говорят, красиво, как продолжение традиций родного хоккея. Гелани Товбулатов творил чудеса, чтобы ребята чувствовали себя как дома. Главную цель турнир, я считаю, выполнил — хоккейный мост от НХЛ к России был наведен.

Серия игр прошла в Москве, Ярославле, Нижнем Новгороде, Новосибирске, Магнитогорске. Будто Всевышний организовал этот локаут, чтобы состоялся приезд ребят на Родину, чтобы мы объединились. Многие не хотели уезжать из России по окончании серии. Были и такие, что вернулись тут же обратно. Могильный и Буре потренировались со мной в Нью-Джерси, локаут ведь еще продолжался, а потом мне говорят: «Хорошо бы в декабре поучаствовать в Призе «Известий». Немыслимое заявление, учитывая их многомиллионные контракты. Многие легионеры благодаря той серии стали каждый год приезжать в Москву.

В декабре я вернулся в Америку, а в середине января уже возобновился регулярный чемпионат. Генеральный менеджер «Дэвилс» Ламарелло входил в комитет генеральных менеджеров, которые — со стороны хозяев — вели переговоры с комитетом игроков. За неделю до возобновления чемпионата (пресса об этом и не подозревала) Лу позвонил мне и сказал, что доктор Макмален и он хотели бы со мной пообедать. Я приехал на встречу, была дружелюбная атмосфера, они расспрашивали про Москву, интересовались, как прошла серия в России. Никаких разговоров о бизнесе, ни одного слова. Потом, через пару дней, хозяин присылает мне оффер, так называется предложение о контракте, на один год. Я его подписал. Лу сказал: «Мы на тебя рассчитываем в плейоффе, у тебя три-четыре недели, чтобы во время чемпионата спокойно готовиться. Никуда не торопись». Всего в сезоне из-за локаута было сорок восемь игр. Ребята в команде были рады моему возвращению.

Именно в эти дни я сдружился с Ларри Робинсом. Ларри — замечательный человек и отличный хоккеист. Мы много времени проводили вместе, тренировались и с командой, и вдвоем. Через две недели я начал играть и в третьей игре получил довольно серьезную травму: подключился в атаку, хотел проскочить между бортом и защитником, а в это время открылась дверца на скамейке соперника и я на всей скорости врезался в нее. Ощущение — как будто влетел в стену. Я выпал из игры еще на три недели. Но я считаю, что мне повезло — могло быть гораздо хуже. «Дэвилс» начали неплохо играть, система, которую для нас выбрали тренеры, оказалась подходящей команде. Защитников в ней, правда, собралось много, но пара ребят были травмированы, хотя потихоньку и они набирали форму. Я успел сыграть за «Нью-Джерси» еще одну игру, но понимал, что кто-то из нас должен уйти: девять защитников — это многовато. И тут как раз ввели новые правила, по которым в команде могут быть только 24 игрока, остальные должны находиться или в резерве, если у них серьезная травма, или играть в майнер-лиге. Значит, уже все обстоятельства складывались так, что какого-то защитника точно должны отдать. Этим лишним защитником оказался я.

После одной из тренировок подходит в раздевалке ко мне старший тренер Жак Лемэр: «Слава, тебя генеральный менеджер ждет в офисе». Я поднимаюсь в офис, и там Лу мне объявляет, что только что состоялся трейд, меня поменяли в «Детройт Ред Уингз». Ламарелло поблагодарил меня за все годы, что я провел в «Дэвилс», и хотя это обычные слова, говорящиеся по традиции, мне было приятно. Лу мне еще сказал, что они не хотели менять меня в слабую команду, понимая, как мне хочется выиграть Кубок Стэнли. Он считает, что «Детройт» станет одним из претендентов на победу в Кубке, причем в этом году. (Если бы Лу еще знал, что «Нью-Джерси» и «Детройт» будут играть в финале!) Я спросил, когда я должен отправляться в Детройт, удивляясь, что никаких сентиментальных чувств у меня не возникло. Лу ответил: «Езжай домой, тебе позвонят из Детройта через 40 минут».

Меня поменяли за третий раунд драфтпика. Рядовая ситуация для Лиги. Я вернулся в раздевалку, ребята, конечно, уже догадывались о каком-то изменении в моей судьбе, потому что, когда вызывают к генеральному менеджеру, всегда что-то важное происходит. Я поднял руку: «Парни, я поехал в Детройт». И тут на меня нахлынули эмоции, которые в кабинете Ламарелло полностью отсутствовали. Ведь со многими из сидящих в раздевалке я долго играл рядом, мы стали хорошими друзьями. Начались объятия, рукопожатия, прощания, пожелания — все это было невероятно трогательно.


Кто из нас мог тогда знать, что, уезжая в Детройт, я через два-три месяца буду играть против них в финале Кубка Стэнли. И впереди у нас рукопожатия, которые произойдут, когда «Детройт» проиграет «Нью-Джерси» финальную серию. И они будут совершенно пронзительными. Ребята плакали от счастья, что выиграли Кубок, но почти каждый из них, обняв меня, сказал: «Жалко, что ты не с нами!» Меня каждый служащий на «Бренден Бёрн Арене» в Нью-Джерси знал, как родного. С одной стороны, у них фантастическая радость, с другой — нескрываемая жалость ко мне.

Серию мы закончили в Нью-Джерси, проиграв 4:0. Выхожу из раздевалки — жена стоит, полные глаза слез. С Ладой приехал на стадион Гарри Каспаров, но не выдержал, ушел после второго периода. Подошел я к Ладе, мы обнялись, я говорю: «Ну что же сделаешь, в жизни всякое бывает, значит, через это тоже надо пройти». Все вокруг жалеют меня, а я объясняю, что сам ни о чем не грущу, потому что считаю: надежды на Кубок Стэнли у меня еще не потеряны. Я еще поиграю. Дело в том, что за три месяца в «Детройте» я снова почувствовал себя настоящим игроком — то есть мне разрешили делать то, что я хорошо умел делать всю свою хоккейную жизнь, а не действовать по каким-то специфическим схемам.

Я сказал Ладе: «Для меня сегодняшний день стоит многого». Это была не бравада, можно получить Кубок в составе «Нью-Джерси», но играть там седьмым защитником и выходить на лед через матч, другое дело — знать, что ты опять полнокровный игрок, что опять можешь импровизировать, играть в тот хоккей, которому тебя учили, который приносил тебе радость и которым восхищались болельщики. Это не громкие слова — действительно, когда наша «пятерка» сборной Союза заводилась, болельщики «сходили с ума» и не только у нас в стране, но и во всем мире.

Я проигрывал и финал на Олимпийских играх, и решающие матчи чемпионата мира, но те поражения случались далеко от семьи, переживались в коллективе, и оказалось, это не так тяжело, когда вокруг друзья, а рядом жена. Чувство горечи совсем иное, чем когда, предположим, проигрываешь в Австрии, потом слушаешь, что тебе скажут тренеры и руководство на собрании, и только потом отправляешься домой, в Москву.

Да, шанс настолько выпал близко к тому, что моя команда получит Кубок Стэнли, что ближе, казалось, уже не будет. И что бы ты ни говорил, ты знаешь, что с каждым годом шансов на эту победу все меньше и меньше...

Но я забежал вперед. Итак, узнав, что меня поменяли, я вернулся домой, Лада находилась в Нью-Йорке по делам. У нас тогда жила Ладина тетя, Тамара Александровна, которая присматривала за Настей. Она накрыла на стол, я сел обедать, но даже не видел, что ем, все представлял, как будет осуществляться мой переход. Наконец звонок. Скатти Боумен — тренер «Детройта»: «Слава, добро пожаловать в «Ред Уингз» — в нашу семью, нашу организацию. Мы очень рады, что ты теперь будешь игроком «Детройта». Наш самолет сел сейчас на заправку в Канзас-сити, мы по пути в Сан-Хосе, там завтра играем. Когда бы ты хотел к нам прилететь?» Я ответил: «Хотел бы сейчас». Боумен, по-моему, растерялся, говорит, мол, побудь еще дома. Я ни в какую, хочу лететь. Тогда Скатти решился: «Тебе сейчас перезвонят, закажут билет и скажут, как до нас добраться». Федька, Сергей Федоров, схватил трубку, Боумен подозвал к телефону ребят: его и Володю Константинова. Они были такие счастливые, восторженные, Сергей кричит: «Давай прилетай, поиграем в настоящий хоккей!»

Мне потом ребята рассказывали, что, когда Скатти сообщил в самолете, что «мы взяли Фетисова», Федька подпрыгнул чуть ли не до потолка, так был рад этому. Тут же к нам домой позвонили корреспонденты из Детройта: «Что вы думаете о «Ред Уингз»? Вы знаете, что у нас семь защитников? Что вы можете дать команде?» Вопросы, конечно, необычные, отвечаю я, но думаю, что смогу еще поиграть в хоккей, который понравится в «Ред Уингз», я много играл против этого клуба и знаю, что «Детройт» — это хорошая команда. Позвонила из офиса «Нью-Джерси» Мария — секретарь генерального менеджера: «Нас только что просили заказать тебе билет в Сан-Хосе. Когда ты собираешься лететь?» Я сказал, что как можно скорее. Она отвечает, хорошо, билет есть, вылет через полтора часа. Я поблагодарил через нее всех девочек в офисе, они всегда ко мне хорошо относились. Положил трубку, быстро собрал сумки. Билет уже ждал меня на стойке в аэропорту.

Я отправился не знакомиться с новой командой, а играть в ней. Сезон в разгаре, не до знакомства. «Дьяволы» прислали за мной домой лимузин, заранее положив в него мою форму, коньки и клюшки. Я бросил в багажник и наспех собранные мною сумки, поцеловал Настю и поехал в аэропорт. Лада все еще ничего не знала, а я сказал Тамаре, чтобы она ей ничего и не говорила, я прилечу в Калифорнию, позвоню. В аэропорт я успел за десять минут до вылета. Взлетели, и я чувствую такое возбуждение, будто меня ожидает таинственное и опасное приключение.

Лада возвращается из Нью-Йорка, моя машина стоит в гараже, а в доме меня нет. Она спрашивает Тамару: «Где Слава?» — «Не знаю, — решила пошутить тетка, — вроде ушел от тебя». — «Как ушел?» — «Вот собрал шмотки, ни «здрасьте», ни «до свидания». Собрал и уехал». Лада не поверила. «Не веришь, посмотри — вещей нет, я тебе говорю, собрался и уехал». Лада пошла наверх, смотрит — действительно моих вещей нет, села и задумалась. Тут Тамара испугалась своей шутки и все рассказала.

Лада поначалу расстроилась, что меня поменяли. В русском человеке, похоже, исторически заложено, что он должен жить на одном месте и никуда без нужды не мотаться. Нас и прописывали чаще всего раз и навсегда по одному адресу. Тяжело русскому человеку собирать накопленные вещи и перебираться в другие края. Другое дело — у якобы похожих на нас американцев. В любой момент раз — и в другой город.

Когда я прилетел в Сан-Хосе, был вечер, а в Нью-Джерси — уже ночь. Я позвонил Ладе, сказал, что нормально добрался, чтобы она не волновалась, что все будет хорошо. Сейчас я с командой на выезде, но когда приеду в Детройт, то определимся с домом. В НХЛ правило: команда должна оплачивать твой переезд, упаковку вещей, транспорт, платить первые несколько месяцев за гостиницу, в зависимости от даты, когда ты поменян (если в начале сезона — одно количество недель, если в конце сезона — другое). Потом, когда ты снимаешь дом, тебе платят за три-четыре месяца, а могут и за один, опять же в зависимости от того, в какое время года совершился трейд. Даже оплачивают банковскую ссуду, если она у тебя есть, за собственный дом. Другими словами, переезд никак финансово не отражается на игроке, это все — ответственность клуба, который тебя поменял.

Я долго с «Ред Уингз» находился в поездке: Лос-Анджелес, Анахайм, еще где-то играли, пока я попал в Детройт.

Сергей Федоров пригласил меня сначала пожить у них дома. Около трех недель меня замечательно Федоровы принимали, не пришлось одному, как это бывает, торчать в гостинице. Впрочем, и Козлов, и Константинов тоже меня приглашали. Но с Детройтом и его окрестностями меня знакомил Сергей. Потом я устроился в гостинице, а затем снял квартиру прямо в центре города, недалеко от «Джо Луис Арены». Так было удобнее ходить на тренировки, тем более я не сомневался, что в плейофф команда попадет, значит, сезон продлится. А находясь рядом с ареной, больше времени будет для того, чтобы отдыхать, готовясь к новым матчам.

Мне о многом предстояло подумать. В 1995 году заканчивался мой профессиональный контракт. Предложат ли новый в «Детройте»? А если нет, то как жить дальше?

ЛАДА: Переезд из Нью-Джерси в Детройт начался очень смешно. У нас в это время гостила моя тетя, которая помогала мне с Настенькой. Слава с утра отправился на тренировку, а я — в Нью-Йорк, по делам. Приезжаю домой, машина Славы стоит, а его нет. Спрашиваю: «Где Слава?» А тетя хихикает: «Нету

Славы». — «Как нет?» Я наверх, вниз. Тетя говорит, не знаю, что случилось, пришел, собрал вещи и ушел. Я так и села, как это собрал вещи и ушел? Она мне: «Да может, бабу какую нашел? Может, бросил тебя?» — «Так и ушел, ничего мне не сказав, ничего не передав?» Тетка хохотать: «Его, ха-ха-ха, поменяли». Я: «Куда поменяли?» Она: «А я не знаю, в какой-то город, что-то на «Д». Я стала звонить Зелепукиным, Валера отвечает: «Да, поменяли в «Детройт», он уже улетел».

А Слава все не звонит, я не знаю, где он, что с ним? Только за полночь, наконец звонок. Оказывается, он летел пять часов, да еще три часа разница. Я спрашиваю: «Детройт ведь от нас недалеко. Почему три часа разница?» Слава: «Я полетел в Сан-Хосе на игру «Ред Уингз» и «Шаркс», с командой познакомиться. Сегодня утром пришел на тренировку, мне объявили, что сделан трейд, дали билет, сказали «гуд лак» и убрали мое имя со скамейки в раздевалке».

В Лиге все очень быстро делается: имя снимается, форма убирается. Я сама боюсь спросить, что он чувствует, но Слава сказал: «Подумаешь, поменяли. Я пять с половиной лет был в одной команде, другие каждый год команду меняют».

В конце концов выяснилось, он доволен тем, что перебирается в Детройт. Его поменяли 4 апреля, конец сезона, начинается плейофф. В Нью-Джерси они всегда после первой или второй серии — кандидаты на вылет. У нас обычно уже в мае отпуск начинался. Я спрашиваю мужа: какой нам смысл снимать квартиру, тем более что Настя уже в детский сад ходит? Я предложила: мы побудем в Нью-Джерси, а ты доиграешь до конца сезона и приедешь. А оказалось, что «Детройт» играет и играет и никак из плейоффа не вылетает. Слава звонит, говорит, что скучает. Мы взяли билет и полетели с Настенькой в Детройт к папе. Там в гостинице жили дней десять. Потом все же сняли квартиру, потому что играли они чуть ли не до середины июня.

Квартиру сняли рядом со стадионом, и из нашего дома до арены шла прозрачная труба-переход. Точнее, от группы из трех огромных домов. Мы жили на 31-м этаже. Слава с балкона мне кричал: «Какой вокруг вид, иди посмотри на Канаду», а я на такой высоте на балкон выйти боюсь, прошу его закрыть дверь, а он: «Выходишь сюда утром, делаешь зарядку». Но действительно, очень красиво, на другой стороне реки — Канада. В этих трех домах магазин, ресторан, прачечная, бассейн, джим-зал, даже почта есть своя, никуда не надо выходить. Но самое главное — не надо парковать машину около стадиона, идешь по «трубе» со своей карточкой, только «прощелкиваешь» ее в электронных дверных замках. Проходишь один туннель, второй — и ты на стадионе. Всего одна минута на улице. И мне и Настеньке в Детройте понравилось, а ей особенно, потому что все вокруг уделяли дочке много внимания.

Когда приехали после лета уже на второй сезон, сняли кондоминиум и занялись переездом.

Вот это было тяжелое время. Наверное, когда ты моложе, переезд легче дается; чем старше — тем подниматься с насиженного места труднее. Тем более что переезжаешь не вдвоем, как мы из Москвы в Нью-Джерси, а с ребенком. Нужно устроить ребенка в школу. В Нью-Джерси Настя занималась балетом, плавала, ходила на уроки гимнастики в школу к Наташе Шапошниковой, знаменитой советской гимнастке. Значит, надо искать новую балетную школу, определяться с бассейном и гимнастическим залом. Слава снял дом, расставил мебель, и когда он это сделал — мы прилетели. Теперь уже не в гости, а жить. Настенька переживала месяц, что у нее новая школа, новые друзья, новые учителя. Она никак не могла привыкнуть, а для меня стало открытием, что ребенок в четыре года так реагирует на смену обстановки. Сначала она ничего не воспринимала: ни школу, ни дом, где поселились, ни даже место, где мы живем. Что трудным было для меня — это учить новые дороги. Искать новых врачей для ребенка, для себя.

Мы в Детройте переезжаем с места на место уже третий раз. В этом сезоне Слава снял таунхауз, чтобы у Настеньки для игр было больше места. Таунхауз — это отдельный дом с гаражом. То есть нет общего подъезда для нескольких квартир. Здесь свой вход, свой гараж. Но дом имеет общую стену с соседним домом.

Детройт, откровенно сказать, я видела только тогда, когда Славу поменяли и мы жили в гостинице в центре города. Сейчас у меня времени нет в центр ездить. Я туда попадаю только тогда, когда еду на стадион. Но посмотреть матч из-за ребенка я могу лишь днем — значит, или в субботу, или в воскресенье. Только когда у Анастасии каникулы, мы можем поехать и на вечернюю встречу. Пару-тройку раз в месяц мы с мужем сходим в ресторан, но это опять же вечера. Живем мы в сорока минутах езды от центра, в чудном районе, очень чистом и очень спокойном. Здесь поселились в основном люди, которые зарабатывают выше среднего уровня, они стараются в центре города не жить.

Больше всего меня в Детройте удивил тренер Скатти Боумен. За пару месяцев моего первого сезона в «Ред Уингз» он иногда вызывал меня к себе, но только для того, чтобы спросить, как дела. Потом выяснилось, что Скатти знает весь советский хоккей начиная с конца 50-х годов. В семидесятые Боумен не поленился прилететь в Москву, где после первой серии профессионалов и сборной СССР Тарасов устроил тренерский семинар. Все наши славные имена он помнит: и Сологубова, и Трегубова, не говоря о тех, кто моложе. Уникальная память. Естественно, Скатти знал и про меня. «Мы долго хотели тебя получить, но никак не выходило». Тогда еще в «Детройте» играл Марк Хоу, сын легендарного Горди Хоу. Кстати, семья Хоу — единственная в мире, где отец и два сына играли вместе в одной профессиональной команде — клубе ВХА «Харфорд Уэйлерс».

Скатти по складу своего характера больше доверяет людям, которые имеют опыт, чем молодым. Марк Хоу получил травму и выбыл почти на месяц. «Детройту» требовался опытный защитник, поэтому они уже стали торговать меня в открытую. Ламарелло мне в прощальном разговоре сказал, что он не хотел меня менять, но из Детройта настойчиво звонили. Возможно, все это лирика, лично со Скатти я до этого знаком не был и никогда с ним не общался.

4 апреля 1995 года я лечу в Калифорнию. Перед отъездом мне велели, чтобы, прилетев в Сан-Франциско, я взял напрокат машину и на ней сам бы порулил в Сан-Хосе. Описания, как и куда надо добираться, мне выслали по факсу. Первый раз меня в НХЛ поменяли, и в такой ситуации я вдруг почувствовал не беспокойство, а какой-то внутренний подъем.

Летел я, подгоняя мысленно самолет, в Сан-Хосе, не зная, чего мне ожидать и что со мной будет. Мне уже подошло к 37 годам, но я не сомневался, что я в хорошей спортивной форме. Я ведь тренировался с Ларри Робинсом, а Ларри был в курсе, как готовиться к сезону возрастному хоккеисту. За этими мыслями и не заметил, как прилетел в Сан-Франциско. Добрался до Сан-Хосе около полуночи. Меня встретил внизу помощник генерального менеджера, взял у портье ключ, отдал его мне, и я со всеми своими вещами поднялся в номер, не подозревая, кто у меня окажется напарником по комнате.

Захожу, одна кровать занята: кто-то спит. Пока носильщик выгружал чемоданы, выяснилось, что на соседней кровати — Слава Козлов. Я с ним прежде не сталкивался. Потом узнал, что его почему-то не пригласили на нашу серию во время локаута, и он в этот случайно выпавший для легионеров отпуск играл с Касатоновым за команду ЦСКА Тихонова. Там ему наговорили про меня много разных ужасов. В ту ночь мы всего парой слов перекинулись, и он сказал: извини, я сплю. «Ну, конечно, — отвечаю, — спи». Утром вместе отправились на завтрак. А там уже Скатти встречает меня вместе со своими помощниками.

Завтрак в «Детройте» оказался не общий, кто-то подходил в ресторан, кто-то уходил, просыпались все в разное время. Скатти стал по очереди знакомить меня с ребятами. Кроме Сергея Федорова, Володи Константинова, Дагги Брауна, я никого близко не знал. Вот с Полом Коффи на чемпионатах мира и Кубках Канады встречались. После чемпионатов на банкетах немного общались — и все. До раскатки я познакомился со всеми.

Меня поменяли за пять суток до дедлайна, после него уже нельзя делать никаких трейдов. Скатти на раскатку не пришел. Может, Боумен еще кого-то хотел поменять. Это время самое ответственное, все тренеры сидят на телефоне. Второй тренер «Детройта», Берри Смит, подъехал ко мне: «Может, отдохнешь, играть не будешь?» Я говорю: «Нет, отдыхал я достаточно, хочу играть». Поставили меня в тот же день против «Сан-Хосе Шаркс». Волновался я, конечно, здорово.

Сразу, как матч начался, вижу: «Детройт» играет совсем

по-другому, чем я привык в «Нью-Джерси». Меня в первом же матче выпускали и в большинстве, и в меньшинстве, в любых сочетаниях. Довольно быстро я разобрался, как отдают в «Ред Уингз» пасы, как открываются, какой у команды рисунок. Во всяком случае мне понравилось, что «Детройт» атаковал много. Матч закончился, мы победили, а я заработал первое очко в своей новой команде. Макаров и Ларионов тогда еще выступали за «Сан-Хосе», и для них мое появление оказалось большим сюрпризом.

После игры, я уже оделся, Скатти меня подзывает: «Нормально ты сыграл. Все в порядке. Что, сейчас к своим друзьям пойдешь?» Я отвечаю, конечно, я же их давно не видел, наверное, пойдем поужинаем вместе. «Передай ребятам привет. Если им в «Сан-Хосе» места нет, то пусть ко мне переходят». Не знаю, в шутку или нет, но такую фразу от Скатти я услышал.

«Детройт» выиграл все оставшиеся игры сезона и занял первое место в регулярном чемпионате. Я играл много, и в среднем я набирал по очку за каждую игру по системе «гол плюс пас».

Нередко я играл в паре с Полом Коффи, и все у нас получалось как надо, хотя раньше у меня с Полом был крайне неприятный инцидент. Пару лет назад во время плейоффа, когда он играл еще в «Питсбурге», а я — в «Нью-Джерси», Пол прорвался по краю, я старался его как-то остановить... и клюшкой случайно попал ему в глаз. Я растянулся, а Пол в этот момент слишком низко наклонил голову, и я точно врезал ему в лицо крюком. Получился большой скандал, меня удалили, но санкций никаких не наложили, не дисквалифицировали, не оштрафовали, потому что просмотр видеозаписи подтвердил: Пол действительно слишком сильно нагнулся, и я попал в него случайно. Но шум вышел большой. Как раз в том сезоне за «Питсбург» потрясающе играл Марио Лемье, по всем показателям именно эта команда должна была выиграть Кубок Стэнли, и вдруг — получили бешеное сопротивление от «Нью-Джерси». Мы вели 3:2 в серии, но у себя дома шестую игру проиграли, потом в Питсбурге и седьмую, и вылетели из четвертьфинала. «Питсбург» все же взял в тот год Кубок.

Пол мне говорит: «Как только отец узнал, что тебя поменяли в «Детройт», позвонил и велел с тобой разобраться». Я, понимая, что он хохмит, так же серьезно: «Ты же знаешь (мол, в отличие от других), что я специально тебе в глаз метил». Он: «Конечно, знаю». Мы часто играли с ним в паре, должно быть, играли неплохо, во всяком случае в прессе и телекомментаторы без конца твердили, что мы самая опытная пара защитников в НХЛ, самая уникальная пара в НХЛ. Наверное, складывая наши годы. Когда команда играла в большинстве, мы с Полом много забивали, и Пол всегда в мой адрес только хорошие слова говорил. С ним с первого же дня сложились дружеские отношения. Хороший контакт сразу возник и со Стиви Айзерманом — легендарным капитаном «Детройта». Стив четырнадцать сезонов сыграл в одной команде — случай редчайший для НХЛ.

Все у меня в «Детройте» складывалось хорошо, и плейофф мы начали неплохо: обыграли «Даллас» 4:1, потом «Сан-Хосе» 4:0, потом обыграли «Чикаго» 4:1. Таким образом, не использовав предусмотренных семи матчей, мы получили свободную неделю перед финалом. А в финал также вышел «Нью-Джерси» — какая-то ирония судьбы. В решающем матче я должен был играть против многих своих друзей, с которыми я несколько лет сражался рядом, плечом к плечу!

Сейчас мне кажется, что та неделя перерыва выбила «Детройт» из наезженной колеи, тем более что всю эту неделю в газетах только и писали, что нам и делать-то нечего, куда «Нью-Джерси» против «Детройта», слишком уж большое расхождение в классе.

Ближе к первой игре, когда съехалась в Детройт вся пресса, корреспонденты из всех стран начали проводить бесконечные специальные пресс-конференции. Выглядели они как хороший спектакль, очень напоминающий Оллстарзгейм, когда каждый из игроков мог быть вызван для общения с прессой в любой момент. Так заведено в Лиге, никто не бежит от прессы, наоборот, хоккеист должен отвечать на любые вопросы журналиста — это входит в наши профессиональные обязанности. Но это нагнетание страстей перед финалом и то, что первая игра дома, конечно, здорово нам навредили.

«Нью-Джерси» оказалась непростым орешком, ребята все здоровые, прошли сезон без травм, а главное — вратарь Мартен Бродюр играл очень хорошо. Я не один год выступал с ним вместе, и он всегда мне напоминал Владика Третьяка: и по манере, и по размерам, и даже по некоторой самоуверенности. Но самоуверенность не на пустом месте, а с опорой на мастерство. А хорошая игра вратаря в Кубке — половина дела.

Я ожидал трудного и изнурительного сражения и старался предупредить партнеров, что все, возможно, сложится не так-то просто, но «Детройт» был слишком уверен в своих силах. Мы уступили дома первую игру, Мартен здорово отстоял, «вытащив» все, что только можно. Мы проигрывали со счетом 2:1, третий гол нам забили в пустые ворота, когда мы сняли вратаря. Во второй игре, которая тоже проходила дома, долго держался ничейный результат, потом Федоров забил, и в третьем периоде мы повели 2:1. Оставалось меньше десяти минут, и тут — нелепый гол. Скатти Нидермайер (мне всегда нравился этот молодой защитник), взяв шайбу у своих ворот, ворвался в нашу зону, бросил, промазал... Обычно защитник, когда смена идет, после броска тут же разворачивается и катится к своей скамейке. Но Скатти продолжал движение, а шайба, отскочив от борта, снова попала к нему на клюшку, и Скатти вогнал ее в ворота — 2:2. А потом мы пропустили и третий гол, Пола Коффи ударили в ногу, он лежал на льду почти полминуты, но свистка судьи он не дождался. Так неожиданно у «Нью-Джерси» получилось численное большинство, и они его реализовали — 3:2. Счет в серии стал 2:0. Команда на глазах начала разваливаться, и рассчитывать на то, что «Детройт» может выиграть две игры в Нью-Джерси, не приходилось. Славным было начало, бесславным — конец. Система парадоксов НХЛ. И по мастерству, и по любому другому спортивному параметру «Ред Уингз», скорее всего, опережала другие команды. Но не по характеру и не по согласованности в командной игре. Этих качеств, которые продемонстрировала в финале «Нью-Джерси», оказалось достаточно, чтобы победить команду классом выше. Поэтому победа в Кубке Стэнли «Дэвилс» досталась заслуженно.

С одной стороны, так обидно, а с другой — я был рад за этих ребят. Я знал, как они все предыдущие годы «пахали», для того чтобы иметь хоть какой-то успех в Лиге, а в конце концов выиграли Кубок. Так вот повернулась жизнь. Я думаю, поражение в финале многое мне дало для осмысления всего того, что в спорте бывает. Может, не часто, но бывает. Есть моменты, которые ты никогда не сможешь контролировать, они случаются сами по себе.

Финал Кубка проходил в июне. В Детройт приехала Лада, потом из Москвы прилетели мои родители посмотреть на полуфинальную и финальную серии. Я хотел, чтобы мама и отец вблизи узнали, что это такое — финал Кубка Стэнли, увидели, если повезет, Кубок в моих руках. Для них я снял небольшую квартиру тоже рядом со стадионом. Знать бы заранее, как все сложится! Мама, как всегда, всю ответственность взяла на себя: «Вот видишь, мы с отцом приехали, поэтому вы проиграли». Конечно, никакого отношения к провалу команды их приезд не имел, но мама по-своему расценила поражение «Детройта».

Лада улетела в Нью-Йорк, она должна была посмотреть две игры в Нью-Джерси, и у нее на руках уже был обратный билет на самолет, чтобы прилететь в Детройт на пятую и шестую игры. Мы надеялись победить в двух матчах в Нью-Джерси, потом выиграть дома, и надо же будет как-то отметить завоевание Кубка. К сожалению, ей обратный билет не понадобился. У нас прошел последний банкет, но очень тихо, без фраков, у хозяина в доме, где и собралась команда, а генеральный менеджер принес мне туда контракт на следующий год — все это происходило на третий день после проигрыша финала.

Дагги Браун, у которого тоже остался дом в Нью-Джерси, начал перевозить в него на лето вещи и попросил меня перегнать их машину. Моурин и детей он отправил самолетом, вторую машину сначала хотел отправить трейлером, а потом решил попросить доехать до Восточного побережья меня. Я спросил у мамы с отцом: «Вы можете лететь в Нью-Джерси самолетом, билеты у вас есть, но я поеду домой на машине. Хотите проехать по Америке со мной?» Конечно, они согласились. Я пришел к Дагги, сказал, что о'кей, я перегоню машину. Собрал свои пожитки, загрузил их в брауновскую «Вольво» и с родителями поехал в Нью-Джерси.

Маме и отцу нравилось в Америке все — и дороги, и как выглядят их «деревни», как вокруг все чисто (мы всюду заезжали, останавливались, осматривались), в общем, путешествие получилось интересным. Дорога в одном месте проходила через горы, вокруг необыкновенная красота. Начало лета, мы никуда не спешили, вышли, постояли на специальной площадке.

Так закончился мой первый сезон в Детройте, я ехал домой уже с контрактом в руках. Цифры в нем оказались не те, на которые я рассчитывал, но я надеялся, что за время моего отпуска мой агент договорится об увеличении суммы контракта, что в итоге и получилось. Эти переговоры ведутся по телефону, никуда не надо приезжать. Агент мне звонил почти ежедневно, что и как, хотя все равно получилось в цифрах не совсем то, что я хотел, но планку премиальных все же подняли. Сезон сложился для меня удачно, я оказался третьим во всей Лиге по системе «плюс-минус». А это считается одним из главных трофеев в НХЛ и предусматривает очень высокие премиальные. После Кубка Стэнли, пожалуй, самый почетный приз в НХЛ — это Хардтрофи — награда лучшему игроку Лиги. По каким показателям его дают? Специальное жюри определяет, кто за время сезона показывал лучшую игру. Может оказаться и так, что у этого хоккеиста и лучший показатель в системе «плюс-минус», но я думаю, такое совпадение вряд ли возможно, да и эти подсчеты для присуждения Хардтрофи роли не играют. А «плюс-минус» высчитывается следующим образом: «плюс» — когда команда, в которой ты играешь, забивает, а ты находишься на льду; «минус» — когда команда, в которой ты играешь, пропускает, а ты опять на льду. Но очки считаются только тогда, когда игра идет в равных составах — пять на пять или четыре на четыре. Но когда команда играет в меньшинстве, игрок получает «плюс», если его команда забивает, и наоборот, когда команда в большинстве, то никому «плюс» за гол не засчитывается, но «минус» в случае пропущенной шайбы получаешь.

Несколько слов о контракте, целой папке бумаг, которые ехали со мной в машине из Детройта в Нью-Джерси. Контракт обуславливает страховку, конечно, не полную, но все же в ней предусмотрено достаточно много ситуаций. Помимо нее, существует и дополнительная страховка, где страхуешь себя от несчастного случая вне хоккея. В этом есть смысл, так как, если ты попал на машине в аварию, тебе клуб ни копейки не должен платить — это считается бытовой травмой. (Господи, я это записывал в начале февраля, через четыре месяца мы разбились.) Ущерб от аварии должна оплатить страховая компания. В контракте же права и обязанности хоккеистов четко оговорены, поэтому никаких судебных споров не может быть, тем более что он одинаковый для всех игроков Лиги.

Профсоюз выработал вместе с хозяевами клубов и руководством Лиги стандартную форму контракта, которую и получает от менеджера любой игрок НХЛ. Единственная разница — в сумме, которая будет в контракте проставлена, остальные пункты одинаковые для всех. Плюс к контракту игрок еще подписывает индивидуальную бонусную премиальную программу, которая определяется во время переговоров с руководством клуба. Это отдельный вкладыш в контракт, для каждого свой, его подписывают не только менеджер с игроком, но и приглашенный свидетель, обычно это секретарь генерального менеджера. Если контракт — это открытый документ, то бонусы касаются только конкретного игрока, они публике не открываются. Конечно, какие-то цифры просачиваются в прессу, но нигде целиком ничья бонусная программа еще не публиковалась.

Когда я проехался с родителями по Америке, то мама без конца удивлялась, как же вокруг чисто. Родители уже гостевали у меня в Нью-Джерси. Но впервые проехали по глубинке, по Средней Америке. Когда наконец добрались до Нью-Джерси, отец говорит: «Притормози, купим какую-нибудь игрушку Насте». Остановились у большого магазина игрушек, родители ходили, выбирали вдоль рядов. Магазин — как супермаркет, от потолка до пола стеллажи. Отец в спортивном костюме, на нем бейсболка «Детройт Ред Уингз», а на майке написано: «Победителю плейоффа Западной конференции». Он в этом костюме ехал, в нем и пошел в магазин. Я в одной секции, он в другой что-то смотрит. Вижу, как к нему подходит какой-то покупатель и так сурово: «Слушай, приятель, ты, по-моему, не туда заехал. Здесь в таком прикиде не ходят». Отец ничего не понимает, я стою смеюсь. Тот продолжает качать права: «Ты слышишь, что я сказал? Снимай все это дерьмо». Я выхожу с другой стороны, отец бежит ко мне: «Слава, что происходит? Что он от меня хочет?» Я говорю этому парню: «Слушай, он будет надевать то, что ему нравится». Тот сразу меня узнал: «Слава, извини». Отец меня дергает: «Слава, что он хотел?» Я объяснил, что он носит в Нью-Джерси не те вещи. Отец удивляется: «Как же так, мы же в Америке, в свободной стране». Я объясняю: «Папа, финал только закончился, народ еще не остыл». Отец не согласен: «Буду носить то, в чем мой сын играет». Я ему: «Конечно, батя, носи. Какие проблемы?» Он так в детройтской майке гордо и ходил, хотя рядом с нами дома́ старшего тренера «Нью-Джерси» и еще парочки игроков. Естественно, вся наша комьюнити (жители ближайших домов) болела за «Дэвилс», за исключением моих соседей, с которыми мы очень дружны. Они страшно переживали за меня во всей этой финальной истории.

А отец каждое утро, выходя на прогулку, принципиально надевал кепку «Ред Уингз». Я ему все время говорил: «Смотри, батя, спровоцируешь скандал».

Родители побыли у меня еще пару недель и вернулись в Москву, торопились на дачу — копать, сажать, июнь ведь проходит.

Наступило лето 1995 года, мы отправились с Ладой на Сан-Мартин — один из Карибских островов. Отдохнули там отлично. Иногда едешь, судя по рассказам или рекламе, в шикарное место, но больше туда не хочется приезжать, а в этот раз мы отдохнули так хорошо, что, я думаю, мы еще вернемся на Сан-Мартин. И климат там хороший, и погода стояла замечательная. Мы ездили вдвоем, мне не хотелось никаких компаний, слишком много эмоций забрал прошедший сезон. Анастасия осталась дома, в Нью-Джерси, вместе с бабушкой — мамой Лады.

Июль на Карибах как бы межсезонье, неотпускное время, народу немного. Считается, что там в это время слишком жарко, но нам повезло — пекло, но не очень.

После всех стрессов финала хотелось просто побыть вдвоем пару недель. Лето 1995 года — один из лучших моих отпусков в жизни. Спокойный, тихий и полупустой золотой пляж, море совершенно расслабляет, плюс фантастические рестораны и, как говорят «специалисты», роскошная рыбалка. Сан-Мартин был и голландской колонией, и французской, поэтому вся культура на нем напоминает европейскую.

В отличие от большинства армейцев, я не рыбак, подводной охотой тоже не увлекаюсь. Но у меня, как и у всех, был «случай на рыбалке». Летом, в августе или в конце июля, 1983 года мы готовились к сезону, поэтому сидели на сборах в Новогорске. А мой друг Коля Домарацкий в то время командовал полком под Новогорском, естественно, знал всех и все в этом районе. Он и выведал, что рядом с нами рыбное хозяйство, а у них — пруд, где разводят рыбу для рыбалки высокопоставленных лиц. Они на этот пруд, оказывается, все время приезжали. Правда, не выяснил у Коли, водолазы им насаживали на крючок рыбу или они ее сами ловили?

Как-то после вечерней тренировки Коля предложил отправиться на этот пруд. Поехали Леша Касатонов, я, Владик Третьяк и, конечно, Коля Домарацкий, который взял с собой пару солдат. Пока Коля с местным начальством разговаривал, мы пошли рыбачить, почти как партийное начальство, поскольку Коля взял солдатиков для того, чтобы они наживку нам на крючки насаживали. Я стоял посредине, смотрю — слева Леша, справа Владик таскают одну рыбу за другой. Тот же солдат, вроде бы ту же наживку насаживает, и стоим в двух метрах друг от друга, эти таскают, а у меня — ничего. Я говорю: давайте поменяемся местами. Поменялись. У меня опять ничего, а эти все тащат и тащат. Комары вокруг здоровые гудят, меня всего искусали. Исплевался я весь, исчесался, вместо отдыха только нервы потрепал, и с тех пор рыбалку недолюбливаю, ею не занимаюсь, хотя многие хоккеисты из НХЛ летом рыбачат. Рыбачат в океане и играют в гольф — такой у них отдых.

Через пару недель после Сан-Мартина мы полетели в Москву на Кубок «Спартака». Поиграть, потренироваться, пообщаться с друзьями, обняться с родителями. Возвращение на родину — это всегда как перезарядка аккумуляторов. Это сказано не ради громких слов: я действительно чувствую себя потом намного лучше, эмоциональнее, увереннее, когда провожу какое-то время в Москве.

В Москву мне позвонил генеральный менеджер «Детройта», спрашивает: «Ну как, ты думаешь возвращаться в команду?» Мы вроде уже обо всем переговорили, обсудили, что я хочу, но теперь он все время говорит, что у клуба тяжелое финансовое положение. Я ему: «Вы экономите на ветеранах, а молодым платите сумасшедшие деньги». Он в ответ: «Да, ты прав, но такой сейчас бизнес». Я назвал какие-то свои последние цифры, он обещал перезвонить. И через пару дней мы договорились по-джентльменски, без подписей, я могу считать, что контракт с «Детройтом» у меня есть. Генеральный менеджер подтвердил, что когда я приеду на кемп, то уже официально подпишу годовой контракт.

Контракт на год — это правильно, потому что в моем возрасте надо решать судьбу по самочувствию. Если я считаю, что смогу играть, не сидеть на лавке, а именно играть, приносить команде пользу и иметь какое-то удовольствие от хоккея, то могу подписываться, но только на сезон. Потому что если по каким-то причинам я уже не могу тянуть эту лямку дальше, нет эмоций, нет сил или, не дай Бог, травма, то нет смысла завязываться даже с двухлетним контрактом. Я подписал во время кемпа контракт на год, и так начался у меня второй сезон, сезон 1995—96 годов, в Детройте.

Что такое тренировочный лагерь предсезонной подготовки, коротко называемый кемп? Жизнь в гостинице, как мы, армейцы, жили в Архангельском: подъем утром и массовый бег на физзарядку? Ни в коем случае. Все игроки живут у себя дома, за исключением молодежи, которая приезжает пробоваться из других городов. С ними кемп собирает человек семьдесят, всех, кто на сегодняшний день являются игроками «Детройт Ред Уингз», членами его юниорской команды и играют в фарм-клубе «Детройта» в майнер-лиге. Приезжают еще и так называемые «свободные агенты», игроки, у которых еще нет подписанного контракта, но они стараются его в этом клубе получить. «Свободных агентов» приглашают на кемп без всякой гарантии, но если они понравятся тренеру, то могут подписать так называемый трайаут, то есть испытание на пробу.

В первый день кемпа — медицинское обследование, всевозможные тесты на здоровье. Потом недолгое общее собрание, и начинаются тренировки. В первую неделю игроков разбивают на четыре команды. Обычно молодежь смешивают с ветеранами. В конце первой недели проводится турнир, и тот, кто его выигрывает, получает даже какие-то призы. С первого дня кемпа подготовка идет на льду. Лед и атлетизм, но это уже занятия в зале, где на стене висит программа, и по ней хоккеисты работают. Первая группа идет в зал, вторая отправляется бегать или прыгать, потом они меняются, и все это без тренера, без надзора. Каждый имеет еще и свою индивидуальную программу, где специалистами все расписано по пунктам. После второй недели юниоры уезжают в свои команды, остаются в кемпе две группы: хоккеисты из фарм-клуба и основная команда клуба, команда ветеранов, как ее называют. Кстати, в первую неделю разрешают проводить тренировки только раз в день.

Фарм-клубы, то есть команды-дублеры, играют в низшей лиге, а основная команда — в главной лиге. Две эти команды задерживаются в кемпе еще на неделю и параллельно проводят тренировочные, или, как их здесь называют, выставочные, матчи. Если у фарм-клуба не менее десяти таких игр в предсезонье, то ветераны играют от четырех до шести. Главная цель выставочных матчей — это проверка молодежи, как она готова и что умеет. Через четыре недели после открытия кемпа начинается регулярный чемпионат НХЛ. За неделю до открытия сезона в кемпе уже не более тридцати человек, идет отсев буквально по одному, так как к началу сезона в команде должно остаться 24 человека. Смысл этого правила — защита интересов игроков из низшей лиги, стремящихся попасть в главную лигу.

Допустим, игрок уже три или четыре года играет в фарм-клубе, но его так и не вызывают в основную команду. Тогда он имеет право перейти на вейвер. Вейвер-драфт означает, что хоккеист выставляется «на продажу» и любая команда может его забрать за символическую плату, допустим, за доллар, пять, десять. То есть так у парня появляется шанс, если он своей команде не подходит, попасть в другой клуб, чтобы сыграть в высшей лиге. Когда проходило чествование на «Джо Луис Арене» нашей победы в Кубке Стэнли и каждый говорил несколько слов, Крис Дрейпер обратился к хозяину «Детройта»: «Мистер Илич, вы отдали за меня доллар и сейчас как раз удобное время вернуть вам этот долг». Зал рухнул.

Раньше можно было вызвать игрока из фарм-клуба «наверх», а потом снова отправить его обратно — «вниз», но теперь существует правило: если ты три года играешь в низшей лиге и тебя вызвали «наверх», то отправлять обратно в майнер-лигу должны уже только через вейвер. Тебя уже не могут просто так отослать обратно: или должны поменять, или должны поставить на вейвер. Таким образом дается шанс игроку, который уже достаточно пробыл в майнер-лиге, чтобы какая-то из команд НХЛ могла его взять к себе.

В Америке есть такое выражение: «саларикап» — крыша, выше которой нельзя подниматься. Если, например, у какой-нибудь компании обозначен бюджет в 25 миллионов, то ей за эти рамки выходить не полагается. В хоккее подобного нет. Одна команда имеет пэйрол — общая сумма всех зарплат — 32 миллиона в год (это, наверное, сейчас самая высокая в Лиге), а другая только 20.

После локаута ввели еще финансовое правило, оно называется рукикап. Рукикап означает, что новичок не может с первого своего контракта получать больше, чем 850 тысяч в год. Именно этого добивались хозяева в борьбе с игроками, потому что в свое время ныне знаменитый Линдрос и еще такой Александр Дейгл, в «Оттаве» играет, подписали, когда их брали в клубы, сумасшедшие контракты. Но если Линдрос оправдал надежды и заслужил свое соглашение на 12 миллионов, то Дейгл этих надежд не оправдал. Вот почему хозяева добивались, а профсоюз игроков не стал спорить о введении рукикапа. Другими словами, молодым, которые приходят в Лигу, ввели ограничения.

Перед вторым своим сезоном в «Детройте» на кемп я опять поехал один. Лада с Настенькой остались дома в Нью-Джерси. Во время кемпа, то есть почти за месяц, я планировал найти место, где жить семье всю зиму. Куда перевозить вещи, игрушки, все эти бесконечные коробки. Кемп у меня прошел неплохо, хотя все это время я напряженно искал дом, и не так просто оказалось его найти, тем более — всего на год. Но в конце концов я обнаружил квартиру, откуда пенсионеры выезжали на зиму во Флориду. Они оставили нам все: от мебели до ложек. Это упростило задачу — не надо было перевозить весь скарб из Нью-Джерси. Как только я снял эту квартиру, через неделю приехали Лада и дочка. Первый раз мы собрались в Детройте всей семьей, и не в гостинице.

После провала в финале в прошлом сезоне настроение в команде неожиданно для меня оказалось спокойным и деловым. Обычно вначале подобного не замечаешь, а тут бросалось в глаза: ребята полны решимости оправдаться перед болельщиками. И было похоже, что все так и произойдет. Сезон складывался прекрасно, мы поставили рекорд Лиги за всю историю ее регулярных чемпионатов, выиграв 62 игры из 82. Предыдущий рекорд держался десятилетия и равнялся 60 победам. Ни одной команде не удавалось столько раз побеждать в одном сезоне.

Знаменательным событием стало и то, что в первый же месяц после начала чемпионата Скатти Боумен поменял Игоря Ларионова из «Сан-Хосе» к нам в команду. Поменял его за Рея Шеффорда, а этот парень забивал по 50 голов и имел острое чутье на голевую ситуацию. Поначалу такой обмен вызвал недоумение как у игроков команды, так и у прессы и болельщиков. Все говорили: что Боумен делает, он из ума выжил? Эти разговоры витали над командой первые недели две, но потом всем стало ясно, какого игрока приобрел «Детройт»! Каждый нападающий хотел оказаться с Игорем в одной «тройке», и защитники смену Игоря предпочитали любой другой. Пол Коффи сказал, что он в своей жизни повидал многих великих хоккеистов и считает, что Игорь по пониманию хоккея, по тому, как он видит игру, ведет ее ближе всех к Грецки.

Потом, в течение сезона, родилась русская «пятерка», которая наделала много шума. Мы действительно играли очень здорово. Особенно приятно было соседствовать в звене мне и Игорю, нам пришлось вместе прожить в хоккее долгую жизнь. Поначалу в «Ванкувере» Игоря тоже не сразу поняли. Он играл у них обычно в четвертых звеньях, в чекинглайн — это та линия, которая играет против сильнейшего звена противника и занята только его нейтрализацией. Через многое нам с Игорем в НХЛ пришлось пройти, и вдруг мы оказались вместе в одной «пятерке». Чувство той игры, которую мы изучили вдоль и поперек еще в ЦСКА, в сборной СССР, сразу же вернулось, как возвращается забытый, но родной язык, и это дало нам дополнительные силы.

Мы выходили на лед, не ощущая возраста, не обращая внимания на высказывания в Москве, что мы уже не те, какими были 10 лет назад. Мастерство и опыт компенсировали потерю скорости. И не передать словами то удовольствие, какое мы получали от каждой игры. Все соперники, с кем мы разговаривали после матча, обычно говорили: «Ни одна «тройка», ни одно звено не хотят играть против вас». Потому что тяжело было уследить за нашими постоянными перемещениями, за непредсказуемостью движения шайбы. Как пример: Владимир Константинов, наверное, десять раз в сезоне выходил на вратаря один на один, и, по-моему, все десять из десяти он забил. Защитник, которого выводили на вратаря, — это было для Лиги абсолютно непостижимым.

ЛАДА: Если б Слава остался в «Нью-Джерси», я думаю, он вскоре бы закончил играть. А сейчас он получает огромное удовольствие от хоккея. Я его таким счастливым, каким он был в том сезоне, когда «Детройт» установил рекорд Лиги, не видела никогда. Когда они играли «русской пятеркой», то буквально летали по льду. После матча мы обычно видим наших русских ребят из других команд. Они выходят из одной раздевалки, наши — из другой. Пока мы ждем мужей, есть возможность поговорить несколько минут со своими соотечественниками. Разговариваем с ними, расспрашиваем о семьях, о жизни в Америке, а они нам твердят: против ваших у нас вся команда боится выходить, как русские на льду — тренеры не знают, кого выпускать. Все дергаются, нервничают. «Пятерка» показывала такой хоккей, такое вытворяла, что стадион им стоя аплодировал. С восторгом о них всегда писали, везде их принимали, как героев, люди на улице подходили поздороваться, сказать спасибо.

Забавное ощущение: играют перед началом матча американский гимн, а на льду стоят пять наших российских ребят.

Я не сталкивался с расизмом в Лиге, но по отношению к русским иногда бывают и сложности. Я думаю, что это не расизм, а, скорее, антикоммунизм. Те ребята, которые использовали слова типа «грязный коммунист», они и сейчас ими пользуются. Особенно некоторые из чешских игроков, которые до сих пор озлоблены. Но подобные высказывания в Лиге стараются пресечь на корню. Нельзя портить имидж Лиги, а то вдруг кто-то обидится и подаст в суд иск, что в НХЛ нарушают права человека. Попытки бить или запугать «русскую пятерку», конечно, присутствовали, особенно в те моменты, когда команда соперников старалась нас нейтрализовать. Но шайба у нас так быстро «ходила» и ребята так хорошо двигались, что даже если нас и хотели прижать, то обычно не успевали, таранили воздух или сами врезались в борта. Константинов сезон 1995—96 годов закончил по системе «плюс-минус» первым в Лиге, у него набралось «плюс 60» — это очень высокий показатель. Не много возникало угроз у ворот «Детройта», когда мы выходили на лед, но при этом мы много забивали. Константинов попал во вторую «пятерку» Оллстарза, хотя я уверен, как уверены многие в Америке и Канаде, что сезон он провел лучше всех из защитников Лиги. Но так как Володя не имел достаточно рекламы и не так давно обосновался на таком высоком уровне, «приз лучшего защитника» отдали Крису Челлиосу.

Весь сезон прошел для «Детройта» на высочайшем уровне, команда была на таком подъеме, что никто от нас не ожидал ничего, кроме как Кубка Стэнли. Это давление с каждым месяцем чемпионата, а потом с каждой неделей плейоффа все нарастало и нарастало. Я думаю, что оно и сослужило в итоге плохую службу. Эмоционально ребята подсели еще в начале плейоффа, поэтому и не смогли одолеть в полуфинале «Колорадо Эвеланш». Денверцы по мастерству были с нами на равных, а по свежести — значительно превосходили. Вообще, когда команда считается фаворитом (а мы им безусловно считались), это психологически в ряде моментов играет отрицательную роль для фаворитов.

Когда мы проиграли серию «Колорадо», то заодно и весь сезон признали неудачным. Даже те победы и тот рекорд, который мы поставили, болельщиками и прессой в расчет не брался. Выход «Детройта» в четверку лучших клубов НХЛ они признали провалом. У меня на этот счет свое мнение: совсем не просто выигрывать почти каждую игру. Для этого нужно иметь как минимум мастерство каждого отдельного игрока, как максимум — отличную команду партнеров. Когда выходишь на игру, ты не имеешь права говорить себе: сейчас я должен сэкономить силы, потому что впереди игры в плейоффе. Команда в полуфинале играла так, как складывалась ситуация. А она повернулась не в нашу пользу.

Для меня лично сезон сложился успешно. Я был третий в Лиге по системе «плюс-минус» (+37) за 67 игр после Володи Константинова и Сергея Федорова — вполне приличные показатели. Сезон сложился непростой, но с чисто спортивной точки зрения у меня было все хорошо. А в жизни случилось несчастье, которое я тяжело пережил, — мама умерла. Я узнал, что ей плохо, в декабре.

Обычно по субботам я звоню родителям в Москву узнать, как у них дела. Отец лежал в больнице, он неважно себя чувствовал, и я все время разговаривал с мамой. А в этот раз звоню — отец берет трубку, спрашиваю, что случилось? Он отвечает, что вернулся из больницы, так как маме очень плохо, ее мутило всю ночь, она вся желтая и они не знают, что делать. Я ему велел позвонить Андрею Петровичу Сельцовскому — главному врачу Боткинской больницы. Андрей Петрович — отличный доктор и добрейший человек, который никогда не отказывал никому в помощи. Отец отвечает, что он все же начнет звонить в «скорую помощь», потому что пока до нее дозвонишься — неизвестно что с мамой будет.

Я нашел Сельцовского сам. Андрей Петрович лежал с тяжелым гриппом, но велел, чтобы отец срочно вез маму в приемный покой больницы, дежурный врач их встретит. Жена Андрея Петровича, Ольга, поехала в больницу, чтобы все проконтролировать. Сразу, как только маму привезли, пришлось положить ее в реанимационное отделение, состояние у нее было очень тяжелое. В три часа ночи в Детройт позвонил наш знакомый, который съездил в больницу узнать, как дела. Ему сказали, что у мамы онкология в последней стадии. Я проплакал всю ночь, хотя никогда не был расположен к слезам. Я считал, с мамой никогда ничего не случится.

Всего пару месяцев назад я провожал Ладу в Москву, Юрию Георгиевичу, ее отцу, становилось все хуже после операции, когда вырезали опухоль на легких. Обнаружили ее поздно, он уже совсем плохой был. Лечащий доктор нам позвонил и сказал, что, скорее всего, отец Лады до Нового года не дотянет. Прощаясь, я сказал: «Лада, побудешь сколько надо с папой и заодно выяснишь, что там происходит с моей мамой. Не волнуйся по поводу меня и Настеньки, ничего страшного с нами не случится».

В это время рядом не было ни тещи — она не могла

улететь из Австралии, — ни никого из родных. Когда команда уезжала, Анастасия жила то у Ларионовых, то у Браунов. Я собирал в баул вещи, сажал Настю в машину и вез на три-четыре дня к Игорю и Лене, потом возвращался с ней в Детройт, какое-то время жил дома, потом опять отъезд — собирал другой баул и теперь тащил дочку к Дагги и Моурин, там трое детей, четвертого не заметят. (Сейчас у Браунов уж четверо ребят.) С Ладой мы перезванивались каждый день, она мне рассказывала, что происходит с ее папой, как самочувствие моей мамы. Пару раз у нее, оказывается, уже наступала критическая ситуация, но они скрывали это от меня, хотя я чувствовал: там творится что-то неладное.

Перед Новым годом Лада схоронила Юрия Георгиевича и вернулась домой. И тут же мне звонит доктор: они прооперировали маму, все прошло успешно. Я спрашиваю его, почему мне ничего не говорили про операцию? «Случилась экстренная ситуация, мы обязаны были положить ее на стол. Счастье, что хорошие профессора в это время дежурили, они сумели опухоль убрать, почистить все вокруг, вроде бы картина не такая плохая». Через пару дней сообщают: маму перевели из реанимации, она чувствует себя лучше. Это меня успокоило.

Начинался Оллстарзбрейк, следовательно, наступал короткий перерыв в чемпионате. Я подошел к Боумену, рассказал ему о болезни мамы. Скатти велел, чтобы я собирал вещи и отправлялся в Москву. Если что, они и без меня поиграют, чтобы я о чемпионате и не вспоминал. «Это очень важно для тебя, сколько тебе надо времени, столько и живи в Москве, только иногда позванивай, рассказывай как там дела, что происходит».

На следующий день мы должны были играть в Вашингтоне. Я собрал вещи, полетел со всеми в Вашингтон, отыграл матч и на следующее утро перебрался в Нью-Йорк, а из Нью-Йорка — в Москву. Отец меня встретил в Шереметьево, и сразу из аэропорта мы поехали в больницу. Я зашел в палату и испугался, увидев маму. Она выглядела так плохо, что я оказался в шоке. В таком состоянии я никогда ее не видел, хотя ей многое пришлось в жизни пережить. Я попросил перевести маму куда-то, где получше, но она сказала, что не хочет в отдельную палату. Как я ее ни просил, как ни уговаривал, она отказалась перебираться. Здесь, в пятиместной палате, маме было, наверное, не так страшно. Отец проводил с ней все время: с утра до позднего вечера, уходил домой только поспать. С того дня, как мама меня увидела, она стала плакать: «Зачем ты приехал, тебе играть надо, сынок. У меня все хорошо». Я ей объяснил, что у меня отпуск, я приехал по своим делам в Москву, решив заодно навестить и ее. И с того же дня, как я прилетел, ей становилось все хуже и хуже. Как мамина сестра тетя Катя потом говорила: «Видно, она тебя ждала».

# Глава 11
# РАДОСТИ И ПОТЕРИ

Когда я прилетел в Москву, у мамы наступило резкое ухудшение. Но после разговоров с лечащим врачом у меня появилась надежда, что все обойдется благополучно. Возвращаясь к тому, как меня отправлял в Москву Скатти Боумен, я не могу не вспомнить похожую ситуацию, которая случилась в начале 80-х с Андреем Хомутовым. Родом Андрей из Ярославля, родители Хомутова там и жили. Неожиданно в Архангельское дозвонилась его мама: «Отец совсем плохой, просил, чтобы ты приехал». Я помню, как Андрей пошел к Тихонову: «Виктор Васильевич, мне нужно съездить домой, очень плохо с отцом, хочу с ним повидаться». Тихонов ответил классически: «Ты ведь не доктор, чем ты ему поможешь? Надо играть».

Через три или четыре дня Хомутову сообщили, что отца больше нет. В Архангельское, где мы жили на сборах, дозвониться почти невозможно, но до него добрались и второй раз, но теперь со страшным сообщением. С Хомутовым случилась истерика. Я тогда не знал, что происходит, поэтому с ужасом смотрел, как крепкий парень, хоккеист, так рыдал и бился головой. Рассказывали, что он бросался на Тихонова, но его держали. Эмоциональный срыв. Потом какое-то время Хомутова в сборную не включали. Таким образом Тихонов еще и наказал Андрея за нанесенные оскорбления.

Из Детройта меня отпустили в Москву с сохранением зарплаты, более того, всех премиальных, которые команда зарабатывала. И без всяких условий типа «чтобы через неделю играл»; сколько надо, столько в Москве и находись, как сможешь приехать — приезжай.

Получилось, что в Москве я не сразу понял, насколько тяжела ситуация. Хотя некоторые доктора всем своим видом давали мне понять, что положение более чем серьезное. Я же их заставлял искать лекарства, постоянно теребил и дергал. Они все терпели, не обижались на меня. Профессор Роберт Борисович Мумладзе, который маму оперировал, ежедневно заходил к маме в палату и сам делал перевязки. И Андрей Петрович Сельцовский всегда находился рядом.

20 января мы с отцом приехали в больницу, побыли у мамы, и я говорю: «Папа, мне надо по делам съездить, вечером вернусь». Возвращаюсь я домой, время одиннадцать вечера, и вдруг что-то такое почувствовал... прошу водителя, чтобы он не уезжал, пока я не узнаю, как там в больнице. Папа говорит: «Да вроде бы все так же, без изменений». Не знаю почему, но решил: сам поеду в больницу, посмотрю, что и как.

Спускаюсь вниз, прошу водителя Сашу отвезти меня в больницу. Когда я вошел в мамину палату, женщины, ее соседки, уже спали. Смотрю, мама без сознания. Я поднял медсестер, нашел доктора. Позвонил Андрею Петровичу, он приехал. Начался необратимый процесс, мама уже в себя не приходила. Андрей Петрович и врачи старались что-то сделать. Ужасно, когда ты бессилен помочь. Я не знал, куда себя деть. Через час отец появился рядом, потом мамина сестра. Но мама нас уже не видела. Я, взрослый мужчина, никогда не думал, что так тяжело потерять маму. Почти все время до утра я простоял рядом с ней на коленях: молил Бога и плакал. Женщины уже давно не спали. Маму перевезли в отдельную палату, чтобы не мешать другим. Капельницу поставили. В начале шестого утра мамы не стало.

От родителей я позвонил Ладе. Когда Лада вернулась в

Детройт из Москвы после похорон своего отца (до них она месяц сидела рядом с Юрием Георгиевичем в больнице), я отправил ее из детройтской зимы и холода на юг, отдыхать. Отправил на неделю, на острова в Карибском море, вместе с Анастасией, а с ними поехала и мама Сережи Федорова.

И вот туда, на Карибы, я и позвонил: «Мама умерла». Лада: «Я лечу в Москву». Я ей: «Куда ты полетишь?» Она твердит: «Лечу и все. Не знаю, успею ли к похоронам, но в Москве буду». Всего лишь один самолет в тот день улетал с острова в Нью-Йорк. Каким-то образом, со страшным скандалом, Лада с ребенком в него влезла. Оставила Настюху у Стеллы и Валерия Зелепукиных и дальше — в Москву. Она успела прямо из Шереметьева в церковь на отпевание. Рядом с этой церковью во Владыкине, в бараке, мы когда-то жили. В этой церкви крестили меня, Толика, отпевали дедушку и бабушку. Похоронили маму, справили поминки. Отец с Ладой меня отправляют в Детройт: «Здесь уже ничем не поможешь». И на следующий день выпроводили. Лада осталась помогать отцу убираться, разбираться, организовать девять дней.

Как мне хотелось выиграть Кубок Стэнли именно в этот сезон, потому что мама всегда мечтала, чтобы я ходил в победителях, но в то же время боялась, чтобы у меня не случилось травмы. В прошлом году, когда я привез ее и папу как раз на финал Кубка, мама очень горевала из-за нашего поражения. Я надеялся выиграть Кубок в память о маме и переживал проигрыш «Колорадо» в полуфинале так, как не переживал даже поражение от «Нью-Джерси» в финале. И ведь такой выдался сезон, когда мы почти не проигрывали. «Русская пятерка» всех громит, нас боятся, что в НХЛ случается крайне редко. Никто не сомневается — Кубок наш... И мы проигрываем «Колорадо Эвеланш». Не могу описать, что творилось в душе, когда мы уступили в гостях шестую игру. Игорь Ларионов, которого я ни разу не видел подверженным эмоциям, даже он заплакал в голос, когда мы уже сели в автобус и стали отъезжать от стадиона. Рухнула наша с ним самая большая мечта, и, казалось, рухнула окончательно.

Но жизнь продолжалась, правда, на этот раз хозяин уже не устраивал банкета после сезона. Через три дня мне позвонил генеральный менеджер и попросил, чтобы я приехал в офис, он хочет поговорить со мной. В офисе мне объявили: они предлагают, чтобы и на следующий год я играл в «Ред Уингз». Менеджер советует: «Подумай». Я ответил, что слишком тяжело мне дался этот год, а еще предстоял Кубок мира, будь он трижды проклят со всеми родными до боли руководителями советско-российского хоккея. Но все же я обещал, что подумаю, после чего мне вручили для изучения контракт. По новому соглашению с клубом мне причиталось денег больше, чем я получал в прошлом сезоне.

Многие почему-то думали, что «Детройт» — самая богатая в НХЛ команда. Но, скорее всего, самые большие деньги у «Нью-Йорк Рейнджерс». Но и мы, конечно, не на голом энтузиазме играли. Меня попросили позвонить не позже чем через месяц, менеджеру нужно было знать, как строить команду. «Мы планируем привлечь много молодых защитников, и нужен опытный человек, который поможет им стать членами команды». Я пообещал быть готовым к ответу через пару недель. Посидели мы с Ладой, все обсудили и решили, что мне надо играть, пока играется, тем более силы есть. И Кубок Стэнли так был близко последние два года. Мечта, правда, умирает последней. Поэтому в глубине души, в самой глубине, я надеялся: может, Бог действительно любит троицу?

А пока нам предстояло съехать с арендованной квартиры, следовательно — собирать вещи. У нас правильно говорят, один пожар — это два переезда. Коробки, игрушки, какие-то вещи, которых вроде не видно, но когда начинаешь собираться — конца им нет. Половину коробок решили оставить у Славы Козлова, благо у него большой дом. Половину, которая могла пригодиться или никогда уже не потребоваться, отослали в Нью-Джерси. Анастасия с Ладой отправились домой самолетом, а мы вдвоем со Славой сели в мою машину и погнали ее в Нью-Джерси. Добрались очень быстро, за восемь часов, меняя друг друга в дороге. Пожили немножко в Нью-Джерси. Слава там встретился со своей герл-френд, и мы — Лада, Настя, Жанна, Слава и я — поехали отдыхать.

Сначала две недели жили в Пуэрто-Рико, потом на десять дней отправились в круиз на корабле. Это путешествие стоит того, чтобы сказать о нем несколько слов. Сидели мы спокойно на пляже в Пуэрто-Рико, солнце, море, ветерок, мимо корабли проплывают, и кому-то взбрело в голову отправиться в круиз. Я совсем не рвался в плавание, но Ладе всегда хотелось попутешествовать на пароходе. И дочке эта идея понравилась. Пришлось связаться с нашим туристическим агентом и попросить найти какой-нибудь хороший круиз. Она на следующий день перезвонила: «Слава, бесполезно, все круизы забиты до конца августа — начала сентября. Слишком поздно вы спохватились». Я прошу: «Ты посмотри еще, может, что-то в компьютере и появится». Она через пару дней звонит снова, нашла, говорит, две хорошие каюты, в одной как раз можно с ребенком разместиться. Каюты с балконом-палубой прямо над водой.

В Пуэрто-Рико мы тихо жили в «Эль-Конкистадор» — очень дорогой гостинице. Сделана она в старом колониальном стиле, прохладные темные холлы, мраморные полы. И после двух недель такой жизни прилетели в гудящий, сумасшедший Майами, откуда уходил наш лайнер. Состав тот же: Слава Козлов с подругой и мы втроем. Девочки решили завернуть в магазин, а мы со Славой поехали на причал зарегистрировать наше прибытие. Только вышли из такси, видим на лайнере плакат: «Велком ту зе хоккей круиз». Это же надо — мы попали на ежегодно устраиваемый Национальной хоккейной лигой круиз для болельщиков-фанатов!!!

Меньше всего мне хотелось после такого сезона оказаться на хоккейной тусовке. Но деваться уже некуда. Первый, кого я встретил на палубе, — это арбитр Пол Стюарт, который как раз и судил наш с «Колорадо» полуфинал. Он в круизе был представителем от коллегии судей, участвовал в каких-то семинарах, проводил с болельщиками встречи, растолковывая им правила. Когда меня увидел, засиял, привет, говорит, ты тоже здесь? Нет, отвечаю, меня здесь нет, и меньше всего я хотел бы видеть твою физиономию во время своего отдыха. Выпили мы с ним пивка за встречу.

Всех хоккеистов, которые здесь оказались, НХЛ бесплатно отправила в этот круиз, а я умудрился — за собственные деньги. Да еще они втянули меня в какие-то мероприятия, в хоккейные игры с мячом. Я скрывался сначала, но, хотя лайнер и огромный, от всех не спрячешься. В конце концов я — как в анекдоте — расслабился и начал получать удовольствие. И с ребятами-игроками пообщался, и с представителями Лиги. Правда, отдых оказался незапланированно дорогим, но часть денег я вернул — ужины мне доставались бесплатно. Каждый вечер мы играли с Козловым в теннис, а проигравший платил за ужин. Небольшая, но экономия. Слава, конечно, злился, и пару раз я ему проиграл на всякий случай, чтобы партнера не потерять. Тренировались мы с ним вместе, все-таки вдвоем веселей. Занимались в зале, бегали кругами по палубе.

Когда вернулись в Нью-Джерси, провели еще пару теннисных турниров. Потом Слава отправился домой, в Детройт, а я полетел в Москву на Кубок «Спартака» и для

300

организации подготовки к Кубку мира. Стояли первые дни августа 1996 года.

Много легионеров в то лето в Москву приехало. Кубок «Спартака» стал популярным. Появилась возможность побыть в Москве в приличных условиях, с организованным питанием, но главное — лед. Не надо ходить ни к кому из клубных начальников, не надо выглядеть попрошайкой: «Разрешите мне у вас потренироваться». А тут все организовано: удобное время для тренировок, еда прямо во Дворце. Это немаловажно, потому что экономит время, и, если у тебя в Москве какие-то дела, ты многое успеваешь. Казалось, что Гелани Товбулатов предусмотрел все возможное и невозможное. Гелани вкладывает в Кубок всю душу, и ребята это чувствуют.

Как только закончился Кубок «Спартака», началась подготовка к Кубку мира. Мне казалось, что я в хорошей форме, неплохо играл на Кубке. Возможно, потому, что тренировался и готовился без перерыва, хотя не переутомлялся. Я связался с Детройтом, сказал, что мне бы хотелось подписать контракт, где сумма была бы немного выше. Вот почему окончательно этот вопрос отложили до моего возвращения в клуб. Адвокату достались сложные переговоры о всевозможных деталях, борьба за бонусы, но все вместе — это обычный бизнес.

Итак, я чувствовал себя в прекрасной форме перед подготовкой к Кубку мира. На первой же тренировке, когда нам устроили приличный темп на кроссе, я побежал в лидирующей группе. Бежал и думал, сколько же я продержусь среди молодых? Сорок минут сумел продержаться. Потом перешли к интенсивной тренировке на льду. Все прошло настолько отлично, что даже хватило сил отправиться на Ширяево поле в теннис поиграть. Играли парами, ставка — ужин, который мы с Макаром проиграли.

В ресторане я почувствовал, что колено побаливает, а когда встал, его заклинило, еле разогнул ногу. Наутро приезжаю в Сокольники, опять кросс, держался минуты три, чувствую, не могу дальше бежать. Колено уже болит серьезно. Вышел на лед, покатался половину тренировки, колено раздуло. Я поехал к Андрею Петровичу Сельцовскому. Он, увы, не смог, как планировалось, поехать с нами на Кубок, случилось несчастье, серьезно заболела его жена, и он остался в Москве, но пока мы тренировались в столице, помогал нам так же, как и раньше...

Этот человек сделал столько операций, сколько, наверное, спортсменов в стране. Через руки Сельцовского прошли все хоккейные звезды от Валерия Харламова до Сергея Макарова. Я не знаю лучшего хирурга, особенно когда ломаются плечи, колени. Андрей Петрович — хирург, как говорят, от Бога, он работал в клинике имени Бурденко — истинный специалист и настоящий практик...

Андрей Петрович меня осмотрел: «Похоже, мениск». Я: «Не может быть, у меня никогда с ним проблем не было». На следующий день на тренировку я не вышел, но немного потренировался перед матчем с финнами. Пропустить я его никак не мог, я впервые выступал за сборную России. А тут матч, пусть тренировочный, но в Москве. К тому же во Дворце ЦСКА. Я в новом Дворце никогда не катался, не то чтобы играл. И кто знает, может, это мой последний шанс сыграть за сборную страны.

Наверно, все же не стоило выходить на лед, решение играть было чистым мальчишеством, но я не мог себе отказать сразу в двух таких удовольствиях. После первой половины матча мне стало тяжело кататься, я сел на скамейку. А тут Сережа Гончар получает травму: шайба попадает ему в голову. Остается пять защитников, пришлось выйти и доиграть матч. Но вечером колено страшно раздулось. Проехал с командой всю Европу, но ни в Швеции, ни в Германии играть не мог. Утром на тренировке катаюсь нормально, вечером колено раздувается опять. Полечусь: лед, компрессы, снова чувствую себя нормально.

Из Европы сборная России полетела прямо в Детройт, но перед полетом я сказал тренеру Джону Уортону, мол, так и так, что-то с коленом. У нас тренером называется специалист по виду спорта, а здесь — человек, который следит за физическим состоянием игроков. Тренер занимается и физиотерапией, и определяет, какому специалисту надо показать травмированного игрока. Джон был в поездке вместе с нами. Он меня предупредил: прилетаем в Детройт, сразу идем к доктору, будем решать, что делать.

Когда летели через океан, колено так раздулось, что начало распирать джинсы. Не знаю, зависело ли это от высоты или просто от того, что я все время сидел. Нас разместили в хвосте самолета, расстояние между сиденьями маленькое, колени согнуты. Прилетели вечером в Детройт, а на следующий день, утром, мне сделали все полагающиеся процедуры и сообщили, что мениск уже отвалился, нужна операция. Я спросил: а в Кубке мира смогу сыграть? Доктора разрешили, но сказали, как только закончится турне — сразу на операцию.

С этим диагнозом иду к генеральному менеджеру «Детройта». Он все уже, конечно, знал, но меня успокоил, что никаких проблем с контрактом не будет, он готов его подписать, хотя руководство и хозяин знают, что я должен буду пропустить начало регулярного сезона. В тот же день я подписал контракт с «Детройтом» еще на один год. Потом прошел мучительную процедуру: врачи откачали мне жидкость из колена, чтобы я мог играть на Кубке. Менеджер хотел, чтобы мне сразу сделали операцию. Я ему объяснил, как для меня важно, чтобы команда России выиграла, может быть, это мой последний турнир за родную страну. Менеджер ответил, поступай, как считаешь нужным.

В Детройте мы играли товарищеский матч с американцами, я его пропустил, потом встречались с канадцами, я опять не играл. Но на первый матч турнира вышел — против канадцев в Ванкувере. Потом провел и игру со словаками. Бесславно закончился для сборной России Кубок мира в Оттаве. Я вернулся в Детройт, пришел в клуб, мне сказали, отдохни дня три-четыре, операцию тебе назначили на понедельник в 9 утра. Я пошутил: «Понедельник — день тяжелый». А мне в ответ серьезно: «Наши доктора и в понедельник в хорошем состоянии, так что вы не волнуйтесь».

Я приехал в госпиталь на операцию на своей машине. Врачи говорят: «Почему вы без сопровождающего? Мы вас к концу дня отпустим домой, но вы сами не должны вести машину. И операцию вам делать не будем, потому что вы нас обманете и уедете сами после общего наркоза». Общий наркоз нужен потому, что операция тонкая, и я не должен даже шевельнуться во время ее проведения.

Я рассказал врачам, что, когда сломал ногу в Москве (а у нас нет двухпедальных машин, только трехпедальные), я ездил по Москве на «Жигулях» — и ничего. «Как же ты ездил?» — «А как, очень просто — левая нога на тормозе и газе, а правая лежит рядом на сиденье вместе с правым костылем. Зато другим, левым, я выжимал сцепление. Так и ездил целый месяц». Но американских врачей мой рассказ не убедил. Пришлось позвонить Константинову: «Вова, тебе придется дать слово, что ты приедешь меня забрать из госпиталя». А вся эта история началась с того, что мы с хирургом одновременно подъехали утром к больнице.

Вова сам как раз восстанавливался после операции: он порвал ахилл и начал рассуждать, что нам потом вдвоем будет легче восстанавливаться: у него левая нога не действует, у меня — правая. Как будто, если бы обе правые не действовали, было бы труднее. Я ему кое-что по-русски на это ответил. Наконец доктор подходит: «Где у тебя ключи от машины? Я их хочу забрать на всякий случай, чтобы ты не убежал».

Вечером Константинов заехал за мной, а через два или три дня я начал уже наступать на больную ногу, но ходил еще на костылях. Хозяин команды пригласил нас к себе домой на прием по случаю выборов какого-то окружного судьи. Команда уже вкатилась в предсезонные игры, и мы с Вовой, одноногие и травмированные, одни пришли на этот благотворительный ужин. Может, Константинов именно это и имел в виду, когда говорил, что вдвоем будет легче? Хозяин доволен, он еще не знал, что после операции я могу ходить. Через десять дней я уже катался потихоньку, набирался сил. Сезон уже начался, и мы с Вовой действительно тренировались вдвоем. Константинов опережал свой восстановительный график где-то на полтора месяца, Володя вообще уникальный парень, настоящий хоккейный боец. Казалось бы, отдыхай после такого трудного сезона (Константинов был признан самым полезным игроком команды), вкатывайся не торопясь, нет, он рвался на лед и, действительно, на полтора месяца раньше начал играть, и играл очень здорово с первого же дня. Такой он правильный человек. Я на прощание ему сказал: «Вова, ты меня бросил одного, теперь за меня возьмутся и будут гонять как сидорову козу». Но я тоже пришел в себя довольно быстро, и недели через три после начала чемпионата тоже начал играть.

Как и следовало ожидать, после двух срывов в последний момент розыгрыша Кубка Стэнли что-то должно было произойти. «Детройт Ред Уингз» была уже достаточно возрастной командой, и все понимали, что в нее обязана влиться молодая кровь. Началась серия обменов, сначала Кит Примо сказал, что он не хочет больше играть за «Ред Уингз», потому что не видит себя на месте четвертого центрального. Первые места занимали Стив Айзерман, Сергей Федоров и Игорь Ларионов. Примо считал себя потенциально намного сильнее и достойным лучшей доли, поэтому попросил, чтобы его поменяли. Примо уже не появился на кемпе «Детройта». Сразу после начала сезона пошли разго-

305

воры, что и Пола Коффи поменяют, а тем временем Дино Сисарелли отдали в «Тампу» — за третий драфтпик, тем самым освобождая место для молодежи. И действительно, дней через десять после начала чемпионата знаменитого Пола Коффи вместе с Примо отдали в «Харфорд» за Брендена Шенехена и первый раунд в драфтпике 1997 года, а еще одного защитника отправили в майнер-лигу. Это уже называется серьезными изменениями. Ушли еще два защитника: Майк Рамзей закончил спортивную карьеру, он был одним из тех, кто обыграл советскую сборную в 80-м на Олимпийских играх в Лейк-Плэсиде, и надо же, спустя пятнадцать лет мы оказались с ним в одной команде. Итак, Майк закончил, и подписал контракт с «Сент-Луисом» опытный защитник Марк Берджевин. Сезон 1996—97 годов команда начала всего с двумя защитниками — Ником Лидстромом и Бобом Россом, а с ними четыре новичка, которые первый год играли в Лиге. Константинов и я приходили в себя после травм. Естественно, для «Детройта» настали трудные времена.

Обычно новичкам дается время осмотреться в новой обстановке, а тут сразу в пекло. Но не только в защите произошли изменения. Игорь Ларионов в начале сезона получил серьезную травму. Все это, конечно, повлияло на старт, и разгон получился довольно средним, но когда ребята стали возвращаться в строй, команда стала подниматься. Со второго месяца чемпионата мы начали подряд у всех выигрывать точно так же, как и в прошлом году, и поднялись на первое-второе место в Лиге. Нашу «пятерку» опять собрали вместе, и Сергей в одном только матче с «Вашингтоном» забил пять голов. Вроде все встало на свои места, и вдруг — провал. С конца декабря и за весь январь мы выиграли всего две игры из пятнадцати. Команду стало лихорадить. Начали нервничать и руководство, и болельщики, и пресса. Пошли разговоры о новых трейдах.

Я думаю, вообще-то неплохо команде пройти через подобные испытания, именно они закаляют ее характер, а ребят сплачивают. Порой победы так не объединяют, как поражения. Но не заурядный проигрыш, а такой момент в жизни команды, когда все выкладываются, бьются, а результата нет. Чаще всего руки опускаются, но если этого не произошло, команда через какое-то время приобретет способность выиграть у любого. Сложившаяся ситуация с «Детройтом» — это обычное явление в команде, которая претерпела значительные изменения, тем более после такого сезона, когда был установлен рекорд НХЛ.

Вместе со всеми российскими болельщиками я переживал за нашу команду на Олимпиаде в Нагано. Конечно, обидно, что золота ей не досталось, но тем не менее мы наконец увидели новую сборную страны. Рискну утверждать, что к ее созданию я тоже приложил немало сил, может, даже больше, чем хотел.

Конечно, ощущая себя в отличной спортивной форме в свои 39 лет, я был бы не прочь оказаться в олимпийском составе на своей четвертой Олимпиаде, но манера приглашения меня в команду выглядела довольно странно. И хотя Стеблин и Юрзинов приезжали в Детройт, было ясно, что большого желания увидеть меня в Японии они не испытывают. А напрашиваться не в моих правилах, несмотря на то, что все мои родные и друзья наседали на меня, кто как мог.

Причины отторжения меня от сборной России окончательно сложились еще в 1996 году.

Как я ни откладывал, но от этой темы мне не уклониться. Итак, Кубок мира 1996 года (прежнее название — Кубок Канады) и все, что с ним было связано. Еще за два года до начала Кубка руководство Лиги и ее профсоюзный босс Боб Гуденоу волновались, есть ли вообще смысл проводить тренировочный сбор российских легионеров, полностью составляющих команду России, в России? В Лиге всячески обсуждалась криминальная обстановка на нашей родине, и хозяева, естественно, боялись за игроков, которые в тот момент им принадлежали. Не лучше ли, говорили они, проводить сборы в Америке? И зачем в этом случае привлекать к Кубку хоккейных функционеров из России? О них в Лиге имеют сложившееся мнение.

Когда попросили высказаться меня, то я сказал, что и так болельщик в России обделен, все лучшие игроки уезжают в НХЛ, поэтому мнение мое таково — кемп в Москве проводить обязательно, провести в Москве и какие-то товарищеские игры, чтобы народ мог поглядеть на своих любимцев, чтобы привлечь внимание к хоккею не только общественности, но и правительства, наконец, и капитала, который уже в России есть. Поскольку только он способен помочь родному хоккею. Американцы то ли согласились со мной, то ли не согласились, но все эти два года со всех сторон обсуждали вопрос русской команды. Что касается меня, я не сомневался, что смогу сыграть в сборной. Что ни говори, а «Детройт» провел неплохой сезон, и силы после него у меня еще остались. Я считал, что если мы с Игорем и ребятами-ветеранами, которые в НХЛ уже давно, найдем оптимальные решения по комплектации команды и тренировочному сбору в Москве, то устраним все вопросы к команде России, а главное, она сможет выступить на Кубке успешно. Вот почему я взвалил на себя этот груз, а совсем не для того, чтобы устраивать склоки с Федерацией хоккея России, хотя я был готов и к будущим конфликтам.

Отмечу, и это далеко не маловажный факт, что по решению российской Федерации я был назначен менеджером сборной России, то есть нес ответственность за формирование команды, и председатель Федерации Сыч и главный менеджер сборной Майоров звонили ко мне постоянно, не как к авторитетному человеку в Лиге, а, надо понимать, как к коллеге и официальному лицу.

Уже тогда я понимал, что с ними мне придется хлебнуть

лиха, но все компенсировалось мечтой о создании сборной России из профессионалов НХЛ и собственным страстным желанием сыграть в этой сборной. Хотя, похоже, большим недостатком оказалось то, что я продолжал оставаться действующим защитником.

Участвуя в ежегодной организации Кубка «Спартака», я отчетливо видел, что, с одной стороны, тренеры, которые работают дома, руководство Федерации, а с другой — игроки, которые уже несколько лет в НХЛ, — люди с совершенно разным, как сейчас говорят, менталитетом. Не плохие, не хорошие люди, а просто разные.

Мне хотелось собрать не только лучших российских легионеров, но и вернуть им забытое понятие — национальная сборная, а сделать это можно было только сведя к минимуму сотни вопросов, которые у профессионалов с миллионными контрактами невольно возникают при столкновении с родной средой.

Только с этой позиции мы с Игорем Ларионовым говорили и с Сергеем Федоровым, и с Пашей Буре, и с другими ребятами. Поэтому определенные требования игроков к Федерации не родились в одночасье. Я же опирался в поисках формулы новой для России команды на свои воспоминания о суперсерии 1994-го в Москве, когда ребята, приехав из Америки на родину, порой впервые за много лет, всюду находились вместе, жили как одна семья и действительно могли называться Команда. Нельзя забывать, что ребята уже привыкли к тому, что они не только богатые люди, но и звезды, причем западные звезды, и тут уже возникают такие проблемы, которые людям, живущим в России, будь они хоть семи пядей во лбу, все равно будут непонятны, а возможно, даже отвратительны. Для них образ жизни звезды НХЛ далек, как другая планета.

Я уже говорил, что в тот год, когда в НХЛ начался локаут, в прессе развернулась большая кампания, мол, русская мафия охотится за хоккеистами. Не знаю, специально ли это делалось или действительно существовали какие-то истории. Но в результате такой раскрутки хозяева напугались и объявили, что предпочитают не рисковать игроками, и «если они не хотят ехать в Россию, мы их поддержим в этом желании». Тогда, в 1994-м, я многих лично уговаривал приехать. В конце концов все, кто побывали в России, получили огромное удовольствие. И с тех пор почти все в отпуск приезжают домой. Прошло два года, но наш с Игорем разговор с руководством Лиги проходил так, будто мы обсуждаем тревоги Лиги и профсоюза того, ушедшего времени. Но моя и Игоря позиция осталась неизменной: команду нужно собирать дома, потому что это Российская сборная, а не сборная русских хоккеистов, играющих в НХЛ.

Лично мне хотелось просто хорошо подготовиться и так же сыграть на Кубке, но у половины ребят оказались совсем другие мотивы. Мне показалось, что в НХЛ остались только я, Игорь, Валерий Каменский и Сергей Немчинов, которые до конца прошли прежнюю школу, которые получили эстафету от старшего поколения. После того как нас вынудили к ненормальному выезду, а по сути, массовому бегству, мы не могли стать для молодых теми, кем были для нас Харламов или Рагулин. В те годы в нашей стране деньги не особенно почитали, да их, настоящих, мало кто знал, а в НХЛ у меня сразу гонорар был полмиллиона в год, а у мальчишек по 2—3 миллиона. Традиции разрушить легко, а создаются они поколениями, следовательно, десятилетиями. В 1990-м, несмотря на мой скандальный отъезд из СССР, когда Лада мне сказала, что из Швейцарии позвонили ребята и просят, чтобы я приехал к ним на чемпионат мира, первая мысль: не поеду, не хочу. После всего, что было, после того, как меня поливали два года, что я огромные деньги украл у государства, которое меня вырастило (постоянно приходили факсы со статьями о моей неблагодарности к стране, которая меня научила стоять на коньках). Но когда я услышал ребят: «Приезжай, ты нужен нам», я не спросил, сколько мне заплатят. Я на следующий день пошел в швейцарское посольство получать визу.

Тогда я отыграл на двенадцатом для себя чемпионате мира. Ни спасибо, ни пожалуйста не услышал от руководства сборной и Федерации. Но я, зная их, и не ожидал ничего, зато ребята сказали спасибо, что приехал. Мы с Макаровым отыграли чемпионат за то, на чем мы выросли, — за Родину, за болельщиков, за родителей, за родной дом, для нас это были не пустые слова. Я повторяюсь, но русских ненавидел весь мир, начиная от хоккеистов, против которых мы играли, и кончая судьями и болельщиками. Где бы мы ни выступали, мы для всех оставались «советскими».

Но ненависть к нам помогала нам выигрывать. Общаясь с российской молодежью в НХЛ, я думал, что, может быть, мы, ветераны, сможем каким-то образом передать им нашу страсть, наше противостояние остальному миру. Но уже и мир изменился, и постепенно начала исчезать к нам ненависть. Вот тогда я начал задумываться о том, что нужна другая мотивировка для этих ребят и прежде всего отношения их с администрацией команды должны быть на высочайшем уровне уважения к личности, чего не могло быть, по определению, в сборной СССР.

Мне хотелось сыграть за Россию еще и потому, что за нее я не играл ни разу. Россия для меня — новая страна, меня знают как игрока советской сборной. Я горжусь этим, потому что мои болельщики жили и в Армении, и в Грузии, и в Эстонии, и в Литве. Я играл для той страны, в которой жил.

К моим наградам Кубок мира ничего уже нового добавить не мог. Оставался шанс только потерять, причем самое для меня дорогое — собственное имя. Поэтому все разговоры о том, что я стремился завоевать какой-то контроль над финансами — чушь! Я давно уже знаю, что лучше потерять с умным, чем найти с дураком. Бессмысленно бывшим советским начальникам объяснять, что у меня и мыслей не было что-то делать для себя. Я деньги на билет в Москву потратил собственные, и сделал это сознательно, чтобы никто не мог сказать, что я хоть где-то взял доллар.

Мне кажется, что если за моими плечами все же оставалась память о великой по-своему, но великой стране, то мальчишки, которые уезжали в начале 90-х из голодной и разорившейся державы, попав сразу в богатейшую страну мира, вряд ли имели за душой и десятую часть моего патриотизма. И это касается не только хоккея, любого командного вида спорта. Наверное, придется подождать то поколение, которое вырастет уже в новой России.

Но пока я еще считал, что если собрать всех лучших российских игроков НХЛ вместе, то мы можем удачно выступить в Кубке мира. Я готовился все лето и чувствовал себя на редкость хорошо. Но случилась травма: полетел мениск. Может быть, полагалось найти повод и уехать в Детройт. Сделал бы спокойно операцию, готовился к сезону. А как сборная России сыграет, уже не важно. Но я остался.

Первый звоночек прозвучал для меня в день приезда в Америку Майорова и Васильева — генерального менеджера и старшего тренера сборной России. Они рассказали о своих планах, что соберут нас на месяц пораньше, отвезут на сбор в Ялту или в Сочи. «А потом приедете в Москву, мы вас раскидаем по клубам, вы там будете вроде бы как на отдыхе, а на самом деле будете тренироваться, чтобы хорошо подготовиться». Я вижу, люди приехали из другого мира. В НХЛ есть игроки, которые заканчивают сезон в июне, а тут с первого июля им хотят устроить сбор. Это после почти ста труднейших матчей. И есть еще такой немаловажный факт — он в договоре записан, — что перед

Кубком мира команды могут собраться не раньше чем за три или четыре недели до начала. У всех должны быть равные условия. Мы живем в нормальном мире, и не надо готовиться к встрече с врагами, когда все средства хороши. Не надо втихаря тренировать команду три месяца, когда другие соберутся только за три недели. То есть все у них остается по-советски. Опять надуть, опять обмануть. И делать это, как всегда, за счет ребят. Мы снова в особых условиях. Финны, американцы, канадцы пускай собираются за три недели до Кубка, а мы — за три месяца. Но в отличие от Майорова, мы с ними в одной Лиге работаем, как потом им в глаза смотреть? Финны, правда, насколько мне известно, съехались раньше, но это понятно, у них не так уж много игроков из НХЛ. Им пришлось собрать объединенную команду, но это их проблемы. Российская же сборная полностью состояла из профессионалов. Каждый из них должен был прийти на сбор хорошо уже подготовленным, как он это делает в НХЛ. Это твоя репутация, если ты придешь разобранным, то ты ее подрываешь, подрываешь и свои будущие контракты. Я не сомневался, что любой из игроков это понимает. Иначе он должен сразу отказаться, как сделали многие в канадской и американской сборных, сделали по каким-то своим причинам, значит, не считали возможным прийти в команду в нормальной форме. Тот, кто в НХЛ уже не первый год, знает, как себя готовить и во время сезона, как — во время перерыва. У меня вообще вопросов на эту тему не возникало. В конце концов команда в Нагано играла после нескольких дней совместных тренировок, а не двухмесячных сборов.

Другое мнение было у приехавших. По правилам мы, допустим, 13 августа должны первый раз собраться, а они уже запланировали на 14-е игру с финнами. Майоров еще сказал, что финны слишком выступать стали, они нас обыграли на последнем чемпионате мира, надо их на место поставить, что и сделаем — закатим им такую игру.

Я спрашиваю: «Борис Александрович, как закатим игру, когда мы только за день до нее должны собраться, а на следующий уже играть? Ну, а если травмы люди получат?» Но меня слушать не хотят, они уже решили: все приедут сначала в Сочи или в Ялту, потом будут по клубам тренироваться. Такой разговор состоялся в Детройте. Мы впятером все это выслушали (во всех командах НХЛ по одному-два игрока из России и только в Детройте — пятеро), потом нам объявили, какие вознаграждения предлагаются... Но я сказал, что нам надо обсудить ваши предложения, а подумав, мы скажем, что на наш взгляд правильно, а что неправильно. Может быть, что-то нужно будет поменять в ваших планах.

А приехав в Москву, Майоров дает интервью и смысл его таков: с какой стати мы должны слушать игроков? Их дело гонять шайбу. Они только здесь, в России, вякают, а там сидят язык в одно место засунули. Кто они такие, почему я, генеральный менеджер, должен с ними считаться?

И получается: от чего я сбежал семь лет назад, к тому же и вернулся. Можно было «встать и уйти», пусть молодые суперзвезды разбираются с ним сами, если он о них такого мнения. Но я посчитал своим долгом высказаться по этому поводу, объяснить, что игроки — не пешки, подобное должно быть хорошо известно Борису Александровичу, который и сам был далеко не последним игроком в сборной. А нынешние, профессионалы, они пережили и забастовки, и локауты и видели, как не приходят в кемп, пока денег не дают столько, сколько требуют. Они знают, что игрок защищен профсоюзом, защищен законом и имеет свой совсем не слабый голос. Естественно, что игрока в НХЛ без ведома меняют, но нередко это на пользу игроку, если он не подходит команде, то ему лучше ее сменить.

После высказываний Майорова в Москве в Америке сразу сложилось мнение, что человек, который так думает о профессионалах, просто не имеет права работать с ними.

Нас потом успокаивали, объясняли, что Борис Александрович — человек горячий и непростой, но если он, генеральный менеджер, считает возможным так высказываться, то каким-то образом должен отвечать за свои слова. Возможно, та заваруха пошла на пользу Майорову, может быть, учтя ее, он стал самым лучшим генеральным менеджером в мире, но в той ситуации мы посчитали его слова оскорблением в адрес игроков, к тому же еще и необоснованным. Так начало развиваться непонимание.

Следом за Майоровым и Васильевым нас посетил председатель Федерации Валентин Лукич Сыч. Произошла, как мы ее называем, «встреча в Виндзоре». Виндзор — это город в Канаде. У Сыча почему-то не стояла в паспорте американская виза, и покинуть Канаду он не мог. Но Виндзор от нас буквально за речкой, туда приехали представители Лиги и наш профсоюзный босс Боб Гуденоу со всеми своими помощниками, прибыли и три помощника главного комиссионера Лиги — то есть самые важные люди НХЛ, а на прямом проводе постоянно находился президент Международной федерации Фазель. И всех этих людей волновал вопрос формирования сборной России.

Возможно, главная причина неудачи сборной России на Кубке мира кроется в истории с ее главным тренером. Было много сложных моментов в наших переговорах, но вопрос с тренерами — это особая глава.

Перед приездом в Канаду Сыча мы узнали, что в Москве началась чехарда с тренерским составом. Никто из легионеров не имел ничего против Васильева, вопреки тому, как потом утверждали об этом в Федерации. И когда выяснилось, перед самым началом сбора, уже летом, что Дмитриев заболел, большинство проголосовало за возвращение Васильева, но этот важнейший вопрос все равно решался без нас. Другое дело, что мы тоже думали, кто же из тренеров может быть достаточно авторитетен для такой непростой сборной? Решили, что Юрзинов — и лучше него нам не найти. Владимир Владимирович давно работает на Западе, он отличный тренер, хотя без амбиций, при Тихонове он всегда был вторым. В общем, мы со всех сторон обсудили его кандидатуру и решили, именно Юрзинов — самая подходящая фигура. Я позвонил к нему в Финляндию, потом все ребята, каждый взял трубку, сказали: «Владимир Владимирович, мы хотели бы, чтобы вы приехали». Он ответил, что не хочет конфликтовать с Федерацией. Мы говорили: «Вам не надо конфликтовать, мы вас поддерживаем». Юрзинов: «Вы учтите, я не хочу вообще никаких конфликтов». Я не выдержал: «Хоть раз в жизни вы можете побороться? Вам же никакой покровитель уже не нужен в этой жизни, вы уже достаточно прожили, знаете что происходит вокруг. Я думаю, для вашего престижа не так плохо стать тренером такой команды». Потом он передал через общего нашего приятеля, чтобы я перезвонил. Я это сделал, и Юрзинов дал свое согласие. А потом взял и отказался.

Эпопея с тренерами нуждается в некоторых деталях. Итак, мы предложили Юрзинова еще в Виндзоре, Сыч нам на это ответил, что у Федерации с Васильевым контракт на 3 года: «Я его подписал, я ему доверил команду до Олимпийских игр, я не могу его убирать с поста старшего тренера». Тем не менее, несмотря на Олимпиаду, на контракт, благополучно его уволили в мае после чемпионата мира 1996-го и волевым решением назначили на этот пост Михайлова. Мы же просили назначить Юрзинова главным тренером только на этот конкретный турнир, такая формулировка Васильева обидеть не должна и его контракта не нарушает. Ни один человек из состава делегации, предложенного нами, у Сыча никакого противодействия не вызывал. Единственный вопрос, поднятый нами, и о чем мы так и не смогли договориться, — старший тренер. Сыч настаивал (он не подозревал о предстоящем провале на первенстве мира), чтобы Васильев обязательно оставался старшим тренером, и говорил нам, что Юрзинов согласится на должность ассистента. Но буквально за час до встречи мы звонили Юрзинову в Финляндию, и он сказал, что не давал согласия быть помощником у главного тренера.

Когда сейчас, после Олимпиады, Юрзинову высказаны десятки комплиментов и его совершенно заслуженно наградили в Кремле орденом, я думаю, как бы все могло пойти по-другому, согласись бы Юрзинов в 1996-м, а не полтора года спустя на пост старшего тренера сборной России.

Но Владимир Владимирович совершенно справедливо опасался прежнего руководства Федерации, зато когда Федерацию возглавил Стеблин, президент «динамовского» клуба, откуда «родом» и сам Юрзинов и как игрок, и как тренер, никаких сложностей с его назначением на пост старшего тренера не возникло. И этот выбор, как я и предполагал за несколько месяцев до Кубка мира, оказался наилучшим.

Но вернемся к «Виндзорской встрече», на которую мы приехали из Детройта снова всей «пятеркой». Вопросы финансирования на ней решили быстро — дело в том, что, по положению турнира, премиальные выдаются игрокам (там еще много пунктов было, например один из них — об использовании имени игрока, с этого тоже должны какие-то отчисления идти игроку). Но основная схема заключалась в том, что все деньги — в общий котел, неважно, кто сколько заработает, — все поровну.

У нас возникло еще и такое предложение: поскольку у наших ветеранов, как правило, плохое финансовое положение и они нуждаются не в подачке на водку, а в расходах на лечение, так как бесплатно уже ничего нельзя сделать, то неплохо было бы часть денег, которые получат игроки, отдать в профсоюз игроков, организованный в России. Профсоюз возглавил Владимир Борисович Ясенев, которого знало не одно поколение хоккеистов — он много лет работал в сборной Союза. В совет профсоюза игроков вошли уважаемые и порядочные люди, которые правильно распорядились бы этими деньгами. И никто не должен был этих сумм касаться. Деньги переводились бы, но не в руки, а на лечение, на закупку лекарств, на другие необходимые вещи. Причем любой член профсоюза мог бы прийти и проверить, куда уходят средства. Такая была у нас мечта, и вроде бы все игроки согласились. Забегая вперед, скажу, что далеко не все молодые перечислили премиальные деньги в этот фонд, хотя разговор шел о двух с половиной — трех тысячах долларов. Мизерная цифра в сравнении с их зарплатой. Имена я не назову. Потому что, может, я тоже чего-то не понимаю в молодом поколении?

Сыч еще в Виндзоре нас предупредил: этот турнир для российской Федерации будет убыточным. Я спрашиваю: «Валентин Лукич, как же убыточный?» — «Считай, — он мне отвечает, — нам канадцы и американцы прислали факс, что заплатят всего по 25 тысяч за игру». Вот это для нас была новость! Это раньше они платили советской Федерации по 25 тысяч, когда для Советского Союза деньги не имели значения — главное победа, то есть политика. А сейчас — 25 тысяч за такие имена, которые собрались в российской команде... Для них, похоже, российская Федерация осталась по-прежнему советской. Я посмотрел на Боба Гуденоу и спрашиваю: «Боб, что ты об этом думаешь?» Я не стал спрашивать у Боба: «Неужели нам только 25 тысяч платят за игру?» Он, как и я, знал, что если, допустим, будут играть сборные Канады и Словакии, то на эту игру придет 5 тысяч зрителей, естественно, соответствующим будет и сбор. А если приезжает играть сборная России против сборной Канады, то на стадион придет столько людей, сколько он может вместить. Поэтому платить нам, как и словакам, мне показалось, мягко говоря, неприличным. Я спросил у Боба другое: какой, на его взгляд, правильный расчет? Он ответил: по крайней мере 40 на 60. 40 — вам, 60 — им. Теперь посчитаем — это нетрудно: 20 тысяч зрителей, в среднем билет стоит 30 долларов — это 600 тысяч долларов. 40 процентов — это 240 тысяч! Причем с одной игры. 240 тысяч, а не 25. И кстати, на матч сборной России с американцами в Детройте, когда «русская пятерка» играла против сборной США, пришло почти 20 тысяч зрителей. Потом состоялся матч с Канадой, зал переполнен — еще 600 тысяч. Вот уже почти полмиллиона долларов, которые покрывают все названные потом в Москве расходы на подготовку.

Но Валентин Лукич уже подписал контракт от имени Федерации, опираясь на советы старых знакомых, тех знакомых, которых сам потом велел близко не подпускать к сборной. Тренировочные игры со Швецией и Германией вообще ничего финансово не принесли команде. Шведы и немцы на нас заработали, мы — ничего. Откуда же взялись колоссальные деньги на сборную России, из чьего кармана платили: из собственного, из государственного — я не знаю. Но оказалось, что для Федерации хоккея России 500 тысяч долларов — деньги небольшие, если их даже не пытаются вернуть.

Мы же будущее Кубка видели совсем по-другому. Надо заработать деньги для Федерации, надо покрыть расходы на команду и чтобы еще осталось для нашего фонда помощи хоккеистам старшего поколения. Но эти пожелания почему-то встретили «в штыки».

Вот еще интересная деталь. Накануне встречи меня нашел Боб Гуденоу. Он получил телеграмму от Сыча, где Валентин Лукич предупреждал о своем прилете и просил, чтобы на нашем митинге, то есть совещании, присутствовал Павел Буре, так как он имеет отличную точку зрения от тех людей (то есть «русской пятерки»), которые будут присутствовать со стороны игроков. Боб показывает текст:

в конце подписано — «Всеволод Кукушкин по просьбе Сыча». А Валентин Лукич уже летел в это время через океан. Во время совещания я встаю: «Пришла такая телеграмма, Павел Буре здесь и президент Сыч здесь, и я хотел бы при всех представителях Лиги спросить у Павла, какая у него отличная от нас точка зрения. Возможно, она правильная, а может, и нет, но хотелось бы все же ее узнать». Передаю телеграмму переводчице Сыча, он сам вскочил с места, нацепил очки, как будто по-английски читает, и впился в текст глазами, пока ему переводили. После паузы говорит, что он Буре не вызывал, потом соглашается, что, действительно, он знает, что Буре имеет какую-то свою точку зрения. Бред полный. Встал Паша и объяснил собранию, что у него нет никакой своей отдельной или особой точки зрения по любому из вопросов, поставленных здесь. Он, в принципе, с нами во всем согласен. Единственное возражение у него вызывала скаутская должность Виктора Федорова, отца Сергея. В остальном — проблем нет, хотя в Москве упорно с чьей-то подачи писали, что Буре думает о будущем Кубке совсем не так, как мы.

Итак, мы разошлись в Виндзоре, «довольные» друг другом. К финансам нас не допустили. Но мы и не собирались ими заниматься. Другое дело, что мы уже привыкли, что в демократическом обществе бюджет общественной организации (а таковой является любая федерация) всегда прозрачен. И таинственность в появлении и исчезновении многотысячных сумм, естественно, наводила на какие-то мысли. Но зато нам казалось, что сняты все вопросы по составу делегации. Когда же Сыч вернулся в Москву, все началось сначала, будто мы не то что не разговаривали, даже не виделись. Черновик письма, который мы, отчаявшись, подготовили для руководства страны, каким-то образом попал в прессу. Подчеркиваю, черновик, который не был подписан ни одним игроком. Но тут же из него раздули черт знает что. Мы не хотели впятером говорить от имени всех и разослали ребятам проект заявления. Мы писали, что у игроков имеются свои пожелания, которые полностью игнорирует Федерация. Но в российских газетах написали: многие игроки не знали, что они подписывают. Это смешно. Это уровень того еще, советского, сознания. Люди, которые по нескольку лет играют на Западе, знают, чего стоит их подпись. А она может стоить тебе многих миллионов долларов, если ты поставишь ее не там где надо. Замечу, что позже каждый, подписав, отправил письмо назад к нам, в Детройт, не получили мы писем только от двоих из всего состава сборной.

Далась еще всем нашим критикам гостиница «Пента», как красная тряпка для быка. Наверное, многим московским корреспондентам непонятно, что для людей, зарабатывающих, отметьте это слово, в год по миллиону долларов и выше, условия жизни в таком отеле — самые обычные. А вот ради нескольких дней, которые ничего не давали, отправляться в Новогорск я считал бессмысленным. Более того, я знал, что половина команды туда не приедет. Ну поехали бы мы на базу в Новогорск, а не остались бы в Москве? Нам говорили, нет проблем, у каждого в Новогорске будет транспорт и катайся в Москву хоть всю ночь. Но никому не надо раскатывать ночью, достаточно только постоять утром и вечером в пробках на Ленинградском проспекте по дороге в Новогорск и обратно. На мой взгляд, абсурд — проводить в машине столько времени. Я исходил из того, что игроки, которые живут в Америке, не живут долго в гостиницах, у них нет никаких сборов, но они и готовятся и играют, как мы видим, совсем неплохо. Вот почему я считал, что условия, которые предложены нами, а не Федерацией, — более приемлемы. Прекрасное питание в «Пенте», отличные номера, телевизоры, телефоны. Стадион близко, всего пятнадцать минут до Дворца в Сокольниках, отличный в отеле и тренажерный зал, если хочешь — можешь разминаться и там. Приехали в Москву представители Лиги, приехал Боб Гуденоу, все посмотрели и сказали, что условия у игроков соответствуют стандартам НХЛ.

Насколько мне известно, принято решение проводить Кубок мира в дальнейшем в середине сезона, так что вопрос с летними сборами в Москве, возможно, больше и не возникнет.

Гибель любого человека — трагедия. Смерть от автоматной очереди высокого красивого мужчины, каким был Валентин Лукич Сыч, — ужасна. Он не прочтет этих страниц, он не ответит на них уже никогда. И понимая это, я несколько раз их внимательно перечитал, чтобы ни в коем случае не допустить неточностей и никак не оскорбить память ушедшего человека. Отчего случилась эта трагедия, не знаю и копаться в подробностях не хочу. Уверен только в том, что написал все искренне, ничего не пряча. А из песни, как известно, слова не выкинешь.

По моему глубокому убеждению, весь этот Кубок мира — чистый рекламный турнир. Я, хоть убейте, не могу к нему относиться как к настоящему спортивному сражению. Я это говорил и буду говорить где угодно: и в Америке, и в России. Первое и главное: не проводятся международные турниры с судьями, которые из страны-организатора, каким бы ни был арбитр суперпрофессионалом. Как Кубок можно назвать серьезным соревнованием, если посмотреть на расписание шести примерно одинаковых по силе команд? У североамериканцев по нему вышло огромное преимущество. Победитель группы, которая играла в Европе, должен перелететь через океан и через три дня уже играть в полуфинале. На нормальную адаптацию уходит неделя. Российская сборная налетала несколько тысяч миль, перемещаясь, даже для тренировочных матчей, от стадиона к стадиону по разным концам континента, поменяв за пару недель одиннадцать (!) часовых поясов. Даже неиграющие члены делегации: врачи, представители Федерации устали от того, что каждый день надо начинать с того, что ни свет ни заря собираться, выезжать из гостиницы, лететь на самолете, потом снова поселяться в гостиницу и распаковываться.

Еще раз скажу: обвиняя меня во вмешательстве в дела Федерации, ее руководство забыло, что я имел официальное право высказываться, потому что именно Сыч за два года до всех этих событий назначил меня менеджером российской команды в Америке. Правда, после Кубка он же меня и уволил, о чем я узнал из газеты. Первого, кого уволили из руководства Федерации, — это меня, хотя должность была, признаюсь, скорее общественной. На презентации Кубка «Спартака» Сыч вручил мне грамоту, в которой меня назвали «главным менеджером Федерации российского хоккея по Северной Америке». Передав это гордое звание Касатонову, Федерация почему-то нигде не объявляла о моей отставке. Впрочем, они своеобразно понимали мою должность. Майоров звонит мне: «Слава, сообщи всем ребятам, что мы скоро приедем». Я в тоске: «Борис Александрович, поймите, у меня нет секретаря — это во-первых. Во-вторых, у меня уже сезон идет, я тренируюсь и играю. А в-третьих, достаточно дорого всех обзвонить и всем рассказать, что вы передаете им привет. У вас, наверное, есть и телефоны игроков, и их адреса. Поручите это дело секретарю». Получаю ответ: «Ну тебе-то проще, ты же там живешь, когда ты с ними встречаешься на играх, объясняй всем нашу позицию». Вот такие мне задания Федерация давала, а когда же я захотел высказать свое мнение по принципиальным вопросам, меня уволили. Меня и Сергея Левина, бывшего советского гражданина, ныне агента нескольких игроков НХЛ, — одним приказом. Левин по контракту с Федерацией считался ее советником.

Я видел его контракт собственными глазами, логическому объяснению он не подлежит. В нем оказалась записана неплохая сумма: оплата всех разъездов, плюс процент от премиальных, которые игроки получают во время Кубка, плюс 25 процентов от всех тех бизнесов, которые он приносит сам. Сергей, как сейчас говорят, оказался в полном «шоколаде». Не каждый лойер в Америке столько получает. А лойеры, адвокаты — одна из самых богатых прослоек в Штатах. Сергей считался агентом у десятерых игроков НХЛ, то есть обязан был отстаивать их интересы, и получался какой-то волшебный замкнутый круг, по своей сути — порочный. Полный конфликт интересов: не может агент одновременно представлять интересы и игрока, и команды, где тот играет. Так что в хорошую компанию я попал.

Еще одна причина, на мой взгляд, неприятия Федерацией наших предложений — это желание перечислить что-то ветеранам. У нас не любят, когда деньги попадают под контроль. Тут и началось настоящее интриганство.

Вся история с Кубком мира для меня крайне неприятна, потому что хотелось помочь делу, помочь людям, которые, как мне казалось, нуждаются в этом. Не сразу я понял, что мои оппоненты как были советскими начальниками или игроками эпохи Великого Союза, так ими и остались. Более того, не то что не хотят меняться, они презирают и ненавидят то новое, что рождается в стране, при этом пользуются своими новыми правами чисто по-советски.

И последнее. Есть ли какое-то оправдание, почему игра у команды не получилась? Я старался объяснить это себе привычными доводами: команда быстро устала, одиннадцать часовых поясов дали о себе знать, возможно, из-за этого начались травмы. Но главное — из-за бесконечных разборок с Федерацией коллектив не сложился. Были и те, кто по разным причинам не захотели играть в сборной, но те, кто приехали, старались. Мы оказались в состоянии абсурда. Типичная ситуация переходного периода от социализму к капитализму. Бардак редкий.

В конце концов мы же проиграли сильной команде, той, которая в итоге победила. Кубок Канады сборная СССР проигрывала и прежде, и даже далеко от полуфинала. А тут все решила одна игра. Трудно такое говорить, но я не чувствовал рядом с собой коллектива, я не чувствовал, что эта команда может в любой момент переломить игру. Нет ничего сложнее, как совместить психологию двадцати четырех игроков. Взаимоуважение, которое обязано быть и у руководства команды к игрокам, и у игроков друг к другу, мне кажется, в той сборной России отсутствовало.

Если собирают команду из игроков НХЛ, надо знать жизнь Лиги досконально. Это не камень в огород российским тренерам, а объективное рассмотрение ситуации. Невозможно за короткий промежуток переделать игроков, нужно, наоборот, найти оптимальный вариант, чтобы правильно их использовать. Нельзя выпускать Федорова на 15 минут за игру, когда в «Детройте» он играет 30. Могильный, Буре или Зубов — все они должны находиться на льду в матче не менее чем по 30 минут. Они играют на протяжении последних лет именно в таком режиме, и если их «сажать» на режим 15—12 минут, они просто не входят в игру. Я устал доказывать в сборной, что это необходимо учитывать. Сколько же нервов все это стоило. Проще было бы и «сойти с дистанции»: больной мениск — более чем веская причина. Но я чувствовал, что должен до конца испить эту чашу, а не убегать с середины. При том, что я подвергал себя большому риску и мог бы лишиться контракта на следующий год. Спасибо клубу за то, что он со мной подписал бумаги после операции, то есть дал мне возможность участвовать в восьмом для меня сезоне в НХЛ.

Я рисковал больше кого-либо, а в итоге, что скрывать,

оказался в куче дерьма. В принципе, мне к этому московскому состоянию не привыкать. Другое дело, за восемь лет жизни в Америке я успел позабыть родные интриги. Не знаю, нужно ли мне в дальнейшем каким-то образом участвовать в подобных кампаниях. Не потому, что я кого-то или чего-то боюсь, а потому, что считаю — бесполезно. Мы проиграли Кубок еще до того, как он начался.

Но и те бывшие советские начальники хоккея, ставшие российскими, никогда не будут не правы. Скажут в интервью, что там, за океаном, такие деньги получают, что им «до лампочки» все, что происходит на родине. Этой фразой начальники себя прикрыли до конца жизни. Что, мол, мы с ними цацкаемся, уговариваем играть? Они приехали в Москву, пиво попили, в «Пенте» пожили, народные деньги потратили — и обратно к себе за океан. Бесполезно все, бесполезно, выиграли бы — они б заявили, что все для этого сделали. Беспроигрышная ситуация.

# Глава 12
## СЧАСТЬЕ И ТРАГЕДИЯ

В сезоне 1996—97 годов «Детройт Ред Уингз» как серьезного претендента на главный трофей НХЛ — Кубок Стэнли — никто не воспринимал. Наверное, поэтому атмосфера в команде в течение всего сезона была более или менее спокойной. В прошлом году мы поставили абсолютный рекорд Лиги за всю историю ее регулярных чемпионатов, выиграв столько матчей, сколько никто не выигрывал, однако никому из игроков тот сезон удовольствия не доставил. Открыто никто не говорил, но подсознательно реакция, возможно, была такой: зачем ломаться семь месяцев, восемьдесят игр, если все равно сезон считается по тому, как команда выступила в Кубке Стэнли?

Я думаю, что позитивные перемены произошли в команде, когда Брендена Шенехена приобрели за Коффи и Примо — ответственный шаг Скатти Боумена. Он угадал: команде как раз не хватало такого характера, такой манеры, как у Шенехена, а помимо всего, он отличный парень, который не только умеет забивать, постоять за себя и за партнера, но еще и интеллигентный человек с великолепным юмором. Общительный Бренден как бы уравновесил Стиви Айзермана, который много не говорит, а все доказывает делом. В общем, Шенехен был тем игроком, которого недоставало команде. Перелом наступил, как мне кажется, в матче с «Колорадо», нашими обидчиками в прошлогоднем полуфинале — когда произошла колоссальная драка. Нельзя такое говорить, но, я думаю, эта драка повернула психологически команду в правильном направлении, сплотила нас и показала всем, что «Детройт» не прощает обид и оскорблений, которые были нанесены нашим товарищам. И еще, как ни странно, сыграл свою положительную психологическую роль обед, который устроили русские игроки для всей команды в Лос-Анджелесе. Приблизительно за месяц до начала плейоффа мы пригласили всех в русский ресторан, накрыли там, как говорится, «полную поляну», а кухня ресторана постаралась на славу.

Так из разных деталей строился коллектив. Так цементировалась команда, которой предстояло выиграть Кубок.

Я понял, что у нас Команда, когда мы проиграли первую игру плейоффа у себя дома «Сент-Луису», вторую еле-еле дотянули до победы, но уже в третьей, в гостях, когда проигрывали, ребята завелись по-настоящему. Третья игра первой серии меня убедила, что создан кулак, который любую стену пробьет, но дойдет до финала.

Теперь подробнее о некоторых этапах.

В последней игре прошлого сезона, в Колорадо, Клод Лемье «грязно» атаковал Криса Дрейпера, исподтишка сзади толкнув его на борт. Парню потом целое лето все лицо пришлось восстанавливать, везде множество переломов. И висела в воздухе какая-то негласная, необсуждаемая договоренность, что надо отомстить, такое прощать нельзя. Целый сезон все ждали, когда это произойдет, — и руководство Лиги, и судьи, и, конечно, болельщики. Перед каждой нашей встречей с «Колорадо» прилетал президент Бетман, предупреждал, чтобы никаких эксцессов, никаких драк, Лига сейчас борется за джентльменский стиль поведения. Но стиль стилем, а ребята в «Детройте» чувствовали себя неловко перед Крисом. Лемье не выходил в первых двух наших матчах из-за травмы, а последняя игра уже с его участием проходила как раз в Детройте. Никто, конечно, ни о чем не договаривался. Все сложилось само собой, а толчок дал, что поразительно, всегда корректный Игорь Ларионов, сцепившись с Фосбергом. И понеслось, и поехало; даже вратари в драке участвовали — их Патрик Руа с нашим Майком Верноном схватились в центре круга.

Конечно, даже пара игроков не договаривалась между собой, что именно сегодня мы устроим драку. Все получилось спонтанно. Слишком долго, целый год, в голове сидело — «отомстить». Фантастика, что Игорь начал всю эту заваруху (этого никто, в том числе он сам, не ожидал), но Фосберг пару раз подло, сзади клюшкой стукнул Ларионова по ребрам, вот он с ним и сцепился. Драка же получилась шесть на шесть. Деррин Маккарти, наш боец, попал на Лемье и отметелил его прилично. Много крови вытекло из Клода, много швов ему пришлось накладывать. В общем, зло было наказано, мы выиграли, а команда получила моральный допинг до конца сезона. И эту драку в конце марта я рассматриваю как ключевой момент.

Теперь о третьем матче с «Сент-Луисом» в первой серии плейоффа. Вдруг в игре появилась какая-то нервозность, возникла непонятная ситуация. Мы проиграли первую встречу, во второй чудом спаслись, причем обе игры проходили так, что казалось, еще немного и можно уже паковать чемоданы. Вратарь «Сент-Луиса» Грант Фюр стоял очень прилично, порой — непробиваемо. Любая уверенность при таком раскладе может пошатнуться. Но тут команда заиграла, Скатти вновь собрал «русскую пятерку» вместе, а так как весь год мы редко выходили на лед впятером, то соскучились по своей «фирменной игре». Тогда, в Сент-Луисе, мы первые три-четыре смены по минуте с лишним не выходили из зоны противника, «возили» их там. Такой поворот в борьбе дал уверенность не только нам пятерым, но и всей команде. И вратарь наш стал прилично играть, а без удачной игры вратаря Кубок Стэнли выиграть невозможно.

Придерживал ли Скатти «русскую пятерку» как тайное оружие, как козыри на случай тяжелых минут? Не знаю. Боумен обычно не распространяется о своих намерениях даже после матча. Если команда выиграла, он никому никогда не скажет: я держал русских специально, чтобы сделать то-то и то-то, или что-нибудь в этом роде.

Я считаю Боумена гениальным человеком и тренером. Когда игроки получают во много раз больше, чем тренеры, трудно добиться, чтобы тебя уважали. Хозяин платит игрокам по пять-шесть миллионов, а тренер получает четыреста-пятьсот тысяч, и если возникает конфликт, то, наверное, проще поменять тренера, чем игрока, тем более игроков. Некоторые тренеры ищут возможности оказаться поближе к игрокам-звездам, чтобы продержаться в команде подольше, но такие способы долго не работают. Мне многое пришлось повидать в НХЛ, но в «Детройте» — уникальная ситуация с тренером (хотя и тренер — уникальный).

Конечно, напрашивается сравнение с Тихоновым, команда которого несколько раз побеждала на чемпионатах мира, много раз в чемпионатах Советского Союза. Результаты Боумена тоже неслабые: на его счету восьмой Кубок Стэнли и более тысячи побед в чемпионатах НХЛ. Это уникальный случай не только в хоккее, но и во всем профессиональном спорте. Но Скатти вообще трудно с кем-нибудь спутать. В Америке еще до войны был такой тренер Блейк, по-моему, ему удалось добиться большего, чем Боумену. Но сложно сравнивать людей, которые работали тренерами в те годы, когда современный хоккей зарождался, и сейчас. Хотя еще сложнее сравнивать Тихонова с Боуменом. Показатели побед, конечно, можно подсчитывать, но и они несопоставимы. Тихонов никогда не тренировал НХЛовскую команду, а Боумен никогда не привозил советскую сборную на чемпионаты мира или Олимпийские игры. Это во-первых. Во-вторых, в странах, где они работали, существовала разная социальная среда. Полный диктат, поддержка государства, политическая окраска спорта — и обычная работа, как тысяча других. Неограниченная власть в подборе игроков — и создание боеспособной команды только из тех, кто тебе предоставлен. Хотя Скатти, насколько я знаю, всегда имел дело с хорошими командами. Он приезжает на «Джо Луис Арену», работает полтора часа с командой на льду и уходит — его рабочий день закончился. Боумен никогда не бывает вовлечен в личную жизнь игрока, не старается влезть в его душу, не контролирует поступков хоккеистов вне арены, но, с другой стороны, — постоянное желание «проникнуть» в игрока: что он думает, за что его можно зацепить или почему его можно отпустить.

Есть вещи и события, которые невозможно сравнить в условном пространстве. Одному тренеру надо поработать здесь, другому — там. Только после этого их победы можно класть на весы. Сложно понять людей, когда ты их видишь полтора часа в день, и намного легче, когда ты с ними живешь неделями, месяцами на сборах. Решать психологические вопросы совмещения звеньев куда проще, когда ты находишься беспрестанно в среде игроков, но в Америке приходится находить нужные сочетания почти без проб, сразу в действии. Никто здесь не даст три или четыре года на подготовку олимпийской команды, как было в Советском Союзе. В НХЛ тренера приглашают в команду, но если через два-три месяца нет результатов, его выгонят.

И в такой подвешенности нужно уметь находить какие-то слова, действия, чтобы команда сразу заработала. Что тут общего с советским тренером, когда он царь и бог, когда, даже проиграв Олимпийские игры, самые «политические» (СССР против США), тренер остается на своем месте?

Конечно, откуда мне знать, смог бы Тихонов работать в НХЛ, но думаю, что нет. А смог бы Боумен работать в России? Наверное, тоже маловероятно. Хотя сейчас хоккей в России уже совсем не тот, что был в СССР, и все больше начинает походить на хоккей в НХЛ.

И по человеческим качествам Тихонов и Боумен — совершенно разные люди. Скатти — семейный, домашний человек, у него дом, жена, дети, один сын инвалид на коляске. А Виктор Васильевич был, что называется, фанатиком. В Америке это слово не очень-то лестное. Но, мне кажется, фанатиком быть легко, этим «гордым» определением можно прикрыть все что угодно, в том числе и неудачи. Это намного проще, чем оставаться нормальным человеком со своими жизненными проблемами. Я думаю, Тихонову сейчас тяжело, потому что он сросся с той системой, которой уже нет, когда: «сделаешь как папа сказал, или — до свидания». «Почему мы на сборах должны жить постоянно?» — «Потому что, если я вас отпущу, вы напьетесь». Но в хоккее, как в любой работе, есть люди, которые пьют, но и работают хорошо. И если одно не мешает другому, то, в конце концов, занятия человека в свободное время — его личное дело. Приходишь к тренеру и говоришь: отпустите нас, почему мы живем на сборах, а чехи, шведы, канадцы — все живут дома? А тебе отвечают: они нормальные люди, а вы — ненормальные. Этот «комплекс ненормальности», который тебе прививает система, вытравить из себя очень трудно.

После «Сент-Луиса» мы вышли на «Анахайм». На удивление, они играли очень сильно, и вообще в каждой серии нам доставался достойный соперник. Вратари в любой команде, с которыми мы играли в плейоффе, за исключением финала, стояли выше всяких похвал. Даже после того, как первый вратарь в «Анахайме» сломался и в воротах оказался Миша Шталенков, ему, запасному, все равно забить казалось невозможным. Кубок Стэнли — это соревнования, в которых каждая игра как война. Без разницы, с кем ты играешь, здесь каждый бьется до последнего. Три матча из четырех, сыгранных нами с «Анахаймом», заканчивались в овертайме. Но это не значит, что по классу команды равны — «Детройт» стоит намного выше. А кубковые игры, они имеют свой оттенок, они ни на что не похожи. Все время в защите страшное напряжение из-за Каррии и Селянни — эти ребята в любой момент могут сделать гол из ничего. Возможно, пройдя первые две серии — с «Сент-Луисом» и «Анахаймом», — команда закалилась, для того чтобы встретиться и побиться с «Колорадо». Именно они считались фаворитами Кубка.

Если не думать о выигрыше, то нечего вообще играть. Разговоры о том, что мы победим, в команде то и дело возникали, но никаких шапкозакидательских настроений я не ощущал у ребят ни перед второй серией, ни перед третьей, ни перед финалом. Чисто рабочая обстановка. Первые две серии мы начинали играть дома, а полуфинал и финал — в гостях. Но сами решили, что для нас даже неплохо начинать в гостях, поэтому психологически все к такому старту были готовы. Предыдущие два года мы как фавориты решающие матчи открывали в Детройте и обычно проигрывали первую игру, а потом почти невозможно вернуть упущенное. Теперь в полуфинале «Колорадо» опережал нас, то же самое и в финале, когда мы вышли на «Филадельфию». Им предстояло начинать у себя.

С «Колорадо» полуфинал сложился неслабый. Руа по пятьдесят бросков брал за игру. Уже руки опускались — не знали, как забить. Первую игру мы должны были выиграть спокойно, с разницей в три-четыре шайбы, но проиграли. Вратарь стоял насмерть. Вторая игра — переломная, мы проигрывали 0:2 в первом периоде, но в итоге победили — 4:2.

С «Колорадо» серия состояла из шести матчей. Мы выиграли у себя в третьей встрече, в четвертой разгром 6:0. Но так же проиграли 0:6 у них пятую, а шестую игру дома выиграли. Но чутье мне подсказывало, что проскочим, хотя сказать, что я был на все сто уверен в победе, не могу.

В финале с «Филадельфией» нам хватило четырех игр. Они до нас спокойно обыграли «Нью-Йорк Рейнджерс», а

«Детройт», по-моему, фаворитом не считался. Ключевой оказалась первая игра: мы решили, что если ее выиграем, то все будет в порядке, потому что победа в первом же матче, да еще дома у соперника, чьи шансы ставят выше, поселяет в нем мандраж. Если бы они знали, что проиграют и вторую! «Детройт» в такой ситуации (поражение на старте) побывал дважды и понимал, что из такого расклада вылезти невозможно.

Команда, как правило, имеет четыре звена нападения, три пары защитников, но в последние годы в Лиге так сложилось, что результат стал зависеть от одного-двух человек. В финальной серии у «Детройта» получалось, что забивали все звенья. Это вселяет уверенность в команду: в любой момент любое звено может решить судьбу матча, и соперник не знает, на кого больше обращать внимания, кого держать. И конечно, великолепно провел серию вратарь Майк Вернон. Такой сплоченности и дружбы, которые поселились в «Детройте», я не встречал ни в одной команде: мы все были как братья, как семья. Что-то общее с советской сборной, которая всегда отличалась братством, но в ней все же жил еще и страх проиграть, а здесь проиграть только обидно, хотя и до слез. Но страх поражения и горечь от поражения — разные вещи.

Имела ли значение для победы «Детройта» в Кубке Стэнли конкретно «русская пятерка»? Или в конце концов мы растворились в команде и уже было не важно, где играет Федоров, где я, с кем Ларионов — мы просто бойцы «Ред Уингз»... Но по статистике во всех матчах, за исключением последнего, если русские забивали, команда выигрывала. И так получилось, что в тех играх, где «Детройт» уступил, русские не забивали. Думаю, и на стиль «Детройта» мы повлияли. До нас существовал вопрос: могут ли русские вообще рассматриваться на уровне американских звезд НХЛ, которые способны решать судьбу Кубка Стэнли? Достаточно ли у них характера, мастерства? Ну, с мастерством вопрос, прямо скажем, несправедливый, мастерства всегда хватало. А вот достаточно ли духа, чтобы биться в таком марафоне, как Кубок, — вопрос не случайный, потому что это действительно марафон: выиграть четыре серии, два месяца находиться на пике своей формы — для российского игрока чуждое понятие. Раньше нас готовили к определенному турниру, допустим, к чемпионату мира, но там другая психология игры: проиграешь всего лишь раз — и до свидания. А здесь каждая серия — несколько матчей, которые нужно выдержать. Ощущение такое, что второй раз пройти серию невозможно. Но опять поднимаешься, чтобы совершить самое тяжелое — выиграть четвертый раз. Можно победить в трех финальных играх и не выиграть Кубок Стэнли. И хотя заветным перстнем еще до финала «Филадельфия»—«Детройт» владел не один русский игрок — и Зелепукин, и Немчинов, и Зубов, и Ковалев, но именно после серии 1997 года, я думаю, вопросов к русским больше не будет.

«Русская пятерка» из «Детройт Ред Уингз» доказала, что русские могут серьезно влиять на конечный результат команды. Возможно, в НХЛ родится (и еще не раз) новая, иная «русская пятерка», но нашей, первой, уже никогда не будет. Детройтская русская микрокоманда — уже история. Есть в ней даже и некая историческая связь: Ларионов и я играли в очень сильных советских командах, Константинов и Федоров начинали с моим братом, Слава Козлов — совсем молодое поколение. Какая-то интеграция того великого советского хоккея с современным умением ребят, которые в НХЛ попали рано и больше впитали в себя американо-канадский стиль. Все вместе и дало тот сплав, который оказался оптимальным.

Как же все произошло? Детройт, четвертая игра! Наверное, эти незабываемые впечатления останутся во мне до конца жизни. Помню, мы проигрывали два года назад четвертую игру в финале Кубка в Нью-Джерси, последние десять минут противники вели в счете, шансов у нас практически уже не было. Хотя мы пытались еще что-то сделать, но рев, который стоял на стадионе, буквально придавливал нас ко льду, да так, что руки опускались сами собой. Теперь, в Детройте, грохот, который стоял на трибунах «Джо Луис Арены» на протяжении третьего периода, наоборот, давал нам дополнительные силы и «убивал» «Филадельфию». Два разных ощущения от последних минут финала Кубка, которые мне пришлось пережить всего лишь за два года. И совершенно невероятное ожидание финального свистка, особенно последние две минуты: скорее бы все закончилось, уже все так близко и такой большой путь пройден! Тем более для меня — мне тридцать девять лет! Статистики подсчитали: я оказался четвертым по старшинству за всю историю победителей Кубка Стэнли... И вдруг они забили нам гол секунд за сорок до сирены (а может, за двадцать)! Не то чтобы испуг, не знаю, как это объяснить... может быть, и испуг... Господи, неужели все перевернется в один миг?

Наконец! Наконец сирена! Я побежал к воротам, обнял первого, кто подвернулся, не помню кого. Кто-то меня целовал, помню, я бросил сразу свой шлем на трибуны, за ним перчатки, клюшку...

Мы обнялись с Дагги Брауном. В нашем объятии была некая символика. В свое время, когда я приехал из Москвы в Нью-Джерси, Дагги был мой первый руммейт, то есть сосед по комнате в отеле. Он американец в десятом колене, парень, с кем я первым подружился в Лиге, который учил меня, как говорить, как жить в Америке, а через два года после нашего знакомства предложил мне стать крестным отцом его сына Патрика. Потом нас разбросало, он играл в других командах, мы снова встретились в «Детройте», вместе пережили проигрыш «Нью-Джерси» в финале, это стало трагедией и для меня, и для него, и для наших семей. И вот мы вместе! Мы выиграли Кубок! Мы обнимались, целовались... Надо все это пережить, чтобы понять мои ощущения.

Я нашел Ларионова, около него уже свалка целая заварилась. Мы кричали что-то друг другу, слезы из глаз лились сами собой. Я вспоминал, как за год до этого, когда мы проиграли в Колорадо серию в полуфинале, Игорь, парень неслабый, вдруг в автобусе зарыдал в голос. Он держался в раздевалке, где толпился народ, но не выдержал среди своих, в автобусе. Я тогда его успокаивал, говорил, что у нас еще есть шанс, все будет в порядке. Он твердил: «Обидно, Слава, все так уже было близко, а теперь разве осталось у нас время, чтобы выиграть Кубок? Был, Слава, у нас шанс, но мы сами с тобой виноваты, сами его упустили». Мы обнялись. Потом в самолете вместе сидели, тихо разговаривали... А теперь я его обнимаю после победы! Мы сделали, о чем мечтали! Сделали то, на что потратили часть нашей жизни.

Есть какие-то особые моменты в судьбе, о которых говорить трудно. Ты добился того, чего сотни тысяч, отправившись в путь вместе с тобой, сделать не смогли. По разным причинам: не захотели, сил не хватило, судьба не сложилась...

Начал искать Вовку Константинова и долго не мог найти — он где-то в куче кувыркался. Вытащил, обнял, он такой счастливый: «Мы выиграли, Слава, мы выиграли для тебя, для тебя и для Игоря, вы так много сделали для нас, спасибо вам».

Наконец начали вручать Кубок. Мы с Игорем стоим рядом, и я говорю: «Игорь, если Кубок дадут кому-то из нас, может быть, повезем его вместе?» — «Конечно, вместе».

Капитан «Детройта» Стиви Айзерман, получив Кубок, должен передать его следующему по значению игроку в команде (это ритуал, которого я не знал). Стиви потом мне признался, что долго думал, кому передать. Смотрю — он подкатывает ко мне и вручает Кубок. Я Игорю сказал: «Поехали!» Многие мне потом говорили, что этот миг был самым трогательным в этой церемонии: двое хоккеистов, которые прошли огромный путь, открыли дорогу русским игрокам в НХЛ, — вместе и с Кубком. Такого еще не случалось, чтобы сразу двое прокатились по «кругу почета».

У меня есть две фотографии с Кубком. Одна нравится мне, другая — жене. Первая снята, когда я еще на льду — взял Кубок, улыбка на лице пополам с усталостью. А та, что нравится Ладе, снята в раздевалке. Прошел уже, наверное, час после торжественной церемонии, а столько на лице написано счастья и гордости! В общем, две совершенно разные фотографии.

Больше всего, конечно, запомнилось: проезжаешь вдоль трибун с Кубком и видишь двадцать тысяч сошедших с ума от радости болельщиков. Мне никогда не приходилось переживать такого, потому что сборная Союза большей частью выигрывала за границей, где всегда все болели против нас. Приезжаешь после победы домой, родственники встретят тебя в аэропорту, потом официально примут в ЦК ВЛКСМ и, может быть, в ЦК КПСС... А тут ты видишь рядом людей, которые за тебя болели, радость и счастье на их лицах и понимаешь, что победил не только для себя, для своей семьи, но и для всех них.

Не знаю, сколько народу набилось в раздевалку — двести, триста, четыреста? Шампанское рекой, операторы от двадцати телекомпаний, друзья, родственники. Все жены игроков пришли, кто-то даже перед этим и на лед вышел. Я искал Ладу, но не мог найти ее в этой толпе обалдевших от счастья людей. Наконец она появилась. Обнялись. Когда мы проиграли «Нью-Джерси», она так рыдала, что я ее еле успокоил. А тут вижу, снова плачет, но совсем по-другому — от счастья. Я сказал: «Вот видишь, мечта осуществилась».

Сидели в форме, мыться пошли, наверное, в три часа ночи, на пресс-конференцию я, как и все, на коньках отправился.

Потом, когда наконец переоделись, поехали в ресторан «Биг дэдис», там устраивалась торжественная встреча для команды, для наших друзей и родственников. Обычных посетителей не впускали. Мы гуляли до семи или восьми утра. Крис Дрейпер вообще приехал в ресторан в форме, он так и не успел переодеться. Было много тостов, пили шампанское прямо из Кубка. Пришел домой — пиджак весь в шампанском, прическа — сплошные кудри. Оказывается, хорошее средство для завивки без бигуди — голову шампанским мыть.

Когда мы с Ладой ехали домой, я позвонил из машины отцу в Москву. Отец расплакался. Я хотел, чтобы он приехал на финал, но он отказался: «Мы с матерью пошли на финал с «Нью-Джерси» — вы проиграли. Боюсь сглазить, буду смотреть игру по телевизору».

Дома нас ждали дети наших приятелей из Нью-Йорка, которых родители прислали финал посмотреть. Пришли соседи. Теща тогда гостила у нас. Она награждение смотрела по телевизору, на игру не пошла, осталась с внучкой. Лада ей позвонила: «Мама, мы выиграли!» Она отвечает: «Знаю, видела, скажи Славе, чтобы по телевизору не выступал, он, наверное, уже пьяный». А много ли надо? Достаточно пары глотков шампанского после такой игры, и ты уже выглядишь, как после дюжины бутылок... Соседи написали и повесили на своем доме плакат: «Мы верили в победу!»

ЛАДА: Все были так уверены, что они выиграют Кубок в четвертом матче, что не хотелось сглазить и лишний раз об этом говорить. Но иногда подкрадывалась мыслишка: ребята все-таки в таком напряжении — вдруг сорвутся? Но уж точно никто не сомневался, что пятую игру, даже там, в гостях, они не проиграют. Но очень хотелось, чтобы они получили Кубок дома, в Детройте. Они вели 1:0, затем 2:0, и было одно только желание — чтобы не пропустили, не проиграли.

Когда же все кончилось, когда мечта стала реальностью, на стадионе творилось такое, что передать словами невозможно, чтобы понять, надо было там находиться. У всех слезы, все кричат, обнимаются, прыгают. Все одеты в красно-белые майки и свитера, то есть в цвета «Ред Уингз».

Начались всеобщие объятия, мои волосы зацепились за бриллиантовую сережку, и она вылетела у меня из уха. Сережка — подарок Славы. Моя подружка Лори, с которой я пришла на финал, потерю заметила и стала шарить по полу, а все ее спрашивают: «Что случилось?» — «Лада серьгу потеряла». Там, где мы сидели, эти два места на стадионе — наши уже на протяжении двух лет. Все, кто рядом, в основном ходят по абонементам, то есть люди не меняются, вокруг одни и те же лица и все между собой знакомы. Два ряда внизу и два наверху кинулись искать серьгу. Самое интересное, в этой суматохе нашли за две-три минуты.

Когда Стив Айзерман передал Славе Кубок, у меня так слезы лились в этот момент, что я все видела через пелену, как в тумане. Все поздравляли друг друга, меня, кто рядом — обнимали, хлопали по плечу. Город столько лет ждал победы, и главное — ребята уже два раза так близко подходили к Кубку.

Я спустилась вниз к раздевалкам, даже не обратила внимания, что на лед уже кто-то из жен вышел. Стою там, где обычно мужа после игры жду. Слава бежит ко мне, еще мокрый после игры, пот пополам с шампанским: «Я тебя ищу, все уже празднуют, что ты здесь стоишь?» Мне казалось неприличным сразу в раздевалку бежать, а там уже такое творилось! Дышать невозможно, толкотня, как в московском троллейбусе в час пик, человек пятьсот! Как они все в раздевалке уместились? Еще и телекамеры, журналисты, встать негде, а Слава через всех прорывается к Кубку. Поставили посередине помост и на него водрузили Кубок. Слава меня затаскивает на помост: «Давай держи, мы его выиграли». И естественно: «Пей из Кубка». — «Осторожно, не облей!» — «Пей, тебе говорят». Слава на меня чашу поворачивает: «Пей». Я стараюсь аккуратно, а он еще больше наклоняет: «Пей» и на меня все выливает: «Да пей же, мы выиграли». Я ему: «Выиграли, Слава, выиграли, но костюм...» А я на финал оделась торжественно, костюм себе новый купила. Светлый. Вижу, все вокруг уже в шампанском. И выпить из Кубка хочется, и костюм жалко. На этот помост все камеры нацелены, нельзя увернуться, но если бы не они, клянусь, не пила бы. Он: «Да пей наконец, я тебе новый куплю!» Я: «А, тогда пожалуйста».

Потом все фотографировались, журналисты у всех брали интервью, и из раздевалки мы уехали уже ночью прямо в ресторан «Биг дэдис», к Рику Рого, он давно другом нашим стал — необыкновенный, очень добрый человек.

Рик, чтобы не сглазить, за день до игры сказал: «Никто заранее ничего не накрывает, никто ничего не готовит, но, ребята, когда выиграете, скажите в команде, что, если захотите, прямо после игры — сюда. Мы будем ждать вас хоть всю ночь».

Все едем к Рику. Никого из обычных посетителей нет. Весь город знал, что банкет «Рэд Уингз» — в «Биг дэдисе», по телевизору показали, как подвозят Кубок Стэнли, как подъехали игроки на банкет, но никто не пытался туда пролезть.

В конце концов Кубок уронили. Все залезали на стол, чтобы пить из него. Кубок, полный шампанским, и рядом уже человек пять, кто-то шестой туда же... стол и не выдержал, развалился, Кубок помяли. Рядом кричат, что ничего страшного, у «Рейнджерс» его два раза ломали, верхняя чаша отлетала. Так что гуляй, ребята, потом починят. Ну упал — несчастный случай от радости.

Команда сложилась за три года классная, невероятно сплоченная. Такой, наверное, была сборная Союза в самый расцвет, когда ребята все между собой дружили, все друг друга понимали, старались друг друга поддержать. Слава просто говорит: «Команда сумасшедшая». Жалко, если, как обычно в новом сезоне, когда начинают кого-то менять, придут другие игроки. Они потому и выиграли, что были как мушкетеры. Один за всех, и все за одного.

Гулянье с песнями и плясками продолжалось. На следующий день — банкет у хозяина «Детройта». Все снова с Кубком фотографируются. Игроки и тренеры благодарили друг друга. Всех пригласили с детьми, близкими, звучала английская, русская, шведская и даже французская речь, но все равно казалось, что собралась одна семья. Потом еще где-то отмечали. Все вечера мы заканчивали у Константиновых: сидели на террасе, жарили шашлыки и говорили, говорили до утра. Погода стояла отличная, тепло. Днем веселились с детьми, плавали в бассейне, а когда развозили детей и возвращались, Вова всегда одну и ту же песню заводил, она звучала во Дворце, когда ребята подняли Кубок Стэнли: «Мы — чемпионы» группы «Куин». И Вова все время напевал: «Ви а зе чемпионс, май френд». Дети наизусть песню выучили. Мы в машине едем, друг другу по телефону звоним, «Ви а зе чемпионс» на всю мощь, подпеваем, и состояние такое, будто сейчас взлетим.

Город от радости будто помешался — жители два дня к параду готовились. По телевидению объявили, что ожидается около семисот тысяч человек. Все «Ред Уингз» подъехали на место сбора с детьми, родителями, родственниками. Каждому открытую машину дали, красный «форд» с номером игрока на боках, а кто у тебя в машине уместится — четыре человека, — выбирай сам. Полностью мы парад увидели потом на кассете. Сначала пронесли огромного осьминога, потом шли, махая метлами, метельщики (намек на то, что ребята своих соперников вымели). Метельщики одетые, как служащие банков — в костюмах, черных галстуках, солидные. И вот они в ряд маршируют под музыку, потом — раз — и перепрыгивают с ножки на ножку, два — и метелочками машут, и снова маршируют. Выглядело это очень смешно и очень здорово.

Самое забавное: шум и гам стоят бешеные, оркестры играют, люди маршируют, а дети в машинах все уже полусонные. Видно, солнце на них подействовало. И Настя все примерялась, куда бы ей прилечь. У Константиновых в машине сидела подружка Иры с маленькой дочкой, так та просто крепко спала.

После парада состоялся небольшой митинг. Мэр ребят поблагодарил, вручил им грамоты и подарки от города. Игроки в свою очередь поблагодарили болельщиков и попрощались с ними до следующего сезона. Выступил Скатти: «У вас, конечно, сорок два года было, чтобы подготовиться к параду (последний раз «Детройт» побеждал в Кубке сорок два года назад), и я хочу сказать — вы успели неплохо подготовиться». Хозяин команды, мистер Илич, выступил последним, он тоже благодарил и игроков, и болельщиков, и все вернулись на стадион. Там нас пригласили на обед вместе с детьми.

На следующий день — прощальный ужин, только ребята и их жены. Встал Айзерман, поздравил всю команду и говорит: «А теперь от русских выступать будет...» — и передает микрофон Славе. Слава от имени русских игроков сказал теплые слова о партнерах, сказал, что здесь собралась настоящая команда, что он безумно счастлив разделить с ними радость победы. Потом шведы выступали, потом канадцы и Дагги Браун — единственный американец в команде. И все ребята после каждого тоста вставали. Так они прощались перед отпуском. Было и приятно, и немного грустно. Ведь за столом сидели игроки, которые знали, что уже не вернутся в команду. Такой немножко печальный день.

Смешно, как они друг у друга брали автографы. Я тоже в эту карусель включилась. Мы в Москву везли для детей в спортивные школы детройтовские плакаты. «Ребята, не осуждайте, понимаю, что у вас уже руки отваливаются». Они плакатов десять подписали и хохмили: «Наверное, продавать будешь?»

В Америке цены на билеты невероятные, на полуфинал до полутора тысяч долларов, а на финал продавали и за три. Сколько же мог стоить плакат с автографами всех «Ред Уингз»?


На следующий день после финального матча у команды состоялась встреча с людьми, владеющими абонементами на сезон. «Джо Луис Арена» в Детройте имеет двадцать тысяч мест на трибунах, семнадцать тысяч из них — продаются как абонементы. На льду во Дворце соорудили сцену. Каждый из нас выходил с короткой речью. Стиви Айзерман в Мичигане — национальный герой; как капитан, он выступал последним...

Год или два назад появились слухи о том, что Боумен хочет его менять. Осенью 1996-го, когда мы впервые вышли на лед дома, на стадионе поднимали флаг за нашу победу в прошлогоднем первенстве, и когда Айзерман появился на поле, трибуны встали и аплодировали ему минут пять. А когда в конце церемонии назвали имя Боумена, на трибунах начали свистеть...

И вот Айзерман сказал: «Наверное, все помнят открытие сезона, когда Скатти вышел на лед и мы его освистали. А сейчас у нас есть прекрасная возможность извиниться перед великим тренером и сказать ему спасибо». И весь стадион встал. Такое выступление здесь называют класс-акт. В нужное время Стиви не забыл сказать то, о чем молчал год.

А через два дня начался парад. Он проводится во всех четырех профессиональных командных видах спорта в том городе, где команда-чемпион базируется. Несколько раз я видел такие парады, что называется, одним глазом по телевизору и имел некое представление, как они проходят. В нашем понятии парад — это демонстрация на Красной площади, когда собирались по списку колонны от заводов, а тут люди сами приходили, и никто не мог сказать, сколько их будет. Ребята, которые прежде выиграли Кубок Стэнли, рассказывали, что происходит в этот день, но получалось, что каждый раз церемония проходит пусть немного, но по-новому.

Парад должен был начаться в одиннадцать, нас собрали к девяти. Наш хозяин мистер Илич владеет в Детройте не только производством пиццы, но и театром, кинотеатром, комплексом ресторанов. Вот в одном из его ресторанов мы и собрались на завтрак. Потом нас рассадили по машинам, а впереди пошла «демонстрация трудящихся», клубы болельщиков, оркестры. Каждая группа придумывает для себя какое-то действие.

Жара градусов, наверное, тридцать, все в открытых лимузинах. Впереди ехала поливальная машина с огромным муляжом осьминога — талисманом команды «Детройт Ред Уингз», за ней хозяин с семьей, потом Скатти Боумен и тренерский состав, последним ехал Стив Айзерман, Кубок Стэнли находился у Стива в машине. Кстати, наши болельщики бросали раньше осьминогов на лед, но сейчас это запретили — такое проявление чувств слишком задерживает игру.

Вокруг Кубка много охраны, улицы очень узкие, боялись инцидентов. За тренерами шла машина с вратарем Майком Верноном, он держал приз лучшему игроку плей-оффа. За Майком — Бренден Шенехен, помощник капитана, и сразу же «русская пятерка»: центральный нападающий, два крайних и два защитника сзади. Впервые в истории НХЛ лимузины шли не в ряд, а по игровой расстановке. Никто никогда на парадах «пятерками» не ездил. Со мной в машине сидели Лада, Настя и Валентина Александровна. У нас был заготовлен небольшой транспарант, на котором мы написали: «Мы любим наших болельщиков!»

Когда слышишь о параде или смотришь его по телевизору — одно, а когда ты сам окунаешься в эту процессию — совсем другое. Куда ни кинешь взгляд — везде море народа. Люди в окнах, на карнизах стоят, висят на деревьях. Все в красно-белом, все с флагами, все в майках команды. Гул неумолкаемый, когда проезжаешь, люди тебя приветствуют.

Был обычный рабочий день. Для того чтобы попасть в первые ряды, надо было прийти за три часа до парада. Народ стал собираться в шесть утра. Большинство убежало с работы, но, как потом писали, никто не получил выговора от босса. На одном транспаранте было написано: «Всех своих детей я назову Вячеславами». Были приветствия и на русском языке.

По подсчетам городских служб, парад приветствовали больше миллиона людей, но никаких беспорядков, все прошло на высшем уровне. И на жару никто не обращал внимания, хотя дети почти во всех машинах засыпали, а их родители после парада почти все сорвали голоса.

Два часа полной эйфории! Потом приехали обратно на стадион, собрались в раздевалке, фотографировались с Кубком Стэнли. Ожидали звонка от Клинтона, но он не позвонил, хотя обычно президент США поздравляет тех, кто выигрывает Кубок. По традиции команда-победительница во время сезона обязательно посетит Белый дом и встретится с президентом. Эта процедура касается всех четырех главных командных видов спорта: футбола, хоккея, бейсбола и баскетбола. Все они, кстати, привозят свои главные трофеи в Белый дом.

Есть еще одна традиция Кубка — это вручение перстней. Но сперва некая предыстория, еще из тех времен, когда я был игроком сборной Советского Союза. Раньше среди ребят модно было носить перстни. И где-то в Киеве я купил перстень с вензелем «Ф». В то время тяжело было купить что-нибудь ювелирное (впрочем, и неювелирное тоже). А в Киеве выставка какая-то прошла, потом ее распродавали. На ней и демонстрировались перстни с вензелями на все буквы алфавита. Ни у кого, наверное, не было фамилии на «Ф», поэтому перстень мне и достался.

Отправились мы на турнир за океан, и, когда играли в Канаде, меня все время спрашивали: «О, у тебя перстень, а за что тебе его дали?» Я думаю: как за что? Пошел и купил. Откуда мне было знать, что в профессиональном спорте, в частности в хоккее, медалями не награждают, но за победу в Кубке Стэнли владелец команды дарит игрокам перстни. Я уже видел перстни у Сережи Немчинова, который стал чемпионом с «Рейнджерс», у Валеры Зелепукина, который играет в «Дьяволах», — совершенно разные кольца. Хозяин команды сам решает, сколько потратить на перстни. Хочет удивить мир — тратит больше, хочет не выпендриваться — сделает обычные. Мы еще перстни не получили, но, по разговорам, они должны быть дорогими. На перстне обычно наверху — эмблема клуба из бриллиантов или других камней и год победы. Некоторые пишут и результаты в финальных сериях. После сезона на одно из мероприятий Скатти притащил коробку, обитую бархатом. «На, — говорит, — посмотри». Я взял — тяжелая. «Открывай!» Я открыл — а там семь перстней и все разные: по времени, по клубам, по исполнению. Какие-то у него самые любимые, какие-то менее любимые, есть те, которые он чаще носит, есть те, что реже.

Перстни принято носить, это вещь, которую ты должен показывать. Медаль все время носить странно, а перстень — нет. Скатти принес свои кольца показать хозяину, чтобы он мог понять идею и выбрать, какой вариант ему больше нравится. А жены и невесты игроков получают обычно кулон, как бы верхнюю часть кольца, что у мужей, и носят его на цепочке. Лада рассказывала, как жена Боумена на одном из банкетов показывала свою коллекцию из семи кулонов, она их носит все вместе на браслете. Все тренеры, помощники, массажисты, доктора, скауты, которые работают в команде, — все также получают по перстню. Это дорогое удовольствие, обычно один такой перстень стоит 15—20 тысяч. Все они именные. На моем, например, написано: Фетисов, номер два, обладатель Кубка Стэнли 1997 года.

Предусмотрена и денежная премия, но ее размеры у кого-то в сотни, у кого-то в миллионы долларов, смотря как записано в контракте (но каждый из нас помимо контракта получит 70 или 80 тысяч). Например, у Вернона было записано, что если «Детройт» выиграет Кубок Стэнли, а он, Майк Вернон, будет защищать ворота как минимум в двух финальных матчах, то его контракт продлевается на один год. Еще два с половиной миллиона долларов без всякого обсуждения — это и есть скрытая премия...

12 июня у нас состоялся командный ужин в ресторане. Только жены и игроки. И Ларри Мерфи с женой вернулся, они отъезжали после финала домой в Торонто, где у них свой дом. Посидели замечательно, а в конце каждый смог высказаться, как бы говорил свой тост на прощание, перед тем как разъехаться в отпуск. Единственное оставшееся мероприятие — на следующий день, тринадцатого, команда должна была играть в гольф. Поскольку нас пригласили в новый гольф-клуб, а он оказался далеко и мало кто знал, куда ехать, то договорились собраться у Криса Осгуда дома, там оставить свои машины и пересесть на заказанные клубом лимузины.

В гольф я регулярно не играю, к тому же через три дня мы собирались улететь отдыхать большой компанией на Гавайи — билеты и гостиница уже были заказаны. Я сомневался: ехать на гольф или не ехать, но потом решил — все-таки командное мероприятие, последний раз в сезоне собирается весь «Детройт». Еще я хотел подписать у ребят свою майку — ту, в которой играл Кубок Стэнли. Думал оставить ее себе на память, но так случилось, что я отдал ее Лужкову, когда он в августе приехал на открытие турнира Кубок «Спартака». И все же главной причиной было именно то, что ребята соберутся в последний раз вместе. Да еще Дагги Браун подарил мне клюшки для гольфа, целый набор, и все время твердил, что нужно начинать играть в гольф. «Попробуй, — говорил он, — это совсем не так, как ты играешь в хоккей». Дело в том, что большинство гольфистов играют с правой стороны, как и большинство хоккеистов, а я играю слева. Дагги подарил мне клюшки еще год назад на день рождения, но я их так ни разу не использовал.

Я взял с собой подарок Дагги, приехал к Крису чуть пораньше. Думал, все ребята там соберутся, а нас оказалось всего человек двенадцать. Остальные, взяв адрес клуба, отправились туда на своих машинах. Из русских прибыли только Сергей Мнацаканов и Володя Константинов. Посидели, подождали, пока уже времени оставалось впритык, и решили ехать.

Я не собирался играть все 36 лунок, думал пройти только первую половину, а потом уехать домой. Никогда я не играл в гольф целый день, всегда уезжал раньше. И еще решил, что поеду на своей машине. И Константинов говорит, что тоже поедет на своей, потому что началась суета, когда все рассаживались по лимузинам, а их было пять штук. Но Крис Дрейпер мне сказал: «Зачем ты будешь мотаться сам? Лимузин, если закончите рано, привезет вас обратно, а отсюда и поедете домой. Разница всего в пять минут, зато не надо самим час рулить». Константинов ко мне обращается: «Слава, а может, поедем вместе, поболтаем?» Смотрю, Серега Мнацаканов уже сидит в лимузине, Володя к нему подсаживается, и есть еще место свободное. Я вытащил из «мерседеса» клюшки, бросил их в багажник лимузина, и мы поехали.

Едем, болтаем, проголодались в дороге, остановились у «Макдоналдса», взяли по чизбургеру, поехали дальше. Приезжаем на этот гольф-корт, мои клюшки куда-то отнесли. Подходит к нам Деррин Маккарти, говорит, что надо триста плакатов подписать. Впереди благотворительный аукцион для больных раком, и мы участвуем в этой акции. Дело в том, что Деррин сам организовал этот фонд, в честь отца, страдавшего одной из форм рака. Удивительное дело: как только Деррин узнал о болезни отца, он тут же бросил пить, а для него алкоголь был большой проблемой. Он стал все свободное время проводить с отцом, поддерживая и ободряя его в этой страшной ситуации. Деррин попросил: если у кого есть время — сейчас подписать, кто торопится играть — после гольфа. Я решил сразу поставить автографы, потому что знал — уеду раньше. Тем более, все разбились на команды по три человека, а я далеко не самый лучший гольфист, и если присоединюсь к своей команде позже, ничего страшного не случится. Вова сразу поехал на площадку, а Сергей, который никогда не играл в гольф, решил посмотреть, что это такое. Он так и не играл (может, пару раз только стукнул клюшкой), а водил по полю электрокар.

Прекрасный солнечный день, травка зеленая. Конечно, свое удовольствие в гольфе тоже есть. Я расправился с плакатами — это заняло почти час — и нагнал свою команду. Все время думал о том, что, как только пройдем половину дистанции, я поеду домой. Нужно было помочь Ладе собираться. Мы возвращали арендуемый дом, поэтому все вещи приходилось упаковывать, да еще попутно складывать чемоданы к отпуску. Еще и корреспондент позвонил, по-моему, из «Комсомольской правды», попросил найти для него время, он специально приехал из Вашингтона в Детройт.

Я собрал почти все автографы на свою майку как раз тогда, когда мы подошли к половине дистанции. Тут и встретились с Володей и Сергеем. «Ребята, я поехал домой». — «Мы тоже собираемся». Решили, что уедем, как только нас смогут на электрокаре отвезти назад, к стоянке лимузинов. Девушка, которая развозила напитки, отдала им свой кар. «Все, — кричат они, — мы готовы ехать». — «Подождите немного, мне нужно еще у Стива Айзермана и Маккарти автографы взять». Я дождался Стиви, он расписался, и мы с Володей и Сергеем поехали в клуб. Умылись, зашли в ресторан, заказали сандвичи. Когда мы возвращались, парень, который отвечал за автографы, догнал Константинова и попросил его тоже расписаться. Я говорю: «Вова, там же на час работы». Он отвечает: «Я пишу быстро, для меня это минут на тридцать-сорок». Все понимают, благотворительность — это святое, отказываться нельзя. Пока Вова расписывался, мы сидели с Серегой в машине, болтали. Только Вова освободился — наш шофер собрался уходить, сказал, что тоже хочет взять автографы. Я ему объясняю: в клубе из хоккеистов никого нет, все на поле для гольфа. Но он как-то засуетился и исчез. Когда Константинов подошел, я ему сказал: «Ты пришел, а шофер пропал». — «Я пойду его поищу», — бросил он и, действительно, через пять минут привел нашего водителя*.

Мы сели в машину, но что-то в водителе мне показалось странным. Он вдруг выскочил из кабины, побежал к другим шоферам, которые рядом стояли, начал спрашивать, как ехать обратно. Дурацкая ситуация, обычно профессионалы запоминают дорогу. Володя ему крикнул: «Мы тебе покажем, как ехать, давай садись в машину». Наконец поехали обратно. Времени было около девяти, еще светло — самые долгие дни, середина июня. Едем, толкуем о своих планах, о том, как в Москву Кубок привезем. Константинов не появлялся в Москве с тех пор, как в 1991-м уехал через Венгрию в США. Волнуется: надо паспорт сделать. Я его успокаиваю — договоримся. Еще проблема: он свою двухкомнатную квартиру в Москве хотел приватизировать. Серега рассказывал, что одному его сыну в колледж пора идти, а второго, младшего, он в Москву возьмет, надо его там погонять: «А то Артем здорово поправился». Говорили об обычных житейских вещах. Ехали расслабленные; я сидел сзади, справа по ходу, ноги у меня лежали закинутые наверх, на стойку, где телевизор и бар. Серега сидел слева от меня, а Володя чуть впереди на диване вдоль левого борта.

Лимузин свернул с хайвея на Вудворт-авеню. Минут за семь до того, как все случилось, Константинов сполз по сиденью ближе к водителю, чтобы его предупредить: если какие-то вопросы, мы ему подскажем. Я Вову спрашиваю: «Может, к тебе заскочим? Позвоню сейчас Ладе, скажу, чтобы она тоже подъехала». И дальше обычный разговор,

---

*Возможно, шофер лимузина покурил «травку», чтобы восстановиться — в этот день у него было много работы.

кто куда едет отдыхать. Константиновы собрались на Кари-бы, я с Ладой и Анастасией на Гавайи.

Мы ехали по правой полосе при четырехрядном движении. Я все время смотрел вперед, чтобы этот чудак не проехал нужный нам поворот. Он гонит по правому ряду, а ему через триста-четыреста метров надо поворачивать направо. Успею, думаю, подсказать, что скоро мы должны повернуть. Вдруг лимузин резко, градусов на шестьдесят, пошел влево. Какого черта он перестраивается? Смотрю, машина идет с ускорением, будто нога шофера давит на газ. Или он педали перепутал, или уснул, а может, и специально так сделал, я не знаю. Мы стали кричать, все трое: «Что ты делаешь?» — по-русски или по-английски, не помню... И в этот момент лимузин вылетает на разделительную полосу, впереди столб фонарный цементный, и мы — прямо на него. Передо мной вся жизнь в картинках пролетела в одно мгновение. Но каким-то образом (или водитель успел отвернуть, или так само получилось) мы пронеслись мимо столба, но в следующее мгновение — в дерево! Бум! И сразу — темно.

Следующее, что помню, — кто-то залез в кабину и кричит: «Есть ли живые?» Я откликнулся. Мужчина, что кричал, подал мне руку и вытянул меня.

Уже стемнело, машины вокруг остановились, народ столпился. Выброшенное из лимузина заднее сиденье рядом валялось... Мужчина, что помог мне вылезти, поддержал меня, и я лег лицом на подушки этого сиденья. Он мне говорит: «Лежи, не поднимай головы, не шевелись». Я лежу, в голове шумит, грудь болит и колено. Повернулся, смотрю: колено все разодрано, в двух местах рваные дырки, из них мясо висит, кости видно. На руке тоже большая дырка и кусок кожи сморщенный болтается, как на тоненькой ниточке. И никакой у меня реакции на все это, полное безразличие. Лежу, а он меня спрашивает: «Там еще кто-нибудь остался?» — «Да, там два моих друга». Подбежали еще люди, стали мне дыхание искусственное делать. Спрашивают имя, а у меня дурацкая мысль: скажу свое имя, все его здесь знают, может начаться хаос — и молчу.

Через считанные минуты «скорая помощь» появилась, меня положили на носилки, привязали к ним и единственное, что я мог, — смотреть через колеса, как вытащили Володю. Я все время спрашивал: «Как ребята, что с ними происходит?» Мне ничего не отвечали, да я и сам понимал, что дела там скверные. И вот вижу — Вову вытащили через противоположную от меня дверь. Он не подавал никаких признаков жизни. У меня истерика началась, я стал кричать: «Что вы стоите? Спасите его, помогите ему!»

Подъехали полицейские, спрашивают мое имя. Я лежал на животе, в шортах, полицейский вытащил у меня бумажник из заднего кармана, посмотрел фамилию, узнал меня: «Спокойно, парень, с твоими друзьями случилась не очень хорошая история, но они живы, и мы думаем, все будет нормально». Погрузили носилки в машину, повезли. Оказывается, мы разбились в пяти минутах езды от госпиталя. Занесли меня в реанимационное отделение, сразу набежала толпа врачей, аппараты какие-то ко мне присоединили. Начала приходить боль, я ведь сразу ее не чувствовал. Все время спрашивал: «Как ребята?» Мне отвечают: «Один — более или менее, а второй плохо». Но не говорили, кто плох, потому что сами не знали.

Первым появился мистер Илич, он живет недалеко от госпиталя. Подошел, в глазах слезы: «У тебя все будет в порядке, а с ребятами не очень хорошо». Мне анализы делают всякие: кровь, мочу, рентген, десяток процедур; снимки — шеи, позвоночника, рук, ног. Я попросил позвонить жене, сказать, что жив. Вскоре Лада приехала, а меня уже начали зашивать. Я попросил ее выйти: «Не хочу, чтобы ты это видела».

Доктор, который меня зашивал, позже рассказывал,

что он служил военврачом. Мог ли он тогда себе представить, что ему придется «штопать» майора Советской армии в отставке?

Ребята стали съезжаться. Первые трое суток они из больницы не выходили, там и ночевали.

ЛАДА: Утром у них по расписанию последняя командная встреча — в гольф «Детройт» играет. Слава с Володей вечером сидят, подшучивают над собой: завтра на гольф пойдем, как белые люди, как аристократы. А сами по-настоящему играть не умеют. Есть в команде ребята — настоящие гольфисты, которые серьезно к этой игре относятся, Саша Могильный так увлекся гольфом, что на поле все свободное время пропадает. Только закончит играть в хоккей, сразу начинается сезон гольфа. Слава хохмит: в гольф играть не буду, зато биркаром науправляюсь вволю (это машинки, которые пиво на поле развозят). К полудню муж уехал, а я собирала вещи — мы снимали дом до пятнадцатого июня, а уже тринадцатое! Билеты на Гавайи на послезавтра, мы договаривались об отпуске месяца за два, нас собралось ехать три семьи, трое детей, няня. Надо было снять несколько номеров и все в одной гостинице, причем в разгар сезона. Но все получилось — номера зарезервировали, билеты взяли, Кубок Стэнли выиграли — все прекрасно.
До девяти вечера я паковалась. У Настеньки на следующий день еще и пэйджент — конкурс красоты «Мисс Мичиган принцесс». Его трудно назвать конкурсом красоты в прямом смысле, там больше смотрят, как ребенок двигается, танцует, поет, декламирует. Конкурс проходил два дня. После него на следующий день мы должны были вылетать.
Слава мне позвонил часов в семь, сказал, что через час возвращается. Мне помогала соседка, у нас сосе-

355

ди необыкновенные люди, Брюс и Линн. Настенька, как только из школы приезжает, первым делом к Линн в дверь стучит, чтобы поиграть с их собакой Никки.

Потом звонок, я поднимаю трубку, слышу женский голос: «Здравствуйте, нам необходимо поговорить с госпожой Фетисовой». — «Да, я слушаю». — «Вам звонят из «Бомонтгоспитал». А я не знала, что есть такой Бомонт, услышала только — госпиталь. «Ваш муж попал в аварию. Он пришел в себя и просит вас приехать». Я, как рыба, хватаю ртом воздух, ничего не могу сообразить, только спрашиваю, в каком он состоянии. Мне отвечают, что удовлетворительное. «Он один?» — «К нам привезли четверых». Линн и мама слышали разговор, мама сразу: «Ах!» — и побежала в комнату к внучке, чтобы Настя, если не спит, ничего не услышала. Линн у меня трубку взяла, а я бегом переодеваться. Линн записала, какой госпиталь и где он. Мы выходим, а я не знаю, куда ехать. Линн Брюсу стучит, тот ничего понять не может, она ему кричит, что Слава в госпитале. Втроем сели в машину, они мне подсказывают, куда ехать. Слез нет, они у меня выплакались за те пять минут, пока я переодевалась, только меня всю трясет, да так, что Брюс спросил: «Хочешь, я поведу?» Я ответила, что доеду сама. Из машины набираю номер Иры Константиновой, потому что знаю: Слава с Володей — никуда друг без друга. Может быть, Ира знает, кто, что, где и как произошло? На чьей машине они разбились? Кто был за рулем? Ира берет трубку, голос у нее спокойный, и я так же пытаюсь говорить: «Ира, привет. Володя дома?» Она отвечает: «Нет». И сразу напряглась, потому что обычно, когда я звоню, то хотя бы недолго, но с ней обязательно поговорю, даже если мне Володя нужен. А тут сразу: «Володя

356

дома?» — «А что такое? Что у тебя с голосом, что случилось?» Я уже не могу сдерживаться: «Ира, мне позвонили сейчас из госпиталя, Слава попал в аварию». — «А Вовка?» — «Не знаю, ничего не знаю». — «Но они же все время вместе!» В это время я подъезжаю к госпиталю. Брюс мне показывает, что въезд с правой стороны, говорю: «Ира, как все узнаю, перезвоню». Меня полицейский останавливает: «Вы куда?» — «Мне позвонили, мой муж попал в автомобильную катастрофу». Он, дальше не спрашивая ничего: «Проезжайте».

Подъезжаем к госпиталю, а там уже телевизионщики. Я поставила машину у входа, Брюс и Линн вышли и меня как бы прикрыли. Корреспонденты сразу к ним: «Чья жена приехала?», «Что вы знаете об аварии?», «Кто был в машине?» А я в этот момент проскочила и побежала в реанимацию. Там уже мистер Илич в слезах, обнял меня. Я спрашиваю: «Что случилось?» Он говорит, что Слава в удовлетворительном состоянии, у Володи тяжелая травма, а у Сережи очень тяжелая, мало шансов выжить. Потом врача позвали, он начал объяснять, что за травмы. Линн и Брюс уже рядом со мной стояли. Еще по дороге в госпиталь я позвонила Лори и Крису, и они тут же примчались.

Пока я с врачом разговаривала, начали приезжать ребята из команды. Им сразу выделили большую комнату, потому что собрались все. Стиви позвонили в машину (он ехал домой), точно так же и остальные ребята узнали о случившемся. Появилась Ира с подругой Ланой, той, что была во время парада у них в машине. Потом Лену, жену Сережи Мнацаканова, привезли. Ужас какой-то! Все ребята плакали, некоторые навзрыд, стену кулаками били. Они сидели все вместе и не выходили из госпиталя трое суток. Клуб прислал людей, привезли автомат для горячего кофе, бутер-

357

броды, фрукты, три телефона тут же включили. Секьюрити в коридорах было полно. Пустили слух, что за фотографию Константинова в палате платят чуть ли не 25 тысяч долларов.

В госпиталь несли цветы, у Славы в палате полно мишек, он же, как его называют болельщики, «Папа-Медведь». Пришлось Стиву Айзерману выступить, поблагодарить всех за поддержку, но попросить не присылать ничего в госпиталь, там не успевают принимать посылки, а в реанимацию нельзя ставить цветы. Они и так делали исключение, ставили букеты около дежурных. Стиви попросил все адресовать в клуб.

А около дерева, в которое врезался лимузин, сидели люди, они оставались там, наверное, неделю. Некоторые там ночевали, им привозили еду. Они украсили дерево гирляндами, флажками, записками с молитвами. В конце концов полиция наложила запрет на эту акцию, потому что там произошли два или три автомобильных столкновения, не очень, правда, серьезных. Позже нам сказали, что, когда в Детройте в июле прошел ураган, дерево это он убил, вырвал с корнями. Нет его теперь.

Люди спали и возле госпиталя в палатках. Мы проезжали, останавливались, спасибо им говорили за поддержку. У Володи, Сережи, Славы все стены в палатах были в открытках с пожеланиями скорейшего выздоровления. А около кроватей висели иконки и крестики. Когда шли передачи новостей или музыкальных программ, в перерывах на рекламу обязательно говорили: «Давайте помолимся за выздоровление ребят» — и включали песню «Мы — чемпионы». И около госпиталя люди стояли со свечками, молились и пели «Мы — чемпионы». А потом на главной площади собрался чуть ли не весь город, и взрослые, и дети, — все молились за попавших в аварию ребят.

Я уже говорил, что Ларри Мерфи приехал из Торонто всего на день на банкет, и путь до ресторана у него занял четыре часа. Потом Ларри уехал обратно домой (еще четыре часа). Но как только он узнал об аварии, в ту же ночь опять сидел за рулем четыре часа, чтобы попасть в госпиталь. Ребята первые три-четыре дня находились рядом, со своими женами, многие должны были отправиться на отдых, но перенесли отъезд на другие дни.

Нас троих в реанимационном отделении положили в три соседние палаты. Я не мог избавиться от мыслей: за что? почему? зачем? Тяжело, невозможно найти ответы на эти вопросы. Я старался шутить, насколько это у меня получалось. А перед глазами стояла картинка: лимузин пересекает линию за линией и влетает на полной скорости в дерево без всякой попытки затормозить.

Мне повезло: я сидел с задранными ногами, и удар пришелся на бедро и грудь. А ребята полетели головами вперед, в перегородку, меня же сперва закрутило и уже потом я на них упал. Жуткая картина! У Лады на нервной почве аппендицит открылся, еще бы пара часов, и случился бы перитонит, в конце концов она оказалась тоже в соседней палате.

Прессу в госпиталь не пускали, но кто-то из русских позвонил Ладе на второй день: «Вы не могли бы меня провести в палату, чтобы я сделал фотографии Константинова и Фетисова?» Одни люди переживают трагедию, другие хотят на ней заработать... Через день после аварии, при огромном собрании журналистов к ним вышел Стив Айзерман и попросил, чтобы они не старались заходить слишком далеко. И пресса была терпелива, не выдумывала сенсации. А сколько людей предлагали свою помощь, сосчитать невозможно.

ЛАДА: Никто не думал о том, что ребята могут погибнуть. Никто такой мысли не допускал. Мы ждали только одного — чтобы они открыли глаза, вышли из комы. Самое страшное ожидание... Врачи нас предупреждали: «Не проводите здесь ночи напролет, себя пожалейте, ваша помощь и поддержка потребуются через некоторое время, когда они придут в себя, тогда вам понадобится много сил». Но ребята ездили круглосуточно, и ждали, ждали, ждали...

На следующий день после аварии Сережа Немчинов с женой прилетели из Нью-Йорка. Утром мне мама говорит, что ночью звонил Сережа, сказал, что вылетит первым же рейсом. Звонил он в полвторого, когда узнал об аварии, придя домой после благотворительного ужина. Включил телевизор и увидел. Они с Леной уже в восемь утра были у нас и сразу поехали к ребятам в больницу. Сережа около Славы посидел. Смотрю, у него слезы в глазах стоят. Я спрашиваю: «Сережа, хочешь к Володе зайти? Он здесь, в соседней палате, и Сережа Мнацаканов тоже рядом со Славой лежит». — «Да, конечно». Заходим к Константинову. Немчинов увидел, в каком состоянии Вова, и уже сдержать себя не смог, зарыдал. Я вышла из палаты, позвала Лену к нему, неудобно же мужику плакать при мне, а он Константинова гладит по руке: «Володька, Володька...»

Сережа с Леной предложили ребенка забрать к себе в Нью-Йорк. Мы потом, когда я уже из больницы вышла, Настю к ним отправили. Немчиновы со своими детьми уезжали в отпуск и нашу с собой взяли.

Незнакомые люди присылали письма, надувные шары, плюшевых мишек, корзины с фруктами. Менеджер ресторана «Биг дэдис», где Слава с Володей часто обедали, сказал мне и Ире: «Не тратьте время, не готовьте ничего, только звоните, говорите, что вам надо, мы все сделаем, все привезем». Соседи приходили, предлагали помощь. Надо вещи вывозить, дом уже другим людям сдан, хорошо будущие жильцы пошли навстречу, сказали: «Не волнуйтесь, Лори нам позвонила, все объяснила. Сколько надо, столько и живите, мы подождем...»

А на четвертый день, после того как ребята попали в аварию, и я оказалась на больничной койке. У меня внутри все эти дни ныло и ныло. Я в госпитале с девочками вышла подышать воздухом, пока Слава задремал. Сидим на скамеечке, я жалуюсь Ире и Лане: «Живот болит ужасно, есть ничего не могу». Вернулась обратно в палату к мужу, но понимаю, что терпеть боль уже нет сил. Медсестер прошу: «Пожалуйста, дайте какое-нибудь лекарство. У меня сильно болит желудок». — «Извините, мы не имеем права». Медсестры в госпитале не должны выдавать без рецепта и назначения врача никаких лекарств. Приходит Славин врач, смотрит на меня: «А ты как себя чувствуешь?» — «Если честно, то плохо. А почему вы спрашиваете?» — «У тебя глаза больные». Я пожаловалась на боль, меня тут же на кресло-каталку, повезли проверять. Хорошо хоть Лори со мной рядышком, я же половину медицинских терминов не понимаю, а она мне все медленно объясняет, пытаясь переводить медицинский на нормальный язык. Врач ко мне пришел — максимум двадцать семь лет. Я лежу, на него смотрю, пытаюсь шутить: «А вам лет-то сколько, молодой человек? Вы что, врач? Смотрите, не «запорите» меня, на мне травмированный муж и маленький ребенок». Сделали анализы, все проверили. Часа в три-четыре утра врач подходит ко мне: «Ничего пока не можем сказать. Странный случай, но похоже, что аппендицит». Уровень лейкоцитов оказался очень высоким. Через полчаса взяли повторный анализ крови, уровень лейкоцитов немного упал. Врач говорит, что не может такого быть при аппендиците — не падают лейкоциты. Опять рентген смотрел: «Есть шесть вариантов вашей болезни». И начал рассказывать все шесть вариантов. Значит, аппендицит один из них, а может быть, там такое заболевание, при котором надо лекарства пить каждые три часа всю оставшуюся жизнь. У меня ноги начали холодеть, пока я все это слушала. Славу ко мне привезли — его в госпитале скрывали ото всех, поэтому нарядили в хирургическую операционную форму. Он сидит около меня на каталке, а Лори с другой стороны, по плечу меня гладит. Чувствую — у нее начинают учащаться поглаживания с каждым следующим вариантом моего приговора. Уже не помню, что врач там еще называл, но в конечном итоге доходит до возможности рака. Я держаться еще держусь, даже пытаюсь улыбаться, но уже слезы потекли. Смотрю на Славу, а у него глаза просто квадратные, он мне руку целует: «Малыш, все будет хорошо. Все хорошо, мамочка». Делают еще один, последний, какой-то двухчасовой анализ. Приходит Джеймс Робинс — врач, который вел Славу и ребят. Говорит, что они ждут результата. А дальше я уже ничего не помню...

Кто-то меня за плечо трогает. Открываю глаза — я уже лежу в палате, стоит Робинс надо мной и говорит, что нужно срочно делать операцию. «Я надеюсь, что у тебя аппендицит. Но операцию нужно делать сейчас. Со Славой я уже говорил, он дал свое согласие». — «Если нужно — делайте». И меня повезли в операционную.

Доктор Робинс круглосуточно в больнице с ребятами находился. Я не знаю, уходил ли он когда-нибудь домой, может, только на час, на полтора. В шесть утра он сам сделал мне операцию.

Ночью не спишь: мысли всякие, боль не дает уснуть, а днем начинаются процедуры, приходят доктора, следователи. Ребята навещали Володю и Сергея, не забывали заглядывать и ко мне — спать некогда. И только я наконец за несколько дней впервые задремал, подходит доктор и говорит: «Слава, мне нужно твое решение». — «Что случилось?» — «Проблемы у твоей жены. Я на восемьдесят процентов уверен, что это — аппендицит. Если мы протянем, может случиться беда». Я говорю: «Доктор, я тебе верю, давай, делай операцию». Через полтора или два часа он пришел ко мне в палату: «Это — аппендицит, еще час-другой, и было бы осложнение».

Меня выписали из госпиталя как можно быстрее, для того чтобы показать людям, что хотя бы один из нас уже на ногах и может отправиться домой. Через десять дней после аварии должен был состояться «Селебрити гейм». Каждый год популярный актер родом из Детройта проводит хоккейные матчи, а в них участвуют известные спортсмены из других видов спорта, артисты, певцы, знаменитости, которые любят хоккей. Весь сбор от такого матча идет в благотворительный фонд для детей, больных параличом.

Меня привезли на эту игру, чтобы я произвел символическое вбрасывание. Народу — двадцать тысяч, полный стадион. Когда объявили: «Фетисов производит вбрасывание» и я, хромая (костыли оставил в раздевалке), пошел по ковровой дорожке к центру площадки, минут десять люди стоя аплодировали и кричали мое имя. У меня мурашки по коже и слезы. Я подумал: «Как же я смогу отблагодарить этих людей?» — и сказал себе, что попробую еще год поиграть — не просто отбывать время на льду, а играть на самом высоком уровне. Хотя еще вчера, лежа в больнице, я не мог и подумать, что начну еще один сезон в Национальной хоккейной лиге в возрасте тридцати девяти лет, да еще после всего, что со мной случилось.

Но я дал себе слово, что вернусь еще на год. И сейчас, в разгар сезона 1997—98 годов, я получаю удовольствие от каждой проведенной на льду минуты, от каждой минуты своего пребывания в команде, в хоккее, потому что думаю: все же это мой последний сезон. Слава Богу, я сумел восстановиться, хотя сомнения были — колено побаливало и, увы, болит и сейчас.

ЛАДА: Рассказывая о всех наших бедах, я совсем забыла о радостном событии, случившемся в те черные дни.

13 июня произошла авария, а у Настеньки на следующий день конкурс. Она на него так рвалась, так к нему готовилась! Папа был против, она его неделю уговаривала. Он спрашивает: «Почему ты хочешь идти на этот конкурс?» Она отвечает, что мечтает стать принцессой, хочет, чтобы у нее было много новых друзей, хочет много путешествовать.

Уговорила папу — и вдруг такое несчастье. Слава не мог уснуть, поэтому на протяжении ночи мы не раз возвращались к этой теме. Он лежал, я рядом сидела, каждый думал — что же делать? Слава мне потом сказал, что последняя мысль за мгновение перед ударом была: а как же Настя пойдет завтра на конкурс? А я думаю: «Да какой тут конкурс, когда папу чуть не похоронили!» Мы решили дочке ничего не говорить про аварию. Слава велел: «Скажи, что я уехал в командировку, пусть завтра идет на конкурс».

Конкурс проводился в субботу и в воскресенье с девяти утра до восьми вечера. Хорошо, мама была рядом, я не знаю, что бы я без нее делала. Она оставалась с ребенком, вся издергалась, даже в госпитале у Славы не могла побыть, потому что я уезжала в девять, а возвращалась ночью, часа в четыре, и спала всего часа два. Утром собрала ребенка, Линн с ними поехала, да и я сама в первое утро туда примчалась. Отозвала в сторонку девушек, проводящих конкурс, прошу: наша дочка ничего не знает и мы не хотим, чтобы кто-то с ней про аварию говорил. «Не волнуйтесь, мы все сделаем». Они собрали всех, предупредили — и даже дети молчали.

«Если конкурс разобьет ребенку сердце, — сказал мне Слава, — я тебе оторву голову». Уже в первый день Настенька опережала всех девочек по очкам. Выиграла она шесть трофи, то есть шесть первых мест, и ее фотографию будут печатать в течение года на обложке специальных журналов. Но звание «Мисс Мичиган принцесс» не получила. Я думала, переживать будет, но она этого даже не поняла, потому что ее часто вызывали, чтобы вручать другие призы. Тем не менее Настенька попала на национальный конкурс, финал во Флориде, в Диснейуорлд. Она и проезд туда себе выиграла, проживание в гостинице и еще двести пятьдесят долларов в счет будущего обучения в колледже.

Правда, Слава сказал, что дочка никуда больше не поедет, ни на какие конкурсы красоты, достаточно одного раза.

Но мы вновь уговорили нашего папу и отправились на национальный конкурс, где Настя выиграла титул «мисс Америка принцесс нэшнл кавергерл—97». Другими словами, ее титул — это что-то вроде девочки для обложки журналов, теперь в национальном масштабе.

Я не спала две ночи. Третий день после аварии уже шел, а у меня хоть спички в глаза вставляй. Слава задремал, я спустилась вниз, в комнату к ребятам. Кто только в эти дни не звонил, сколько телеграмм, сколько писем! Не только из Америки и Канады, но и из России... Приходили такие письма, что, когда я их читала, слезы градом. «Мужики, мы с вами. Знайте, что за вас переживает весь завод». Телеграммы из Сибири, из Тюмени. Врачи из Питера писали, что, если нужна помощь, они прилетят. Я думаю, что когда столько людей переживают, отдают положительную энергию, молятся, то это не может просто так в никуда уйти. Они должны выкарабкаться! Слава не вставал, но был не в таком тяжелом состоянии, как ребята. А Володя и Сережа по-прежнему находились в коме.

Насте растолковали, что папа играет, поэтому живет в гостинице. На что она, правда, мне ответила: «Папа мне сказал, сезон закончился». И во время конкурса, когда я ей говорила, что папа переживает, болеет за нее и радуется, она спросила: «А откуда ты знаешь? Папа же уехал». — «Я с ним разговаривала по телефону». — «Когда?» — «Он днем звонил». — «А меня что, дома не было?» — «Нет, не было». Она замолчала, задумалась. У нее папин характер. Она в себе все переживает, внутри. Упадет, коленку раздерет, но не пикнет: губы надует, брови сдвинет, как Слава, и будет молчать. Правда, если мама рядышком, слезы могут появиться.

Я давно мечтал, что, если когда-нибудь выиграю Кубок Стэнли, обязательно привезу его в Москву. Как только мы повели в финальной серии 2:0, я спросил у Гарри Бетмана, есть ли возможность забрать Кубок в Россию. И услышал в ответ: «Мы подумаем и попробуем решить этот вопрос». Я спросил то же самое и у хозяина «Детройта» мистера Илича. Он сказал: «Конечно». На банкете после победы Боумен подошел ко мне со словами, что поддержит меня и поможет, потому что мы заслужили это право — привезти Кубок Стэнли в Москву. Оставалось только договориться о сроках, потому что каждый игрок команды-победительницы имеет право два дня владеть Кубком, приглашать домой родных, друзей, отмечать это событие. И хотя принципиальное согласие я получил, тут же возник миллион вопросов. Мне пришлось связаться с людьми, которые отвечают за безопасность, за связь с общественностью и прессой. Где Кубок будет храниться в Москве? Какой срок? Кто его будет охранять? В каких мероприятиях он будет участвовать? Я удивлялся, кому это нужно? А потом, когда мне прислали список агентств, газет, журналов и телекомпаний Северной Америки, которые изъявили желание отправиться вместе с Кубком Стэнли в Москву, я понял, почему столько вопросов. Забегая вперед, скажу, что все прошло на высоком уровне: от охраны до поездок с Кубком к самым высоким официальным лицам.

Собственно говоря, три игрока, которые приехали в Москву — Игорь Ларионов, Слава Козлов и я, — имели равные права на Кубок, но меня вежливо просили, чтобы я информировал обо всем, что с ним связано. Каждый мог закрыться с Кубком у себя в квартире... и не знаю, что из него бы пил. Правда, по неписаному этикету из Кубка можно пить только шампанское. Исключение сделали только для Маккарти — после финала ему налили туда кокаколу, так как он алкоголь теперь не пьет.

16 августа мне позвонили в Москву из Детройта: Кубок уже летит в Россию! Мне кажется, что до последнего момента никто здесь не верил в мои обещания. Кто это даст Фетисову или Ларионову привезти Кубок в Москву? Но мы знали совершенно четко: он прилетит, а с ним и официальная делегация из НХЛ.

Мы приехали в Шереметьево пораньше, я и Слава Козлов. Я должен был заехать за Игорем, но с транспортом получилась накладка, а единственный человек, кто знал телефон Игоря, куда-то исчез. Самолет уже приземлился, но я сказал, что не буду выносить Кубок, пока Игорь не появится. Кто-то сказал, что Игорь позвонил — он приедет прямо в ЦСКА. После этого мы вынесли Кубок. Прилетел он в багажном отделении, в большом сундуке на колесиках, но из багажного отделения его занесли в салон самолета, потому что для съемок мы должны были спуститься с ним по трапу. В ту минуту, когда надо было его выносить, начался ливень. Один из руководителей НХЛ, мистер Соломон, сказал: «Все прекрасно, только дождь почему-то, наверное, где-то немножко не договорились...» — «Нет, мистер Соломон, — ответил я. — По русскому обычаю, дождь — это к удаче». — «Ну тогда отлично. Мы имеем здесь Стэнликап, мы имеем дождь, мы имеем большую прессу, в общем, все у нас в Москве в порядке с первых же минут пребывания». Вынесли мы с Козловым Кубок, а работники аэропорта через решетку просят нас дать его потрогать. Тогда я понял, что мы не зря все это затеяли, раз люди интересуются, раз они знают о Кубке, одном из самых престижных трофеев в профессиональном спорте, которому больше ста лет.

Если люди улыбаются Кубку, значит, задача выполнена. Когда мы внесли Кубок в зал VIP, там собралось столько корреспондентов, что пришлось идти как сквозь строй.

Наверное, то, что Кубок Стэнли оказался в Москве, — закономерное явление. Профессиональный хоккей, по объективным причинам, лучше всего развит в Америке, как, допустим, футбол в Европе. А то, что наши ребята выигрывают престижные кубки, не только прославляет самих игроков, но и страну, где они родились, воспитывались, учились играть. Эта ситуация в мире сейчас рассматривается как нормальная, и тому подтверждением обилие представителей международной прессы все эти дни в Москве. Наверное, хорошее подтверждение тому и огромный интерес людей к этому необычному визиту. Было много интересных встреч, но самое дорогое для меня то, что мой отец увидел первый раз Кубок во Дворце спорта ЦСКА. Он меня обнял. Близкий человек знает, чего стоит выиграть такой трофей. Поразила меня и реакция мальчишек во Дворце, которые задавали самые разные вопросы.

Я предложил, чтобы Кубок прямо из Шереметьева отвезли в ЦСКА. И Игорь Ларионов, и Володя Константинов, и Сергей Федоров, и я — все мы уехали играть в НХЛ из ЦСКА. И Слава Козлов играл в ЦСКА какое-то время. Дворец на Ленинградском проспекте — место, где зародился хоккей в стране, где Анатолий Владимирович Тарасов организовал советскую школу хоккея. Самые известные мастера выросли в ЦСКА, и я посчитал, что будет правильным, если мы отдадим клубу должное.

Мэр Москвы Юрий Михайлович Лужков приехал на открытие турнира Кубок «Спартака», там Кубок Стэнли был представлен хоккейным болельщикам. Я ему сказал: «Юрий Михайлович, это самый престижный трофей в профессиональном хоккее». На мне была майка с автографами «пятерки», с автографом Константинова, который он поставил перед тем, как мы попали в беду. «А майка у меня с автографами всей «русской пятерки». Лужков: «Чего же ты ждешь? Давай снимай». Он надел майку на себя, чем меня абсолютно потряс. Посмотрел мэр на Кубок Спартака и говорит: «Ну вообще-то наш спартаковский кубок не хуже, чем Кубок Стэнли». Я не спорил: «Конечно, не хуже. Нужно только подождать еще сто лет, чтобы он стал таким же престижным».

Я думаю, что Кубок прилетел из Нью-Йорка в Москву как посол доброй воли. И премьер России Виктор Степанович Черномырдин нашел время принять нашу делегацию и даже выпил шампанского из Кубка прямо во время рабочего дня. Первоначально встреча была назначена нам на двенадцать часов, но на это же время планировался наш приезд в Воскресенск. Получался конфуз, мы не знали, как распутать этот узел, а люди в Воскресенске уже собирались. Тогда решили, что к Черномырдину пойду я, а Игорь со Славой поедут на встречу, они же родом из Воскресенска. Но премьер-министр поменял свое рабочее расписание и принял нашу делегацию в десять, чтобы мы все могли успеть в Воскресенск. Для меня это говорило о том, что в стране настали другие времена. Добрая получилась встреча, а когда принесли шампанское в бокалах на подносе, мы сказали: «Виктор Степанович, шампанское пьют из Кубка». Он: «Чего вы маетесь — наливайте!»

И конечно, я никогда не забуду, как мы шли с Кубком на открытии стадиона в Лужниках. Десятки тысяч людей, президент, все правительство, мэр Москвы приветствовали Кубок, и никто не ушел на перерыв, все остались на местах, пока мы не завершили прохождение по кругу стадиона.

После того как «Детройт» выиграл Кубок Стэнли, я стал хоккеистом, у которого есть все награды в этом виде спорта — и в профессиональном, и в любительском. И я снова подписываю контракт. Охота ли мне теперь играть? Я люблю хоккей, и, наверное, это самая главная причина, почему я не ушел. Даже за хорошую плату тяжело в моем возрасте, скажем так, ломаться. С каждым годом становишься старше, и приходится находить в себе резерв силы, чтобы бороться с молодыми, амбициозными парнями, которые играют за огромные деньги и для которых нет авторитетов в Лиге. В сезоне 1997—98 годов меня вернуло на лед все, что произошло в июне в Детройте. Катастрофа открыла мне глаза на многое, что не казалось главным в жизни.

В моем решении есть и какой-то вызов себе самому: а сможешь ли ты после такой травмы найти в себе силы встать на ноги? Америка не моя родина, я здесь гость, но тысячи и тысячи людей близко приняли к сердцу нашу трагедию. Из тысяч писем, присланных мне за последнее время, я предлагаю вам прочесть только одно, от Денизы Брайан из Карсонвилля. Я не выбирал его специально, просто взял из пачки.

«26 января 1997 года
Уважаемый мистер Фетисов!

Пишу Вам, чтобы выразить свое восхищение Вашей любовью к свободе и упорством, с каким Вы шли к ней. Я слежу за судьбой российских легионеров и могу сказать, что «Папа-Медведь» у них, конечно, только один. Благодаря истории Вашей жизни, рассказанной по телевидению, мои две девочки учатся понимать, что свобода — это не врожденное право, а завоеванная привилегия. Во время выборов в России моя младшая давала мне ежедневную сводку событий. Ваше выступление в матче Всех Звезд было таким же ярким символом непоколебимости, каким для мира всегда была Статуя Свободы.

В Америке многие уже давно забыли, что такое лишения. Из-за политических гонений мои дедушка и бабушка тайно бежали из Европы перед первой мировой войной. Мои родители выросли в европейском анклаве в «старом» Детройте, и я всегда с удовольствием слушаю их рассказы о «той далекой стране». А вот мои дети относятся к истории и человеческим испытаниям тех лет как к чему-то само собой разумеющемуся: им не пришлось пережить ни мировую войну, ни Вьетнам, ни Корею. Надеюсь, что с наступлением новой жизни никому уже не суждено стать свидетелем таких событий.

Спасибо Вам и Вашей семье, что привезли к нам в Детройт замечательную русскую культуру. Ваша девочка должна гордиться своим отцом. Наши лучшие пожелания и другим игрокам пятерки, в составе которой Вы выходите на лед. Константинов — просто чудо, а судьи придираются к нему именно потому, что он так хорош.

Я работаю медицинской сестрой с трех до одиннадцати часов вечера и благодаря этому сумела достать билеты на Ваш матч в пасхальное воскресенье 30 марта 1997 года. Мы будем болеть за Вас в 16-м ряду секции 218Б. Ваш номер «2» будет вряд ли различим с нашего места, но это неважно.

Я впервые отправляюсь на «Джо Луис Арену» в Детройте, но, конечно, смотрю дома спортивные каналы Pass, ESPN и FOX.

Если бы у Вас нашлось время, была бы счастлива пожать Вашу руку. Для меня Вы — живая легенда, и встреча с Вами — большая честь. Мой муж и девочки тоже будут со мной. Если Вы сочтете это уместным, я бы внесла 75 долларов на ту благотворительную программу, которую Вы укажете. Моя мечта — чтобы Вы расписались и нарисовали Ваш номер «2» на моей майке.

Я буду не в обиде, если не дождусь от Вас ответа, — понимаю, что Вы очень заняты.

Наилучшие пожелания всей семье. Живите долго и счастливо в Вашем новом доме.

С сердечным приветом,
Дениза Брайан
P.S. Мы всегда будем Вас любить.
Подписался весь штат Мичиган».

Я вернусь к тому символическому вбрасыванию на «Джо Луис Арене», когда стадион скандировал мое имя. Что я тогда сказал, точно не помню, — спасибо за вашу любовь, спасибо за поддержку от меня, от моей семьи, от семей Владимира и Сергея.

Решение поиграть еще один год — оно для себя, для болельщиков и для Володи, чтобы быть поближе к нему. Многое в наших судьбах переплелось, он еще с Толиком моим играл. Он отличный парень, я это точно знаю, последние два года мы жили с ним в поездках в одной комнате. У него большое сердце. Спасибо «Ред Уингз», что мне дали возможность еще год поиграть, хотя, я думаю, они рассматривали такую возможность еще до того, как произошла авария. А уже после нее никаких вопросов не возникало, кроме чисто технических по контракту, прежде всего по деньгам, но это — обычное дело. Такова суть бизнеса, которая не касается человеческих отношений, тут никаких проблем с клубом я не испытывал.

При подписании контракта всегда настает момент, когда ты должен решить: устраивает ли тебя предложенная сумма. Не всегда оправданно в моем возрасте вставать в позу. Иногда ты должен сказать своему агенту: «Слушай, наверное, достаточно». Есть случаи, когда молодой парень, который еще толком не играл в Лиге, не приходит в кемп, потому что его агенты торгуются за сотню тысяч долларов, хотя у него, может быть, последний шанс закрепиться в составе. Поэтому в какой-то момент я определился: «Давай какие-то детали уточним и будем подписывать».

Мне руководство «Детройт Ред Уингз» сказало: «Мы хотим тебя видеть в нашей форме».

# Негрустный эпилог

Я уже говорил, что на первых порах своей карьеры в НХЛ мне хотелось все бросить и уехать к чертовой матери. Но я бы перестал себя уважать, если бы сделал такое. Конечно, мне помогла оставаться уверенным в себе Лада. Потом прибавило сил рождение Настеньки. Все это вместе и продлило мою спортивную судьбу в самой сильной хоккейной Лиге мира.

Много разных, в том числе и нелестных, высказываний раздавалось на Родине по поводу моей игры. И хотя я понимал, где рождаются эти разговоры, понимал всю бессмысленность вступать в прения с прессой или непоменявшимися начальниками, чувство обиды, конечно, не отпускало. Но я заставлял себя не обращать внимания на выпады, а просто год за годом подписывал контракты и играл в хоккей, находился в хорошей спортивной форме и любил, и люблю это дело, которому посвятил всю жизнь.

Это не преувеличение — хоккей для меня действительно вся жизнь. Я предан этой игре и думаю, что и она неплохо относится ко мне. Но если спортсмен выступает долго, то главный вопрос: для чего дальше ломаться? Для чего испытывать такое страшное напряжение? Проблемы нет, когда много сил, когда ты удачлив и не измучен травмами. Тогда можно контролировать свое здоровье, для того чтобы сохранять хорошую форму.

Уже очень скоро и для меня станет актуальным вопрос: когда заканчивать? Но все будет зависеть исключительно от внутренних ощущений. Если на следующий год я почувствую, что еще смогу быть полезным своей команде, соревноваться с молодежью, то, может быть, я не уйду со льда. Если же почувствую, что игра не идет, то придется заканчивать.

Чтобы состязаться с молодыми конкурентами, мало опыта, которого у меня в избытке, необходимо иметь и приличную спортивную форму. А для этого тренировочного времени необходимо тратить больше, чем прежде. Какие-то развлечения, которые я раньше себе легко позволял, уже непозволительны. Но все компенсируется тем, что я по-прежнему нахожусь в команде рядом с молодыми и соревнуюсь с ними на равных. А они все амбициозны, все хотят выиграть у меня, хотят быть лучше, чем я. И здоровье у них отменное, и желания огромны.

Я все время слышал, что надо уходить красиво. Есть много примеров, как люди прощались со спортом торжественно, оставаясь чемпионами... но сколько из них потом жалели, что рано ушли, потому что не доиграли, потому что многое осталось недосказанным? Они стали мудрее, увидели жизнь в другом свете, и новые грани могли появиться в их игре, но... И таких примеров много, самый яркий — Владислав Третьяк. В Америке — Майкл Джордан — великий баскетболист, который закончил играть, добившись всего, о чем можно мечтать. Он сам говорил, что нужно заканчивать именно тогда, когда ты чемпион... но вернулся, потому что скучал по баскетболу, потому что у него еще были силы, желание играть. Любовь к игре, которой он отдал всю свою жизнь, победила. Но если игрок морально опустошен, то нужно уходить.

Одни спортсмены, чтобы сохранить силы, принимают допинг, другие — еще что-то. Я как-то познакомился с человеком, который мне показался на первый взгляд навязчивым. По профессии он гомеопат, занимается витаминами, травами. Его имя Брайан Хюгар. Он к моему приезду в США уже работал с двумя или тремя ребятами из «Дэвилс». Как-то мы с ним разговорились. «Атлет должен получать витамины из-за большой траты энергии, — говорил Брайан, — но есть всевозможные травы, которые очищают организм, выводят шлаки из печени, почек, крови. Эти препараты необходимо принимать, они не вредят здоровью, а, наоборот, помогают, к тому же увеличивают работоспособность».

Так прошла наша первая встреча в Нью-Джерси. В конце концов Хюгар разработал для меня специальную программу. Так я открыл для себя канадский женьшень (прежде я считал, что этот корень растет только на Дальнем Востоке). Вспомнил кино «Корень жизни», вспомнил, что в свое время, наверное, только члены Политбюро имели возможность пользоваться чистым корнем. Возможно, остатки после них выдавались хоккеистам сборной, особенно перед Олимпийскими играми. Ценился препарат на вес золота.

Вначале я со скептицизмом отнесся к рассуждениям Брайана, но что делать — он разработал программу специально для меня и достал меня так, что мне пришлось купить все эти витамины. Я их то принимал, то о них забывал, но потом наступил тяжелый период, и, не имея под рукой ничего лучшего, я стал следовать этой программе. И вдруг обнаружил, что чувствую себя намного лучше. С тех пор уже пять лет, как я употребляю канадский женьшень, который дает мне энергию, как хорошее горючее для машины.

Но если ты постоянно принимаешь препараты, которые тебя стимулируют, нужно пить или глотать что-то успокаивающее. Ведь любой машине необходима система охлаждения, иначе мотор быстро перегреется. Есть, оказывается, и такой препарат из женьшеня, он имеет свойство успокаивать организм, потому что, если я приму стимулирующее лекарство перед или во время игры, потом очень трудно уснуть. А если сразу после игры приму пару капсул, сделанных из этого женьшеня, организм расслабляется, и я спокойно высыпаюсь, восстанавливаюсь к тренировке на следующее утро.

Принимая различные препараты из женьшеня, я чувствовал себя с каждым годом все лучше и лучше, и сейчас, когда мне без малого сорок, я чувствую себя гораздо моложе.

Помимо женьшеня, в моих капсулах еще много всяких добавок. Это довольно сложная программа, которой я должен строго придерживаться в течение длительного периода. Она держит мой тонус и, кстати, не дает толстеть. В ней целый комплекс лекарств из качественных, абсолютно чистых продуктов, который я испытал на себе. Думаю, со временем я договорюсь с Брайаном и смогу привезти его витамины в Россию.

ЛАДА: Несколько лет назад Слава познакомился с гомеопатом Брайаном Хюгаром. Он канадец, а дедушки и бабушки у него с Украины. Брайан все время нам звонил и говорил: «О, борщ! Борщ — это хорошая еда, потому что в нем все овощи варятся». Этот гомеопат занимается со многими спортсменами, не только хоккеистами. Брайан работает и с обычными людьми, он делает специальную витаминную программу для каждого. Витамины исключительно натуральные, те, что вырабатывает корень женьшеня, плюс витамин С и разные травы — травы для очищения желудка, для расщепления жиров, чтобы лучше усваивались белковые продукты. Слава стал пить эти витамины, потом меня этим увлек, у нас и ребенок сейчас их пьет. Ей с утра шесть капель под язык, мне — десять. По всем этим настойкам Слава сам стал специалистом. Если у Насти выскочил какой-то прыщик, он показывает, настой из какой травы ей нужно пить, чтобы очистить кожу. Сам он никогда не будет принимать то, что не проверит досконально, о чем подробно не прочитает все разработки, все брошюры по новому лекарству.

Очень большое внимание Слава уделяет еде. Никакой специальной диеты у него нет. Единственное правило — на столе только свежие продукты. Если рыба покупается утром, то жарится, самое позднее, вечером. Почти ежедневно в обед я готовлю мужу пасту — это разнообразные макароны, вермишель, спагетти. Ест он пасту с соусами, в основном с овощными. По утрам пьет фруктовые смеси или свежевыжатый сок. Каждый день я ему даю столовую ложку фруктово-шоколадной смеси. Это сушеные фрукты: урюк, изюм, чернослив и орехи, которые мелко-мелко режутся и смешиваются с шоколадом, черным, без молока, и медом. Смесь — не мое изобретение. Я же в спорте с детских лет, выросла в спортивной семье. Таким «шоколадным набором» у нас в России было принято поддерживать силы во время тренировок. Но нам никогда не разрешали есть бананы, якобы — лишний вес. А здесь, в Америке, наоборот, считают, что бананы спортсменам необходимы. Бананы — это протеин. Нам не разрешали есть макароны, в Америке, наоборот, макароны — это твоя сила.

А вот колбасы Слава почти не ест — красное мясо заменил на белое, ест либо курицу, либо индюшку. И не только потому, что колбаса — переработанный продукт, который может лежать неделю или месяц, она же обязательно сделана с применением каких-то химических добавок. Копчености обычно очень соленые, и хотя Славе соль нужна, но не в таком количестве. Он очень много пьет воды, потому что постоянно нужно очищать организм. Все, что из банок, Слава есть не будет. Никаких консервов.

Большая часть его еды — это овощи и соки. Он теряет такое количество энергии за день, что может, как бы нарушая правила, поздно вечером плотно поужинать. После игры всегда много едят. Обычно после тренировки, в половине второго, у него обед, потом он ложится на два часа поспать, когда встает — обязательно выпивает чай с тостом, обычно с клубничным или другим вареньем. В день, когда есть матч, он уезжает часа в четыре, а возвращается почти в полночь. Раньше за игру он терял в весе до двенадцати фунтов — это больше пяти килограммов. Сейчас меньше, но фунтов семь «сгорает». Ему же их надо восстанавливать, а игры в НХЛ через день. Поэтому и ест за полночь, и пьет много жидкости. И конечно, не идет сразу спать, час-полтора должно пройти, пока он отойдет после игры, подумает, что сделано не так, пока они, «русская пятерка», все не созвонятся. Постепенно все мысли об игре развеиваются, и около двух ночи Слава ложится спать.

Судьба свела меня в хоккее со многими замечательными людьми. Когда я пришел в «Детройт», там еще играл Марк Хоу, сын легендарного Горди Хоу. Закончился сезон, «Детройт» проиграл в финале Кубка Стэнли, и у Марка пропала последняя возможность выиграть Кубок. Поехали мы в гости к Славе Козлову: все «детройтские» русские, Марк, еще пара ребят — никак не могли успокоиться после проигрыша в финале. Немного выпили, и Марк мне говорит: «Слушай, ты же занял мое место в команде. Когда ты пришел, я понял, мне уже здесь не играть. Я какое-то время был на тебя обижен, но потом посмотрел, как ты играешь. Вижу, что хорошо, поэтому у меня претензий ни к кому, тем более к тебе, нет и не может быть». Мы проговорили с Марком всю ночь. Марк Хоу ушел со льда ровно в сорок лет. Я спросил: «Как ты решил, что пора закругляться?» — «Я сам не знал, когда это сделать. Позвонил отцу, спрашиваю: «Мне уже тридцать пять, может, ты подскажешь, когда нужно заканчивать?» (а Горди играл, когда ему было уже за пятьдесят, и у него одна из самых великолепных биографий в НХЛ). Так вот, он сказал: «Слушай, сынок, когда однажды утром ты проснешься и почувствуешь, что пришло время заканчивать, — уходи. Потому что для каждого существует свое время. И ты сам решишь, когда оно наступило». И действительно, я проснулся однажды утром и сказал своей жене: «Джинджер, этот сезон у меня будет последний — я заканчиваю».

Иногда меня спрашивают: «Слава, тебе не обидно, что ты получаешь такие же деньги, а нередко и меньше, чем сейчас получает ваша русская молодежь?» Ответ на этот вопрос есть в книге, а если коротко — у меня другие ценности были (и есть) главными в жизни. И у меня нет никакой зависти к этим мальчишкам, потому что я достаточно взрослый человек, чтобы понимать: мое время уже ушло. Я не могу конкурировать с ними по уровню гонораров.

Но я очень рад за них всех, потому что они русские, они добились и добиваются в Америке, в НХЛ, больших успехов. Но, с другой стороны, я себя считаю куда более счастливым. Мне повезло вдвойне, потому что я успел поиграть за свою страну, для своих болельщиков, и они помнят меня до сих пор. И я благодарен им за это. Я не выступаю дома уже девять лет, но, когда приезжаю в Москву, люди меня узнают на улице, благодарят меня за то, что я сделал в свое время, и, надеюсь, за то, что делаю сейчас.

Мы не получали больших денег, но мы играли за свою страну, за свой флаг. И это не громкие слова, так нас воспитали. Я был капитаном сборной страны восемь лет! И счастлив уже тем, что мне удалось стать кумиром в своей стране. Молодые российские звезды НХЛ не знают, что это такое.

Но, так же как и они, я ощущаю здесь, в Америке, любовь и поклонение тысяч и тысяч людей. А быть узнаваемым и почитаемым в двух таких странах, как Россия и Соединенные Штаты, на двух континентах, — поверьте, никакими деньгами измерить подобное невозможно.

О моих планах, я думаю, не нужно говорить. Многие люди планируют свою будущую жизнь, а она потом не получается. Естественно, я не буду сидеть и ждать милости от природы, а буду что-то пробовать. Есть и варианты, и возможности. Единственное, о чем можно сейчас твердо говорить: я обязан дать все необходимое своей дочери, чтобы она получила хорошее образование, выросла свободным и независимым человеком, имела возможность выбирать в жизни.

И конечно, наступит день, и в команде появится парень, который будет лучше, чем я. Ни к нему, ни к себе претензий у меня не будет. И однажды утром я скажу жене: «Лада, это — мой последний сезон».

*Детройт, февраль—декабрь 1997 года.*

# ОГЛАВЛЕНИЕ

**Вячеслав Александрович Фетисов**
**Овертайм**

РЕДАКТОР
**А.Л. Костанян**
ХУДОЖЕСТВЕННЫЙ РЕДАКТОР
**О.Г. Дмитриева**
ТЕХНОЛОГ
**М.С. Белоусова**
ОПЕРАТОР КОМПЬЮТЕРНОЙ ВЕРСТКИ
**И.В. Соколова**
ЗАВ. КОРРЕКТОРСКОЙ
**А.Ю. Минаева**
ЗАМ. ЗАВ. КОРРЕКТОРСКОЙ
**Н.Ш. Таласбаева**
КОРРЕКТОРЫ
**В.А. Жечков, С.Ф. Лисовский**

**Оптовая торговля:**
Эксклюзивный дистрибьютор издательства «Клуб 36,6»
Тел./факс: (095) 265-13-05, 267-29-62 267-28-33, 261-24-90

**Фирменный магазин:**
(мелкооптовая и розничная торговля)
Проезд: Рязанский пер., д. 3
(рядом с м. «Комсомольская» и «Красные ворота»)
Тел.: (095) 265-86-56, 265-81-93

**Склад:**
Тел.: 523-92-63, 523-25-56 Факс: 523-11-10
г. Балашиха, Звездный бульвар, д. 11
(от ст. м. «Щелковская», авт. 396, 338А до ост. «Химзавод»)

**Книжная лавка «У Сытина»:**
113054, Москва, ул. Пятницкая, д. 73
Тел.: (095) 230-89-00 Факс: (095) 959-27-00
Интернет: http://www.kvest.com/mainmenu.htm
Электронная почта: sytin@aha.ru или info@kvest.com
Журнал «Книжный вестник»: http://www.kvest.com

Издательская лицензия
№ 101053
от 4 апреля 1997 года.
Подписано в печать
21.04.98.
Формат 60×90/16.
Гарнитура Таймс.
Печать офсетная.
Объем 24 печ. л.
Тираж 25 000 экз.
Изд. № 511.
Заказ № 1027.

Издательство «ВАГРИУС»
103064, Москва, ул. Казакова, 18
Интернет/Home page —
http:\\www.vagrius.com
Электронная почта (E-Mail) —
vagrius@mail.sitek.ru

Отпечатано с готовых диапозитивов
в Государственном
ордена Октябрьской Революции,
ордена Трудового Красного Знамени
Московском предприятии
«Первая Образцовая типография»
Государственного комитета Российской
Федерации по печати.
113054, Москва, Валовая, 28.

В СЕРИИ